iPad
Edición 2012

iPad
Edición 2012

J.D. Biersdorfer, @jdbiersdorfer

TÍTULO ESPECIAL

TÍTULO DE LA OBRA ORIGINAL:
iPad the missing manual

RESPONSABLE EDITORIAL:
Eugenio Tuya Feijoó, @nenedelcerro

TRADUCTOR:
Álvaro Montero Marín

DISEÑO DE CUBIERTA:
Cecilia Poza Melero

Todos los nombres propios de programas, sistemas operativos, equipos hardware, etc. que aparecen en este libro son marcas registradas de sus respectivas compañías u organizaciones.

Edición española:

© EDICIONES ANAYA MULTIMEDIA (GRUPO ANAYA, S.A.), 2012
 Juan Ignacio Luca de Tena, 15. 28027 Madrid
 Depósito legal: M-20402-2012
 SBN: 978-84-415-3207-6
 Printed in Spain

AGRADECIMIENTOS

Quiero dar las gracias a David Pogue por introducirme en el negocio editorial allá por 2002 y por haber sido un editor maravilloso en nuestros proyectos mutuos a lo largo de los años. Gracias también al editor Peter McKie por darle sentido a las cosas en medio de la confusión y a toda la gente de la editorial, especialmente a Kristen Borg, Monica Kamsvaag, Ron Bilodeau, Cheryl Deras y Frank Deras por las fotografías personalizadas de iPad que ilustran estas páginas.

Un enorme gracias al gurú de Mac, Alan Yacavone, por compartir su conocimiento sobre el mundo de Apple, y a Matthew Silver por el valiente préstamo de su nuevo iPad para una sesión de fotos. El trabajo gráfico de Katherine Ippoliti también merece un enorme "gracias".

Y gracias a los amigos que no se ofenden cuando entro en la profunda y oscura Zona Límite y a mi familia (principalmente y, por encima de todo, a Betsy Book) por tolerarme durante las largas horas que pasé en mi rincón de escritura con los temas de musicales y de bluegrass a todo volumen.

J. D. Biersdorfer.

SOBRE LA AUTORA

J. D. Biersdorfer, @jdbiersdorfer ha escrito varios libros, incluyendo las dos primeras ediciones de este libro: *Best iPhone Apps* ("Las mejores aplicaciones para iPhone"), segunda edición; y *Netbooks*. Escribe una columna semanal de preguntas y respuestas en *The New York Times* desde 1998, en la que ha tratado multitud de temas, desde el arte indio del siglo XVII hasta el mundo de las piratas informáticas femeninas. También ha escrito artículos para *AIGA Journal of Graphic Design*, *Budget Travel*, *The New York Times Book Review* y *Rolling Stone*. Estudió en el programa *Theater & Drama* en la *Indiana University* y ahora dedica su poco tiempo  libre a tocar el banjo (bastante mal), beber enormes cantidades de té y ver la cadena *BBC World News*. Puede dirigirse a ella por correo electrónico a través de jd.biersdorfer@gmail.com.

ÍNDICE DE CONTENIDOS

ÍNDICE DE CONTENIDOS

ÍNDICE DE CONTENIDOS

ÍNDICE DE CONTENIDOS

ÍNDICE DE CONTENIDOS

Introducción

Apple anunció el iPad el 27 de enero de 2010 y, desde entonces, el mundo tecnológico no ha vuelto a ser el mismo. Los consumidores corrieron a comprar la tableta, agotando más de 300.000 el día que salió a la venta. Los competidores se apresuraron a imitarlo y Samsung, Motorola, Amazon y otros crearon, en dos años, sus propias variaciones del dispositivo de pantalla táctil compatible con tantas aplicaciones (y las tabletas basadas en Windows 8 ya están acechando).

En la primavera de 2012, Apple lanzó la tercera generación de iPad. Como su predecesor, el iPad 2, este último modelo incorpora dos cámaras, pero ha mejorado todos los iPads anteriores con una nítida pantalla (denominada Retina) y un potente procesador que la alimenta.

Apple todavía domina la categoría de las tabletas; en marzo de 2012, el iPad poseía el 73 por 100 del mercado. Así que, ¿por qué el iPad es tan popular, a pesar de que sus competidores se hayan apresurado a lanzar sus propias versiones? Una teoría: combine un deseo creciente por el acceso a Internet y un giro hacia la música, los libros y los vídeos digitales con un sofisticado, rápido y ligero dispositivo táctil, y obtendrá un artilugio perfectamente adaptado al mundo de los dispositivos personales de comunicación.

A esto puede añadir el nuevo énfasis de Apple en el mundo "post PC", en el que no tiene que conectar su iPad al ordenador para actualizarlo, introducir contenido o realizar copias de seguridad. La llegada de iOS 5 e iCloud en octubre de 2011 implica que su iPad puede ser su ventana principal a Internet en el trabajo, para jugar o ver vídeos divertidos, y sin necesidad de pesados y aparatosos ordenadores portátiles, porque vive en un ecosistema etéreo en el que todo su contenido se encuentra en línea de forma segura, siempre disponible si lo necesita.

Y gracias a las 200.000 aplicaciones de terceros ya disponibles, el iPad puede ir más allá de consistir en una bandeja que sirve contenido Web y mediático. De hecho, puede ser prácticamente lo que quiera que sea.

Bien pensado, probablemente ése es el motivo por el que es tan popular.

 **SOBRE ESTE LIBRO**

La pequeña tarjeta que Apple incluye con cada iPad es suficiente para que su tableta esté lista, cargada y preparada para zambullirse en la Red. Pero, probablemente, le interese saber más sobre las cosas estupendas que puede hacer y dónde encontrar sus funciones más divertidas. Este libro le ofrece más información sobre iPad que esa pequeña tarjeta. Está ordenado de forma clara, por tarea y tema, y tiene estupendas imágenes a todo color.

CONVENCIONES

Para ayudarle a sacar el mayor partido al texto y saber dónde se encuentra en cada momento, a lo largo del libro utilizaremos distintas convenciones:

- Las combinaciones de teclas se muestran en negrita, como por ejemplo **Control-A**. Los botones de las distintas aplicaciones también se muestran en negrita.

- Los nombres de archivo, URL y código incluido en texto se muestran en un tipo de letra `monoespacial`.

- Los menús, submenús, opciones, cuadros de diálogo y demás elementos de la interfaz de las aplicaciones se muestran en un tipo de letra Arial.

Nota

En estos cuadros se incluye información importante directamente relacionada con el texto adjunto. Los trucos, sugerencias y comentarios afines relacionados con el tema analizado se reproducen en este formato.

Si domina toda esta información, ya posee los conocimientos técnicos que necesita para disfrutar de este libro. Código fuente

● ● ● CÓDIGO FUENTE

En el sitio Web de Anaya Multimedia: `http://www.anayamultimedia.es/`, encontrará 2 apéndices gratuitos:

Apéndice A. Ajustes del iPad.

Apéndice B. Solución de problemas y cuidado del iPAD.

Para poder obternerlos diríjase a la sección Soporte técnico>Complementos, donde encontrará una sección dedicada a este libro introduciendo el código 2315737.

os

e

ommen

loa

Willkommen

Vitajte

Καλώς ορίσατε

ברוך/ה הבא/ה

Hoş Geldiniz

British English	
Español	✓
English	
Català	
⌄	

Capítulo 1

INSTALE SU IPAD

Desde su llegada a principios de 2010, millones de personas han adquirido la tableta de Apple y la han adaptado de innumerables formas. Hoy día, los iPad aparecen allá donde mire; en dormitorios de colegios mayores, salas de espera del médico, zonas de obras, reuniones de negocios, cocinas... y, ahora, en sus propias manos.

Ya sea mostrando las fotos de sus vacaciones o describiendo tierras lejanas con aplicaciones de viajes como "1.000 lugares que visitar antes de morir", un iPad puede trasladarle a nuevos mundos. Pero antes de que despegue con su iPad, debe instalar y preparar la tableta, aprender algunos controles básicos, cargarla y llenarla de contenido. Aquí es donde entra en juego este capítulo.

Se dice que un viaje de miles de kilómetros se inicia con un sólo paso. Así que, hagamos que ese primer paso sea encender su nuevo iPad. Para aprender a hacerlo, continúe leyendo.

⬤ ⬤ ⬤ LE PRESENTO EL IPAD

Se está convirtiendo en una especie de ritual de primavera: los relojes se adelantan una hora, las flores comienzan a abrirse y Apple lanza una nueva versión de su tableta iPad. Marzo de 2012 no fue diferente: el iPad más rápido hasta la fecha y millones de personas peleando por comprarlo. Apple lo llama el nuevo iPad y este libro se refiere a él como el iPad 2012 o el iPad de tercera generación.

¿Por qué el nuevo iPad? Porque Apple hizo algo diferente cuando lanzó el iPad 2012; siguió vendiendo el modelo anterior, conocido como iPad 2, reduciendo su precio en 100 euros para que, quienes quisieran una tableta, pudieran permitírsela. Lógicamente, el iPad 2 de 2011 llegó después del iPad original (lanzado en 2010) y antes del iPad actual.

Figura 1.1. *La popular tableta de Apple.*

Sí, es un poco confuso, pero Apple decidió que no quería continuar elevando el número de modelo de iPad cada año. Así que volvió al origen y a llamar al iPad, iPad. La buena noticia es que este libro abarca todos los modelos de iPad.

El nuevo iPad frente al iPad 2

¿Cuál es la diferencia entre los dos iPad actualmente en el mercado? Básicamente, es una cuestión de pantalla y de velocidad. El iPad 2012 (mostrado en la figura 1.1) incluye un robusto procesador A5X; una pantalla Retina de alta definición con empaquetado de píxeles y una cámara trasera de 5 megapíxeles. Este iPad puede grabar vídeo a una resolución de 1080 p, la más nítida disponible para consumidores (para la representación de imágenes de alta definición, en el campo médico y en el industrial, se emplea una definición que va más allá de los 1080 p). Está disponible en tres capacidades de almacenamiento: 16 gigabytes (GB), 32 GB y 64 GB. Y algunos modelos se pueden conectar a las veloces redes móviles 4G LTE para conectarse cuando no hay señal Wi-Fi disponible. Los tres tamaños ofrecen los modelos sólo con Wi-Fi o con Wi-Fi + 4G.

Por su parte, el iPad 2 navega con un procesador A5 más lento y tiene una pantalla con la mitad de resolución que la Retina, aunque sigue siendo nítida. Tiene una cámara trasera con una resolución aproximada de un megapíxel para fotos estáticas (lo cual no es una nitidez excesiva), pero puede grabar vídeo a una resolución de 720 p, lo cual aún se considera alta resolución. El nuevo iPad 2 sólo está disponible con un disco de 16 GB, pero viene en modelos Wi-Fi y Wi-Fi + 3G; este último se conecta a través de una red inalámbrica o aprovechando las redes móviles 3G, más lentas. Con sus especificaciones más modestas, el iPad 2 es el iPad más barato disponible pero ejecuta todas las aplicaciones y programas que necesite y tiene un menor impacto en su bolsillo.

Lo que hay en la caja

Independientemente del iPad que compre, incluirá los mismos componentes en la brillante caja blanca (véase la figura 1.2). Aparte de la propia tableta, esto es lo que le espera cuando desenvuelva el papel:

Figura 1.2. *Todos los componentes de su iPad.*

1. Un cable USB blanco con el conector plano de 30 pines de Apple en un extremo y un enchufe USB en el otro.

2. Un adaptador cuadrado USB de 10 vatios.

3. Una pequeña tarjeta con información básica para el inicio rápido, que no es ni de lejos tan divertida y colorida como este libro.

● ● ● ENCENDER Y APAGAR EL IPAD

Piense en el iMac, el iPhone y el iPod Touch de Apple. Además de empezar todos por "i", todos estos productos son artilugios pulcros y elegantes con un mínimo de botones cuya pulsación dañe su piel suave. El iPad no es una excepción.

Pase el dedo por el borde superior del iPad y encontrará un pequeño botón negro a la derecha (como puede ver en la figura 1.3). Tiene un nombre largo: **On/Off, Reposo**.

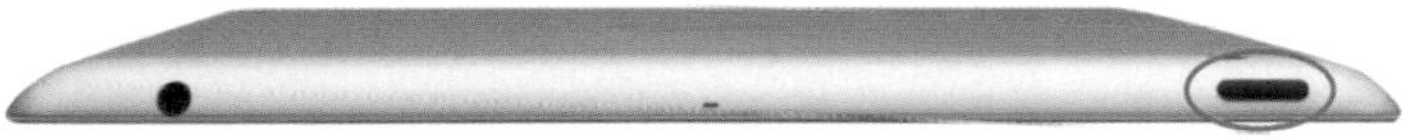

Figura 1.3. *Puede ver el botón On/Off a la derecha.*

Esto es lo que hace:

* **Enciende y apaga el iPad:** Para apagar completamente su iPad, de forma que no requiera energía en absoluto, mantenga pulsado este botón hasta que pueda ver una flecha en pantalla (véase la figura 1.4) pidiéndole que confirme la orden. Toque la flecha

con el dedo y deslícela de izquierda a derecha por la pantalla. Si no va a utilizar su iPad durante unos días, este apagado total es la mejor forma de conservar tanta batería como sea posible.

Figura 1.4. *Deslice la flecha para apagar.*

Para volver a encender el iPad, pulse el botón **On/Off** durante uno o dos segundos, hasta que vea el logo de Apple. Tras un minuto reiniciándose, estará otra vez en la brecha.

- **Pone el iPad en reposo y lo reactiva:** Pulse brevemente el botón para apagar la pantalla del iPad y para ponerlo en modo de ahorro de energía (reposo). Para despertar al iPad de su siesta energética, pulse de nuevo el botón con rapidez. Puede que también tenga que despertar su iPad si lo deja desatendido durante algunos minutos, porque entra en modo de reposo automáticamente para ahorrar energía.

Cuando enciende su iPad o lo despierta de su sueñecito electrónico, llega a una pantalla de inicio bloqueada (a no ser que tenga una de las fundas Smart Cover). Para acceder a las bondades del iPad, deslice la ficha con el dedo en la dirección de la flecha que puede ver en la figura 1.5. ¿Por qué se bloquea la pantalla de inicio? Porque en un dispositivo táctil, un golpe no intencionado, cuando el iPad está en su cartera o bolsa, puede activar un programa sin que lo sepa y puff, adiós a la carga de batería.

Figura 1.5. *La pantalla táctil se bloquea automáticamente.*

ENCUENTRE EL BOTÓN INICIO Y LAS CÁMARAS

Sólo hay un botón en el frontal del iPad: el botón **Inicio** (como se muestra en la figura 1.6). Este botón redondo y ligeramente hundido se sitúa en el centro de la parte inferior del marco blanco o negro (conocido como frontal). Probablemente utilizará este botón más que ningún otro en sus aventuras con su iPad.

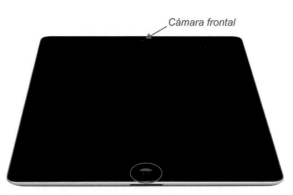

Figura 1.6. *El botón Inicio se sitúa en el centro de la parte inferior del frontal.*

El botón **Inicio** puede parecer un humilde control pero tiene un abanico de poderes más amplio de lo que quizá imagine.

Más adelante, en el libro, encontrará toda la información sobre esta versátil función, que varía dependiendo de la pantalla en la que se encuentre y el número de veces que lo pulse. Por ahora, piense en este botón como un modo alternativo de despertar su iPad; púlselo suavemente para activar la tableta en reposo.

Tanto el iPad 2012 como el iPad 2 incluyen dos pequeñas cámaras integradas en el frontal y la parte trasera de la tableta. La cámara del frontal, que puede ver señalada en la figura 1.6, tiene la forma de un pequeño agujerito y se encuentra justo en medio del borde superior del frontal. Ésta es la cámara que utiliza para sus charlas en FaceTime y para los autorretratos extravagantes con Photo Booth.

La cámara trasera está, naturalmente, en la parte de atrás del iPad. Es la pequeña lente redondeada bajo el botón de reposo. La puede utilizar para tomar fotos y grabar vídeos (que podrá editar en la propia tableta). Más adelante, veremos más información sobre los vídeos y los detalles sobre cómo tomar fotografías con el iPad.

> **Nota**
>
> *El iPad 2012 y el iPad 2 tienen incorporado un giroscopio, un sensor de la orientación que indica a la tableta en qué sentido la está sosteniendo y moviendo. Los juegos que incorporan el giroscopio pueden ser muy emocionantes, ya que se mueven con usted.*

⬤ ⬤ ⬤ ACTIVE E INICIE EL WI-FI EN SU IPAD

Antes de octubre de 2011, los propietarios de iPad lo tenían difícil. Para instalar sus tabletas de forma que pudieran mover música y otros contenidos de sus ordenadores al iPad, tenían que conectar ambos con un cable USB y después utilizar iTunes para mediar en el proceso (vea un resumen del papel de iTunes en la vida del iPad en la nota siguiente).

Eso era en los viejos tiempos. Los propietarios de los nuevos iPad pueden abrir el paquete de Apple, sacar el dispositivo e instalarlo sin cables, sin la necesidad de pasar por iTunes (no obstante, necesita una red Wi.Fi cercana; si no dispone de una, aprenda a instalarla y sincronizarla con el cable USB en las páginas siguientes).

Así es cómo configura su iPad; dando por hecho, por supuesto, que la tableta mantiene la batería cargada después del viaje de vuelta de China (si se está quedando sin batería, consulte el último punto de este capítulo):

1. **Pulse el botón Inicio del iPad:** Verá una pantalla gris con la palabra "iPad" en el centro y una flecha debajo señalando hacia la derecha. Deslice la flecha con el dedo hacia la derecha.

2. **Marque su idioma para las pantallas y menús de iPad:** Véase la figura 1.7.

3. **Escoja su país o región.**

4. **Decida si quiere activar el servicio de localización:** El servicio de localización permite que el iPad lo localice físicamente utilizando su GPS integrado o la señal Wi-Fi. Es genial para la aplicación Mapas, pero no tanto para su privacidad. Si deja desactivada la localización, la podrá activar más adelante pulsando Inicio>Ajustes>Localización>On.

5. **Elija su red Wi-Fi:** Si se encuentra en casa, localice su red personal en la lista, pulse sobre ella para seleccionarla

Figura 1.7. *Elija su idioma.*

y, después, escriba su contraseña (si se encuentra en el ámbito de una red pública, puede conectarse a Internet pero sea prudente introduciendo cualquier información personal, como un número de tarjeta de crédito para configurar una cuenta de iTunes). Cuando el iPad se conecta a Internet, tarda unos minutos en activarse con los servidores de Apple.

6. **Configure el iPad:** Una vez que el iPad está activado, es el momento de que comience la fase de configuración. Puede elegir configurar su tableta como un nuevo iPad o restaurarlo a partir de los archivos de seguridad de un iPad previo. Si decide restaurarlo, seleccione la localización de los archivos de seguridad de su antiguo iPad, ya sea en iCloud o en iTunes. Al restaurar los archivos de un iPad anterior a su nuevo iPad, se transfiere la configuración y el contenido a la nueva tableta y no tiene mucho más que hacer. Pero si selecciona Configurar como un nuevo iPad, mantenga la calma y siga adelante (véase la figura 1.8).

7. **Cree un ID de Apple:** El sistema le pide ahora que se registre o que cree un ID de Apple. Su ID de Apple es el nombre de usuario y la contraseña que utilizará para comprar aplicaciones, música, libros, vídeos y podcasts de iTunes y de las App Stores. Si ya tiene un ID de Apple, regístrese con él. Si no es así, pulse **Crear un ID de Apple gratuito** para acceder a la siguiente pantalla, en la que podrá basar su nuevo ID en direcciones de correo

electrónico existentes o establecer una nueva (y gratuita) cuenta de iCloud (véase el punto siguiente). Si no quiere pasar por este proceso ahora, pulse **Omitir este paso** en la parte inferior de la pantalla.

8. **Configure iCloud:** En esta pantalla, puede activar el servicio gratuito de Apple, iCloud, con el que puede crear copias de seguridad de todos sus contactos, aplicaciones, calendarios y más en servidores Apple en línea y restaurarlos más tarde.

9. **Configure su cuenta de correo electrónico:** Puede crear, enviar y recibir correo electrónico en su tableta pero primero debe presentar su iPad a su(s) cuenta(s) de correo o registrar gratuitamente una cuenta de correo electrónico iCloud (si tiene una cuenta asociada con una antigua ID de Apple, el iPad la incluye). Más

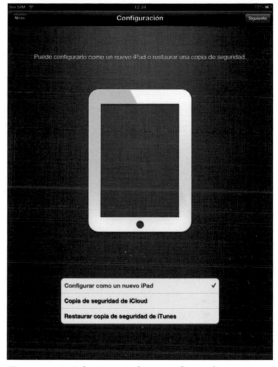

Figura 1.8. *Seleccione si desea configurarlo como un nuevo iPad.*

tarde, en Ajustes>Correo, contactos, calendarios, puede configurar de forma sencilla cuentas de la mayoría de servicios, como Gmail o Yahoo, aunque puede que necesite obtener la información de cuenta de su ISP (Proveedor de servicios de Internet) para añadir una cuenta basada en el ISP, como las de Comcast o RoadRunner.

10. **Termine:** Decida si desea utilizar el servicio Buscar mi iPad para los iPad perdidos y la función de dictado. También puede optar por compartir información anónima de diagnóstico con Apple para que analice el rendimiento del iPad. En la siguiente pantalla, pulse el botón para registrar su iPad con Apple. Por último, cuando aparezca la pantalla de agradecimiento, pulse el botón **Empezar a usar el iPad**. Llegará a la pantalla de inicio de iPad, donde encontrará todas sus aplicaciones integradas.

Nota

Aunque no lo utilice para configurar el iPad, iTunes sí puede ser fundamental para gestionar su contenido. Además de conservar copias de todos sus archivos, iTunes coordina su transferencia desde su ordenador de mesa a su iPad (más adelante, en el libro, se explica iTunes en detalle). Por supuesto, también puede sincronizar archivos sin cables (sin iTunes) como se explica más adelante en el libro.

⚫ ⚪ ⚪ ACTIVE Y CONFIGURE SU IPAD VÍA USB

Si tiene una conexión inalámbrica a su alcance, puede configurar su iPad, activarlo y hacer que funcione a las mil maravillas; todo sin tener que conectarlo a un ordenador. Pero si no tiene una conexión Wi-Fi cerca (o quizá quiera configurar su tableta a través de iTunes porque tiene mucha música y muchas películas y el USB transfiere más rápido que el Wi-Fi) puede configurar y activar el iPad con iTunes. Su ordenador sólo necesita una conexión a Internet.

Para activar su nuevo iPad con iTunes, deberá:

1. **Instalar iTunes en su PC o Mac:** El gestor de contenidos y el software de la tienda en línea de Apple son gratuitos. Si no tiene iTunes en su ordenador todavía, diríjase a `http://www.apple.com/es/itunes/`. Asegúrese de que su ordenador cumple los requisitos de la lista y después haga clic en el botón **Descarga gratuita**. Cuando tenga el software en su ordenador, haga doble clic en el instalador para configurarlo

2. **Utilice el cable USB del iPad para conectar la tableta al ordenador:** Enchufe el extremo ancho y plano (llamado conector de 30 pines) en el enchufe hembra correspondiente, en el extremo inferior del iPad. Enchufe el pequeño extremo rectangular en un puerto USB 2.0 (o mayor) disponible en su PC o Mac.

3. **En iTunes, siga los pasos en pantalla:** Una vez que enchufe el cable USB, iTunes deberá reconocer inmediatamente su nuevo iPad. Aparecerá una pequeña versión del icono de iPad en el panel izquierdo de la ventana de iTunes. Haga clic sobre él si no está seleccionado ya. Si este es su primer iPad, verá una pantalla como la de la figura 1.9. Haga clic en **Continuar**.

    Si ya ha tenido un iPad conectado a ese ordenador, iTunes le ofrece configurar la tableta como un nuevo iPad o restaurar el contenido de una copia del iPad anterior. Si quiere comenzar con una tableta nueva y vacía, elija la primera opción. Para transferir todo el contenido del iPad anterior a éste, elija la segunda opción. Después, haga clic en **Continuar**.

4. **Active, registre y sincronice su iPad:** Una vez decida cómo quiere configurar su nueva tableta, iTunes se encarga de ello. El programa le conduce por el proceso de activación y registro, registrándose para un ID de Apple y seleccionando el contenido que puede tener en iTunes y que desea copiar en el nuevo iPad. Puede elegir sincronizar automáticamente todo lo que está en su librería a su iPad o puede ser más selectivo y elegir manualmente el contenido que va a la tableta.

Si tiene una gran cantidad de vídeos, aplicaciones y música en su librería iTunes, de varios iPhone, iPod y, quizá, un iPad anterior, puede que no consiga incluirlo todo en el nuevo iPad, por lo que deberá gestionar manualmente su contenido. ¿No desea tener que conectar su iPad al ordenador cada vez que quiera sincronizar con iTunes a partir de ahora? En la siguiente sección, le explicamos cómo configurar la sincronización inalámbrica.

Figura 1.9. *Comience el proceso para activar su iPad.*

5. **Desconecte su iPad:** Puede desconectar su iPad del cable USB siempre que no se esté sincronizando activamente con iTunes. Si la ventana de estado de iTunes muestra que todavía está sincronizando (como se ve en la figura 1.10), no desenchufe el cable USB hasta que iTunes termine (para cancelar una sincronización en marcha, porque se tiene que marchar, arrastre el deslizador de cancelación de la sincronización en la pantalla del iPad). Cuando finalice la sincronización, la ventana de iTunes muestra el logo de Apple o el nombre de la canción que está sonando en ese momento en su ordenador.

Figura 1.10. *La sincronización está en marcha.*

SINCRONICE SU IPAD CON ITUNES

Incluso aunque haya configurado su iPad con Wi-Fi y no haya utilizado su PC o su Mac durante el proceso, iTunes sigue siendo un gran aliado. Es el programa que utiliza para organizar su música, sus vídeos, sus aplicaciones y otros contenidos del iPad.

Sincronizar su iPad con iTunes no significa que va a tener que estar unido para siempre a su ordenador con un cable USB cada vez que quiera mover archivos dentro y fuera de la tableta. Gracias a la sincronización inalámbrica, se ha cortado el cordón. Bueno, no cortado físicamente pero, ya sabe, se ha hecho bastante innecesario.

¿Por qué "bastante"? Porque incluso aunque establezca una sincronización inalámbrica, hay al menos dos ocasiones en las que necesita el cable USB que viene con su iPad. En primer lugar, lo necesita para conectar el iPad a su ordenador para activar la sincronización Wi-Fi en iTunes. El segundo caso es cuando deba reinstalar por completo el software del iPad.

Para sincronizar su iPad sin cables, su ordenador y su iPad deben encontrarse en la misma red Wi-Fi. Esto significa que no puede sincronizar el iPad desde la red Wi-Fi de un hotel de Valencia si su ordenador se encuentra en su casa de Burgos. Y si la red de su hogar es una mezcla de Wi-Fi y conexiones Ethernet, el ordenador que está sincronizando con el iPad debe estar conectado vía Wi-Fi; el iPad no puede ver un ordenador conectado a la red con un viejo cable Ethernet.

Una vez que tiene el ordenador y el iPad en la misma red Wi-Fi, conecte su PC o Mac a la tableta con el cable USB. Haga clic en el icono del iPad cuando aparezca en iTunes y, después, haga clic en la pestaña Resumen, en la parte superior de la ventana. En el área de Opciones, active la casilla Sincronizar con este iPad vía Wi-Fi (véase la figura 1.11) y, después, el botón **Aplicar**. Haga clic en **Sincronizar** para terminar. Ya puede desenchufar su iPad si lo desea.

Ahora puede sincronizar contenido entre iTunes y su iPad siempre que ambos dispositivos se encuentren en la misma red e iTunes esté abierto en el ordenador. Sabrá que su iPad está preparado para la sincronización inalámbrica porque su icono permanece en la ventana de iTunes incluso después de desconectar el cable USB.

Si va a realizar la sincronización manualmente, puede arrastrar canciones, vídeos y otros contenidos al icono de iPad en iTunes para incluirlo en su dispositivo sin importar dónde se encuentre la tableta.

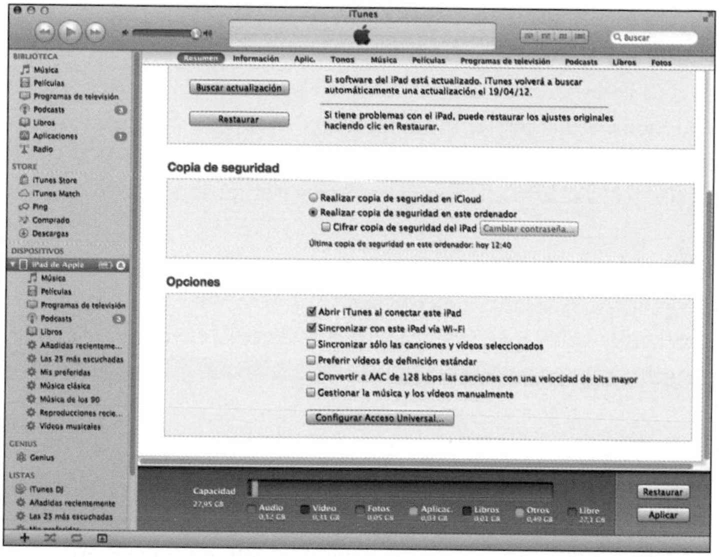

Figura 1.11. *Active la casilla para sincronizar su iPad a través de Wi-Fi.*

Aunque se realiza una sincronización automática al menos una vez al día, también puede activar una sesión de sincronización manualmente desde el ordenador o desde el iPad:

- **Desde el ordenador:** Inicie iTunes si no está abierto; haga clic en el icono del iPad en el lado izquierdo de la ventana y, después, en el botón **Sincronizar** de la parte inferior. Cuando lo haga, iTunes actuará como si tuviera una conexión USB y realizará la sincronización. Puede ver el proceso de sincronización en la parte superior de la ventana de iTunes.

- **Desde el iPad:** Haga clic en Inicio>Ajustes> General>Sincr. Con iTunes vía Wi-Fi>Sincronizar. La pantalla del iPad (véase la figura 1.12) muestra el proceso de sincronización y ofrece un botón para cancelar si cambia de opinión.

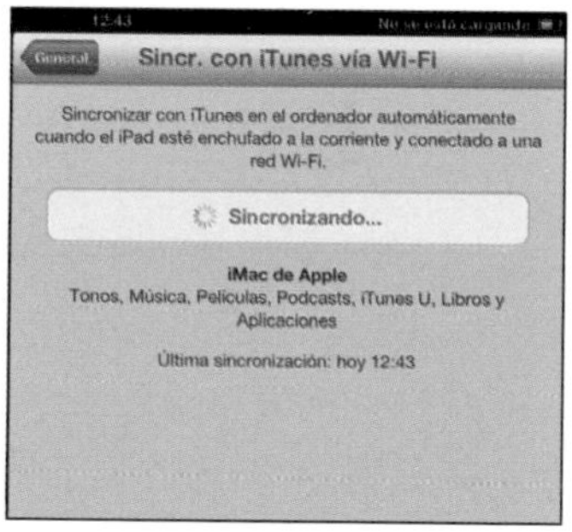

Figura 1.12. *Sincronización desde el iPad.*

Incluso aunque haya hecho clic accidentalmente en el botón de expulsión junto al icono del iPad en iTunes y los haya desconectado, el icono regresa cuando reinicia iTunes o sincroniza desde el iPad.

Si decide que la sincronización inalámbrica no es lo suyo, siempre puede cambiar de método. Para apagar la sincronización Wi-Fi, desactive la casilla Sincronizar con este iPad vía Wi-Fi que puede ver en la figura 1.11.

¿Sincronización USB o Wi-Fi?

Aunque la sincronización Wi-Fi de iTunes es muy liberadora, no siempre es la mejor forma de mover su contenido. Como mencionamos previamente, debe conectar su cable si quiere sincronizar cuando iTunes y su iPad no estén en la misma red Wi-Fi. Además, su red Wi-Fi puede ser lenta o estar sobrecargada y el cable USB es más rápido y fiable; sobre todo cuando tiene muchos vídeos que copiar.

Pero la buena noticia es que puede hacer uso de las dos formas. Aunque configure su iPad para que se sincronice con la cobertura Wi-Fi, puede enchufarlo a iTunes con el fiel y fiable cable USB cada vez que quiera copiar esa enorme película HD que acaba de descargar a su ordenador desde iTunes Store.

 ## UN TOUR POR ITUNES

iTunes no sólo le permite decidir qué canciones, libros y vídeos de su ordenador van a pasar al iPad, también le ayuda a mantener actualizado el software interno del iPad, le muestra cuánto espacio libre le queda en la tableta y le permite cambiar las opciones de sincronización de su música, sus vídeos y sus podcast.

Cuando conecta su iPad al ordenador, aparece en la columna izquierda, en la sección **Dispositivos** de la lista fuente de iTunes. Haga clic sobre el icono para ver todas las opciones, representadas por una serie de fichas en la parte superior de la pantalla. Cada ficha le permite controlar un tipo diferente de contenido, como música, fotos o libros.

Comience en la pestaña **Resumen**, cuya pantalla le indica:

1. La capacidad de almacenamiento de su iPad y su número de serie.

2. Si su iPad tiene el último software (si está teniendo problemas adicionales, tiene la opción de reinstalar el software).

3. Si ha configurado su iPad para que realice copias de sus ajustes en iCloud o en el ordenador. Cuando desciende por el área de **Opciones**, también puede decidir si quiere que iTunes sincronice automáticamente archivos entre su ordenador y el iPad o si necesita actualizar los contenidos del iPad manualmente. "Automáticamente" significa que todo lo que hay en iTunes acaba en su iPad, siempre que haya espacio; "manualmente" significa que puede elegir lo que se transfiere. Otras casillas que iTunes ofrece en el área **Opciones** le permiten convertir archivos sonoros grandes en otros

más pequeños para que no ocupen mucho espacio, elegir una definición estándar para los vídeos en lugar de las versiones en HD, más pesadas, y configurar las funciones de acceso universal para los usuarios con alguna discapacidad. ¿No quiere estar encadenado a iTunes por un cable cada vez que quiera sincronizar su iPad? El área de **Opciones** también incluye un ajuste que le permite sincronizar su iPad con una conexión Wi-Fi, como explicamos previamente en este capítulo.

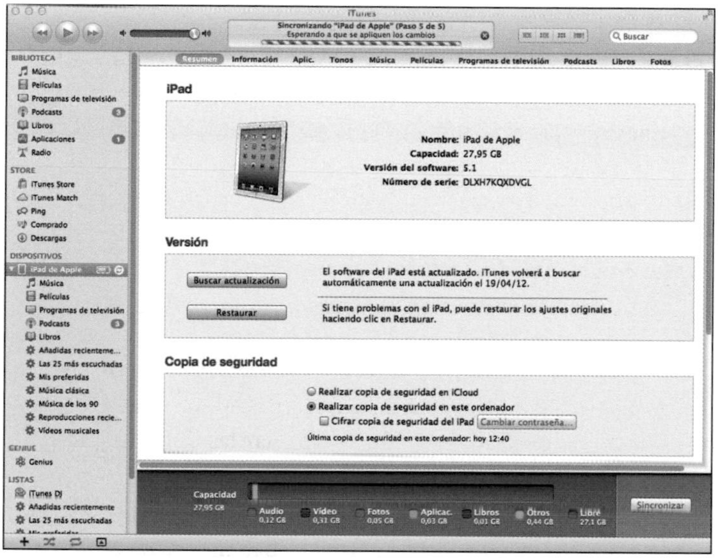

Figura 1.13. *Información contenida en la ficha Resumen.*

4. Los diferentes tipos de contenido que contiene su iPad. Esta información aparece en forma de una barra en la parte inferior de la pantalla. iTunes otorga códigos de color a sus tipos de contenido (azul para el audio, naranja para las fotos, etc.) y le muestra cuánto espacio ocupa cada uno utilizando el color adecuado en la barra. Para obtener aún más detalle, haga clic en la barra para ver las cifras en términos de número de elementos, cantidad de espacio de disco que consumen los archivos o el número de días que le quedan de un archivo concreto.

5. El contenido y los playlist de su iPad. Haga clic sobre el triángulo junto al icono del iPad, como se muestra en la figura 1.14, para verlos.

Así que, esto es lo que encuentra en la ficha **Resumen**. Más adelante, en este libro, aprenderá a transferir diferentes tipos de contenido al iPad utilizando el resto de fichas de iTunes y cómo ver, escuchar o leer el contenido en su tableta.

Figura 1.14. *Haga clic sobre el triángulo para ver los contenidos.*

● ● ● CARGAR LA BATERÍA DEL IPAD

Muchos dispositivos de Apple se envían con la batería suficiente para funcionar durante un breve periodo de tiempo. Pero cuando empiece a probar su nuevo artilugio, la batería no durará mucho, por lo que deberá conectar el iPad a una fuente de energía para cargarla. Puede cargar su iPad de una o quizá dos formas:

- **Carga con un adaptador de corriente:** ¡Mire! ¡Otro cargador para su colección! Su iPad viene con un pequeño adaptador de 10 vatios listo para cargar su tableta (véase la figura 1.15). Tiene un puerto USB en un lado y un enchufe en el otro. Para cargar su batería, enchufe el lado plano en el puerto USB. Después, enchufe a la corriente el otro extremo. Conecte el lado del puerto conector en la parte inferior del iPad (los adaptadores más antiguos y pequeños de los iPhone y los iPod pueden funcionar siempre que apague la pantalla del iPad para dirigir todo el flujo de energía a la batería del iPad, aunque su limitada potencia cargará el iPad mucho más despacio que su adaptador original).

Figura 1.15. *Cargador de corriente AC con adaptador.*

- **Carga con el ordenador:** Al contrario que los iPhone y los iPod, cargar el iPad con el puerto USB de su ordenador ya no está asegurado. Mientras los puertos USB de algunos ordenadores nuevos (como los últimos modelos de Mac) tienen potencia suficiente, muchos de los antiguos no. Para asegurarse, enchufe el iPad al puerto USB del ordenador. Si ve un mensaje en la esquina superior del iPad indicándole que no está cargando (véase la figura 1.16), sabrá que el puerto no tiene potencia suficiente (el puerto USB probablemente cargará si la pantalla del iPad está apagada, pero muy despacio).

Figura 1.16. *Si ve este mensaje, su iPad no se está cargando a pesar de estar conectado al equipo.*

Puede cargar su iPad en pocas horas. La tableta muestra una batería translúcida que se llena de energía de color verde mientras recarga. Un icono negro más pequeño en la barra de estado del iPad muestra un rayo sobre la batería en carga (como un porcentaje de su carga).

El iPad está completamente cargado cuando el icono de la batería en la barra de menú muestra un 100 por 100. Apple afirma que la batería de un iPad completamente cargada dura hasta 10 horas navegando por la Web, visionando vídeos y escuchando música. Sus resultados pueden variar.

⬤ ⬤ ⬤ AUMENTAR LA VIDA DE LA BATERÍA

Apple publica varias recomendaciones en su sitio Web para asegurar una vida más larga para un iPad con mucho uso:

- No exponer el iPad a temperaturas extremas de calor o frío. Mantenerlo entre 0 y 35 grados centígrados (en otras palabras, no dejarlo en un coche al sol o no pretender que funcione en el Everest).

- Utilice su iPad con regularidad (no es que no lo vaya a hacer). Y asegúrese de cargarlo, al menos, una vez al mes para mantener la química de la batería activa.

Figura 1.17.
Estado de la batería mientras el iPad está en reposo.

- Ponga el iPad en reposo para ahorrar energía (pulse el botón de reposo).

- Saque el iPad de cualquier contenedor que mantenga el calor antes de cargarlo.

- Cierre manualmente cualquier aplicación que no esté utilizando.

- Ajuste el brillo de la pantalla cuando no necesite tanta luminosidad.

- Cuando vea el mensaje indicándole que queda poca batería, enchufe su iPad a la corriente con el adaptador. El indicador de la batería del iPad muestra aproximadamente cuánta batería queda.

- Funciones como el ecualizador de sonido puede vaciar la batería más rápidamente, como puede hacerlo el utilizar formatos de archivo grandes sin comprimir, como AIFF. Las aplicaciones que divulgan contenido, como los programas de radio o la televisión, pueden gastar bastante batería también, por lo que debe utilizarlos con moderación si le queda poca.

- El chip inalámbrico que tiene dentro el iPad gasta energía incluso aunque no esté navegando por la Web. Ahorre energía apagándolo cuando no lo necesite; vaya a Ajustes>General>Wi-Fi>Off. Reduzca la frecuencia con la que comprueba el correo electrónico o pasa datos al iPad para ahorrar energía; vaya a Ajustes>Correo, contactos, calendarios. Los servicios de Bluetooth y de localización también gastan batería. Puede apagarlos entrando en el menú Ajustes.

Capítulo 2

DÉ UNA VUELTA POR SU iPAD

Como nuevo propietario de un iPad, una vez que pase los primeros pasos (las pantallas de configuración, la activación de la tableta y la instalación de iTunes si es necesaria) puede empezar realmente la exploración y el descubrimiento de la tableta. En eso consiste este capítulo; le guía a través de los controles físicos y las aplicaciones integradas del iPad.

Su iPad tiene pocos interruptores y botones, y aprenderá lo que hace cada uno, además de descubrir trucos y consejos para sacarles más partido.

Sin embargo, la tableta contiene muchas aplicaciones (20, para ser exactos), todas ellas limpiamente desplegadas en la pantalla de inicio (véase la figura 2.1). Aprenderá lo que hace cada una y a qué partes de este libro dirigirse para descubrir más.

Por último, debido a que dejará la marca de sus dedos por toda la pantalla de su iPad mientras pasea por la tableta, en este capítulo le ofrecemos algunos consejos para mantener limpia esa preciosa pantalla y el propio iPad intacto cuando lo lleve consigo en sus aventuras. Y hablando de aventuras, continúe leyendo para empezar a aprender sobre su iPad.

 ## UTILICE EL BOTÓN INICIO

Como recordará, conoció el botón **Inicio** en el capítulo anterior, durante el proceso de configuración. Pero el comportamiento del botón **Inicio** depende de la pantalla en la que se encuentre y del número de veces que lo pulse:

- **Un clic, a cualquier parte:** Pulse el botón una vez y le conducirá al inicio, de vuelta a la pantalla principal del iPad, donde encontrará todas las aplicaciones. Y si está ejecutando más de una aplicación al mismo tiempo, utilizará el botón **Inicio** para cambiar de un programa a otro. Por ejemplo, puede encontrarse inmerso en una presentación de Keynote y desear ver un capítulo de *Rockefeller Plaza*. Pulse el botón **Inicio** para cerrar Keynote (y guardar automáticamente el archivo) y vuelva a la pantalla principal del iPad, donde puede pulsar el icono **Vídeos** para acceder a sus grabaciones.

- **Un clic en la primera pantalla de inicio:** Puede tener muchas pantallas de inicio (como veremos más adelante en el capítulo) pero cuando se encuentra en la primera, puede pulsar el botón **Inicio** para acceder a la pantalla de búsqueda general del iPad.

- **Doble clic con una aplicación abierta:** Aunque su iPad sólo muestra un programa cada vez, puede ejecutar varias aplicaciones al mismo tiempo, un proceso conocido como multitarea. El botón **Inicio** es su billete para el cambio entre esas aplicaciones activas (encontrará más información al final de este capítulo).

- **Doble clic en la pantalla de bloqueo:** Si su iPad ha entrado en reposo para ahorrar energía mientras escucha música, puede recuperar rápidamente los controles del reproductor de música haciendo doble clic en el botón **Inicio**. Como se muestra en la figura 2.1, este doble clic enciende la pantalla de bloqueo y muestra los controles de reproducción en la parte superior de la barra.

Figura 2.1. *Pantalla de bloqueo con los controles de reproducción musical.*

UTILICE EL INTERRUPTOR LATERAL Y EL DE VOLUMEN

Los botones en el borde derecho del iPad controlan el audio para películas, música y otras aplicaciones con sonido. Aquí las tiene, de arriba abajo:

1. **El interruptor lateral:** El pequeño botón negro en el borde derecho del iPad hace una de entre dos cosas, según decida. Originalmente, este interruptor es un botón para silenciar las alertas de audio del iPad cuando lo baja (y ve un punto naranja). Suba el botón para restaurar sus alertas.

   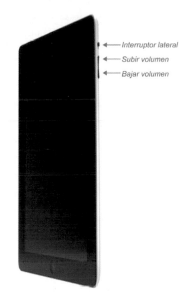

   Interruptor lateral
   Subir volumen
   Bajar volumen

   Si no necesita un botón de silencio, puede convertir el interruptor en un bloqueo de la orientación de la pantalla que mantiene la representación de la pantalla, vertical u horizontal, de forma que no gire cuando la mueve. Para bloquear la pantalla, pulse el botón **Inicio**, seleccione Ajustes>General>Usar interruptor lateral para: y elija Bloquear rotación. Seleccione Silenciar para volver a la función original.

   Si utiliza el interruptor lateral para silenciar su iPad, puede bloquear la orientación de la pantalla haciendo doble clic en el botón **Inicio**, deslizando de izquierda a derecha en el panel de aplicaciones

   Figura 2.2. *Botones laterales del iPad.*

   que aparece y pulsando el botón **Orientación** que aparece. Si utiliza el interruptor para bloquear la pantalla, silencia el iPad bajando el volumen por completo, como se describe a continuación.

2. **Volumen:** Pulse la mitad superior de este interruptor con aspecto de balancín para aumentar el volumen del altavoz del iPad (o sus auriculares, si los está utilizando). Pulse la parte inferior del botón para bajar el volumen. El iPad muestra un pequeño gráfico de volumen en la pantalla para que pueda ver dónde se encuentra en la escala relativa de sonido, como puede ver en la figura 2.3.

Figura 2.3. *Representación gráfica del volumen del iPad.*

CONECTE A TRAVÉS DE LOS PUERTOS Y ENCHUFES DEL IPAD

Mientras que las entrañas del iPad están llenas de moderna electrónica, el exterior no es nada complicado. Sólo posee cuatro botones (**Encendido/Apagado**; **Volumen**; **Interruptor lateral** e **Inicio**). El exterior del iPad luce también dos entradas donde enchufar cables. Esto es lo que puede hacer con ellas:

1. **Entrada de los auriculares:** Aunque no incluye sus propios auriculares, como los iPhone o los iPod, el iPad ofrece una entrada de auriculares en la parte superior izquierda del borde, como se observa en la figura 2.4. Puede enchufar cualquier par de auriculares con el enchufe estándar de 3,5 milímetros. En el siguiente punto entramos más en detalle.

Figura 2.4. *Entrada de los auriculares.*

2. **Puerto conector:** El puerto plano del borde inferior del iPad, que puede ver en la figura 2.6, se denomina puerto conector. Aquíse enchufa el cable USB proporcionado a su iPad con su ordenador para cargar la batería y la música, vídeos y libros de su librería iTunes (a no ser que se decida por la opción de sincronización Wi-Fi, explicada previamente en el libro). Este estrecho puerto aparece en los iPod desde 2003, lo cual significa que algunos accesorios, como los puertos de audio del iPod, pueden funcionar con su iPad. De modo que eche un vistazo a las especificaciones técnicas antes de comprar uno nuevo. Además, también puede conectarse directamente con el teclado externo opcional de la tableta.

Figura 2.5. *El puerto conector, clásico de Apple.*

⬤ ⬤ ⬤ INCLUYA UNOS AURICULARES

¿Quiere escuchar su iPad en privado? En los viejos tiempos, los únicos auriculares que podía utilizar tenían un cable y funcionaban bastante bien. Pero, si quiere liberarse de cables mientras se relaja y escucha una suite para chelo de Bach, consiga un par de auriculares estéreo Bluetooth que se conecten sin cables con el chip Bluetooth interno de su iPad. Entonces, su única atadura será la música. Así es como hace que sus auriculares funcionen en su iPad:

- **Con cables:** Prácticamente cualquier par de auriculares con el omnipresente macho estéreo de 3,5 mm encaja en el jack para auriculares del iPad (por supuesto, puede utilizar los conocidos auriculares blancos del iPod si lo desea). Sólo asegúrese de conectarlo correctamente.

Figura 2.6. *Auriculares sencillos con cable.*

- **Con Bluetooth:** Cuando vaya a comprar unos auriculares Bluetooth, busque los que se anuncian como A2DP; están diseñados para reproducir música en estéreo. Para que funcionen, necesita emparejarlos con su iPad (emparejarlos quiere decir que debe introducir dos dispositivos Bluetooth para que puedan comunicarse entre sí; sólo tiene que hacerlo la primera vez que utilice ambos dispositivos juntos).

El manual de los auriculares le indica qué botón debe pulsar para emparejarlos. En su iPad, comience en la pantalla de inicio y diríjase a **Ajustes>General>Bluetooth**. Después, sitúe Bluetooth en **On**, como puede ver en la figura 2.7. El iPad busca y, cuando encuentra los auriculares, incluye su nombre en una lista. Si los auriculares necesitan una clave (indicada en el manual), el teclado del iPad aparece para que pueda introducirla. Una vez emparejados, la pantalla del iPad indica "Conectados" junto al icono de los auriculares, y el sonido empieza a llegar a sus auriculares inalámbricos.

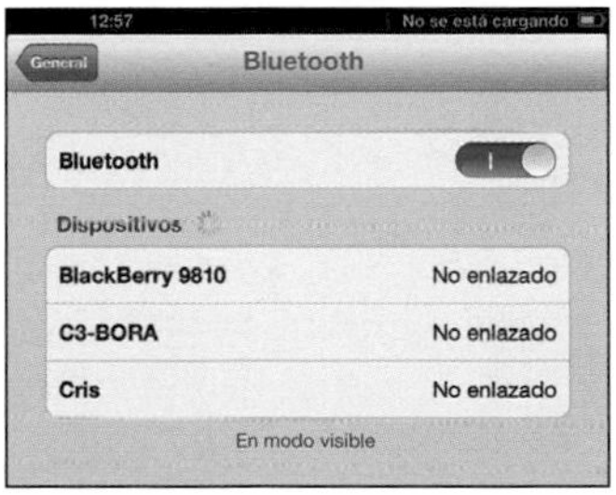

> ### Truco
>
> *En algunos equipos Bluetooth, se conecta un pequeño receptor en el jack para auriculares del iPad. Si tiene uno de éstos, no necesita encender el chip Bluetooth del iPad; el receptor realiza la comunicación por usted.*

Figura 2.7. *Active el Bluetooth para iniciar la conexión con sus auriculares.*

EL DIRECTORIO DE APLICACIONES DE LA PANTALLA DE INICIO

Una vez que activa su iPad, encontrará 20 iconos esperando en ordenadas filas en su pantalla de inicio. Son los programas estándar que el iPad incluye de forma gratuita. En esta sección le explicamos lo que hace cada aplicación y dónde puede encontrar más sobre ellos. Por lo tanto, siguiendo el orden de Apple y empezando por la esquina superior izquierda, esto es lo que verá:

 Mensajes: Utilice la aplicación Mensajes para enviar mensajes de texto gratuitos a otros que utilicen iOS 5 (o más actual) en sus iPad, iPhone e iPod Touch.

 Calendario: Como sospechará, ésta es la aplicación que debe utilizar para comprobar su agenda, concertar una cita o buscar una fecha.

 Notas: Esta aplicación hace la función de cuaderno de apuntes electrónico de iPad para apuntar pensamientos fugaces o ideas bien desarrolladas. Y, al contrario que un cuaderno de papel, puede enviar sus notas por correo electrónico directamente desde la tableta.

 Recordatorios: ¿Tiene la sensación de que tiene que hacer algo o desea asegurarse de no olvidar una tarea? Tenga controladas todas sus tareas en la útil lista de cosas que hacer del iPad.

 Mapas: Cuando necesita indicaciones para conducir de Oviedo a Cuenca (o, simplemente, desea buscar una dirección), la aplicación Mapas es lo que necesita.

 YouTube: La mayoría de la gente no puede pasar un día sin ver uno (o seis) de los vídeos del gigante YouTube. Como se explica más adelante en el libro, esta aplicación le lleva hasta allí en un sólo movimiento.

 Vídeos: Esta aplicación organiza y reproduce todas sus películas, programas de televisión y otros vídeos que utilice para entretenerse.

 Contactos: Esta aplicación le sirve como libreta de direcciones de su iPad. Además, puede extraer el archivo de contactos a su ordenador personal para que no tenga que volver a introducirlos.

Game Center: Desde que llegó en 2010, el iPad se ha convertido en una popular consola de videojuegos, pero no tiene por qué jugar solo. Acceda al Game Center para encontrar juegos y amigos.

iTunes: Pulse este brillante icono morado, y su iPad le transportará directo al imperio en línea de Apple para toda clase de entretenimiento digital, incluyendo música, vídeos, juegos y libros.

 App Store: Cuando llegue el momento de conseguir nuevas aplicaciones que emplear en su iPad, pulse icono azul para dirigirse directamente a App Store de Apple para empezar a comprar.

Quiosco: Decenas de revistas y periódicos vienen en ediciones digitales exclusivamente para el iPad. La aplicación Quiosco los mantiene organizados.

 FaceTime: ¿Quiere realizar una vídeollamada como las que hacían en el puente del portaaviones USS Enterprise? La aplicación FaceTime le permite chatear por vídeo con amigos con dispositivos iOS.

 Cámara: Tanto el nuevo iPad como el iPad 2 incluyen un par de cámaras, y esta aplicación controla ambas.

Photo Booth: Si necesita una foto urgente de perfil para su página de Facebook o LinkedIn (o necesita entretener a los niños durante una hora), abra Photo Booth para tomar autorretratos creativos.

 Ajustes: Haga clic en el icono para acceder a todos los controles para personalizar y ajustar su iPad. Este libro explica los ajustes de las aplicaciones cuando va conociendo los programas.

 Safari: Cuando se encuentra con ganas de navegar un poco por la Red a la vieja usanza, pulse aquí para iniciar Safari, la ventana de iPad a la Web.

Mail: Configure una cuenta de correo electrónico (o varias) y manténgase conectado con sus contactos desde su iPad. Descubrirá cómo configurar y utilizar la aplicación Mail más adelante en el libro.

 Fotos: El iPad (sobre todo el último modelo con su pantalla Retina de alta definición) es genial para mostrar sus fotos digitales. Esta aplicación las mantiene organizadas.

Música: Después de los ordenadores Macintosh, Apple es reconocido por sus reproductores iPod, y la aplicación Música convierte su iPad en el iPod más grande y plano hasta la fecha.

ORGANICE LOS ICONOS DE SU PANTALLA DE INICIO

Cuando se familiarice con todas las aplicaciones que vienen con su iPad, puede que le interese ordenarlas a su manera para, por ejemplo, encontrar las aplicaciones que más utilice con mayor rapidez.

Por suerte, Apple se lo pone fácil para reordenar sus iconos en su iPad (también puede cambiar de posición los iconos en iTunes). Se hace de este modo:

1. Mantenga el dedo sobre un icono durante unos segundos hasta que el icono comience a vibrar.

2. Como se muestra en la figura 2.8, utilice el dedo para arrastrar el icono a su nueva posición. El resto de aplicaciones se moverá para dejar espacio. Arrastre el icono al borde de la pantalla para moverlo a la página anterior o posterior de su pantalla de inicio; más adelante, le explicamos esto en más detalle.

3. Para borrar una aplicación, haga que vibre (como se explica en el primer punto) y, después, pulse el aspa en la esquina superior izquierda.

4. Pulse el botón **Inicio** para detener el baile de iconos.

Una vez que pulse el botón **Inicio**, sus aplicaciones se asientan en sus nuevas posiciones. Cuando desee moverlas de nuevo, repita estos pasos.

Figura 2.8. *Puede mover los iconos donde desee.*

NAVEGUE POR VARIAS PANTALLAS DE INICIO

Una vez que comience a añadir aplicaciones a su iPad, verá que la pantalla de inicio está demasiado concurrida. Por suerte, el iPad le permite tener más de una pantalla de inicio; de hecho, puede tener hasta once.

Para navegar por ellas, pase el dedo por la superficie del iPad. Los pequeños puntos blancos en la parte inferior de la pantalla, que puede ver en la figura 2.9, le indican cuántas pantallas de inicio tiene y en cuál se encuentra.

Una vez que empiece a comprar aplicaciones, puede que complete esas once pantallas de inicio bastante rápido. Si no quiere borrar ninguna de esas aplicaciones, puede situarlas en carpetas. Siga leyendo para saber cómo.

Figura 2.9. *Los pequeños puntos blancos le indican las pantallas de inicio que tiene.*

Truco

¿Necesita encontrar una aplicación rápidamente y no recuerda dónde la situó, o tiene demasiadas como para que aparezcan todas? Simplemente vuelva a la primera pantalla de inicio y pase el dedo de izquierda a derecha de nuevo (o pulse el botón **Inicio***) para obtener la pantalla de búsqueda. Escriba el nombre de la aplicación y, cuando aparezca en los resultados de búsqueda, pulse sobre ella para iniciarla.*

● ● ● CREE CARPETAS PARA LAS APLICACIONES DE LA PANTALLA DE INICIO

Incluso contando con las generosas once pantallas de inicio, algún loco de las aplicaciones puede llenarlas rápidamente con iconos. Por otra parte, algunas personas pueden preferir un modo más limpio de agrupar sus aplicaciones en lugar de colocarlas en distintas páginas.

Aquí es donde entran en juego las carpetas de la pantalla de inicio para facilitar las cosas. Puede agrupar hasta 20 aplicaciones en una sóla carpeta (que tiene el aspecto de un icono con pequeños iconos dentro, como puede ver en la figura 2.10). Al poner las aplicaciones en las carpetas, ahorra espacio en pantalla y mantiene juntas las que son parecidas.

Figura 2.10. *Puede ver una carpeta con varios iconos dentro.*

Para crear una carpeta, mantenga pulsado un icono hasta que vibre y, después, arrástrelo sobre otro que quiera en la misma carpeta. Aparecerá un cuadro con un nombre genérico para la carpeta, como "Juegos" (véase la figura 2.11). Puede mantener ese nombre o sustituirlo por otro, como "Juegos Arcade de los años 80". Cuando cree una carpeta, puede incluir en ella hasta 18 aplicaciones más. Pulse la pantalla para cerrar la carpeta.

Figura 2.11. *Puede cambiar el nombre del cuadro que aparece por defecto.*

Para meter una aplicación en una carpeta, pulse la carpeta para abrirla y pulse sobre la aplicación. Si cambia de idea y quiere sacar una aplicación de una carpeta, mantenga pulsado su icono para comenzar el baile. Ahora, puede arrastrarlo fuera de la carpeta y de vuelta a su lugar en la pantalla de inicio.

Para deshacerse de toda una carpeta, pulse sobre un icono para que todos empiecen a moverse. Arrastre todas las aplicaciones fuera de la carpeta. Cuando saque la última aplicación, la carpeta desaparecerá.

UTILICE EL BOTÓN INICIO PARA CAMBIAR APLICACIONES

Poner aplicaciones en carpetas le ayuda a organizar su iPad. Pero no le ahorra demasiado espacio cuando se encuentra enredado con algo y quiere cambiar a otra aplicación muy rápido, como en el caso de que esté leyendo su correo electrónico y quiera iniciar la aplicación de Radio Pandora mientras vacía su carpeta de entrada. ¿A quién le gusta tener que volver hasta la pantalla de inicio para esto?

Por suerte, el iPad ofrece un atajo: haga clic dos veces en el botón **Inicio**. Al hacerlo, aparecerá una fila de iconos en la parte inferior de la pantalla (véase la figura 2.12).

Figura 2.12. *Los iconos aparecen en fila.*

Esta fila representa las aplicaciones que ha utilizado recientemente. Pulse sobre una para pasar a ella rápidamente. Inicie Pandora, compruebe los resultados deportivos o haga lo que quiera hacer. Cuando acabe, haga doble clic sobre el botón **Inicio**. Cuando la fila de iconos aparezca, pulse el de la aplicación a la que quiera pasar.

Si la aplicación que quiere no está en esa fila inicial, mueva los iconos de izquierda a derecha hasta que lo encuentre. Todas las aplicaciones recientemente utilizadas deberían estar ahí.

Intente deshacerse de las aplicaciones que no utilice nunca porque sus iconos consumen memoria y energía. Para llevar a cabo la purga, pulse un icono hasta que aparezca el símbolo menos (-), como puede ver en la figura 2.13. Pulse sobre el símbolo para eliminar la aplicación de la lista de aplicaciones recientemente utilizadas, pero no del iPad. Pulse el botón **Inicio** cuando termine. Si su iPad está reaccionando con lentitud, cerrar algunas aplicaciones que no está utilizando puede ayudar a que la tableta vuelva a la normalidad.

Figura 2.13. *Pulse sobre el símbolo menos (-) para eliminar la aplicación de la lista.*

Además de mostrar sus aplicaciones más recientes, el doble clic sobre el botón **Inicio** ofrece otro atajo para ahorrar tiempo. En lugar de deslizar de izquierda a derecha para ver aplicaciones recientemente utilizadas, deslice de izquierda a derecha para encontrar los controles del reproductor de música. Esto le ahorra la molestia de acceder a la pantalla de reproducción de la aplicación Música para saltar un tema de la lista de reproducción. Los controles para reproducir un archivo con AirPlay también se encuentran aquí.

Si ha optado por hacer del botón lateral del iPad un botón para silenciar la tableta pero se pone nervioso cuando la pantalla se reorienta al leer un libro electrónico en la cama, deslice a la izquierda y pulse el primer icono, la flecha circular de la esquina izquierda (véase la figura 2.14). De esta forma, bloqueará el iPad en su orientación actual hasta que pulse el icono de nuevo para desbloquear la pantalla.

Figura 2.14. *Esta flecha bloquea la orientación del iPad.*

⬤ ⬤ ⬤ MANTENGA LIMPIA LA PANTALLA DEL IPAD

Ahora que ha realizado su excursión por el iPad, probablemente se habrá percatado de que hay una parte del artilugio que es muy, muy importante en la experiencia con la tableta.

Sí, igual que en el caso del iPhone y el iPod Touch, la pantalla táctil de cristal del iPad es el modo principal de comunicación con la tableta. Cada vez que navegue por la Web o envíe un correo electrónico, sus dedos tocan, se deslizan y se arrastran por su suave superficie. Si hace esto en un trozo de cristal normal, lo dejará manchado y pegajoso, lleno de suciedad de la grasa de los dedos, crema de manos o cualquier otra cosa.

Gracias a una capa especial, la pantalla del iPad intenta repeler sus huellas dactilares. Pero después de mucho uso, este método tiene sus límites; empieza a parecer que un niño ha estado comiendo golosinas y tocando su iPad constantemente con las dos manos. Esto es lo que debe hacer (y lo que no) para mantener la pantalla del iPad limpia y como nueva.

- Para manchas en el cristal, limpie despacio la pantalla con un paño suave sin hilos, del tipo que se utiliza para limpiar una pantalla plana de televisión, las lentes de las cámaras o un par de gafas. En la figura 2.15 puede ver un paño de microfibra.

Figura 2.15. *Utilice siempre un paño suave.*

- Haga lo que haga, no utilice productos de limpieza con amoníaco o alcohol, disolventes o un paño áspero. Este tipo de productos pone en peligro la capa de protección de la pantalla.

- Si el resto del iPad se ensucia, una rápida sesión de limpieza le devolverá su brillo. Para hacerlo, apáguelo y desenchúfelo. Después, utilice un paño sin hilos ligeramente humedecido para limpiar los lados y la parte trasera del iPad. Tenga cuidado para que no entre agua en las aberturas de la tableta. Después pase un paño seco.

Proteger la pantalla del iPad

La pantalla del iPad es resistente a los arañazos aunque está claro que se puede romper si se le cae accidentalmente. Si ocurre un desastre y la pantalla resulta dañada, no utilice el iPad ni intente sacar el cristal roto. Métalo en una caja o envuélvalo para evitar que se suelten trozos de cristal y llévelo a su tienda Apple más cercana para que lo reparen.

Para proteger su iPad al máximo, tanto de caídas accidentales como al llevarlo en una mochila junto a llaves, cajas o tarjetas de crédito, considere utilizar una funda, como la que puede ver en la figura 2.16. Los fabricantes de accesorios ya han creado una gran colección, desde modelos de cuero a fundas de colores que alegren su iPad a la vez que le ofrecen más agarre.

Figura 2.16. *Utilice una funda para proteger su tableta.*

Cuando decida qué funda necesita, piense cómo tiene planeado transportar y utilizar su iPad. Si va a llevarlo en una mochila, una bolsa acolchada y resistente será mejor que una funda de cuero fino.

Nota

Apple indica que la pantalla del iPad cuenta con una "capa oleofóbica resistente a las huellas dactilares", lo cual suena como si el aparato sufriera algún tipo de enfermedad psiquiátrica o miedo a los productos grasos. ¡No se preocupe! La capa oleofóbica sólo es un polímero plástico aplicado al cristal del iPad indicado para evitar las huellas.

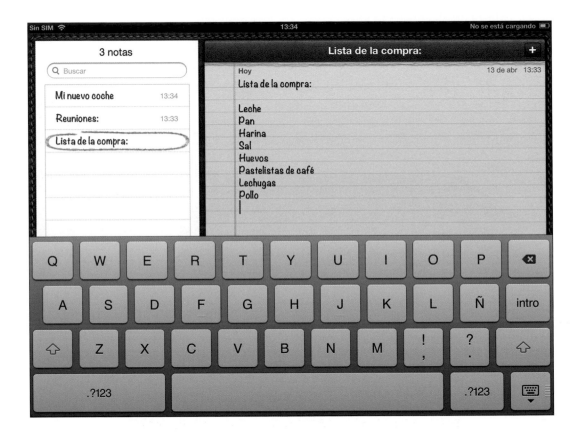

Capítulo 3

Interactúe con su iPad

Hoy día, encuentra pantallas táctiles por todas partes: en cajeros automáticos, en expendedores de billetes de avión o de tren e incluso en algunos restaurantes de comida rápida. Por lo que la pantalla táctil del iPad es territorio conocido para la mayoría de la gente.

Pero utilizar el iPad conlleva más que tocar. Pulsa, arrastra, desliza, pulsa dos veces, mantiene pulsado. El movimiento que haga y cuándo lo haga dependerá de lo que intenta hacer. Y aquí es donde entra este capítulo.

En las siguientes páginas, aprenderá a realizar el baile dactilar para que su iPad responda a cada comando. ¿Y qué puede ser más fácil y directo que introducir texto en aplicaciones como Correo o Notas simplemente hablando? Sí, el último modelo de tableta permite el dictado, aunque, de momento, sólo en inglés.

Antes de terminar el capítulo, también descubrirá algunos atajos, aprenderá a descubrir cosas rápidamente y cómo imprimir archivos en los que haya estado trabajando. Así que prepárese para seguir leyendo.

● ● ● MOVIMIENTOS DACTILARES PARA EL IPAD

El "cerebro" detrás del iPad (su sistema operativo) es lo suficientemente inteligente como para responder a una serie de acciones táctiles diferentes. Las que realiza dependen de lo que quiera conseguir. Aquí tiene los movimientos:

- **Pulsar:** Pulse ligeramente con la punta del dedo un icono, una imagen en miniatura, el título de una canción o el control que vea en pantalla. El iPad no es una vieja calculadora, así que no debe pulsar con fuerza; un toque suave será suficiente.

- **Arrastrar:** Mantenga la punta del dedo sobre el cristal y deslícelo para dirigirse a distintas partes de la pantalla. Así ajusta controladores de volumen o mueve una foto. Arrastrar con dos dedos desplaza una ventana dentro de una ventana (como la ventana flotante que aparece en su pantalla de Facebook cuando solicita su lista de amigos).

- **Deslizar:** Deslizar es como arrastrar, pero lo utiliza casi en exclusiva con un control especial: el botón **Desbloqueo/ Confirmación** que puede ver en la figura 3.1 y que se asienta en un "carril" que guía el control cuando despierta el iPad en reposo o confirma el apagado.

Figura 3.1. El característico botón de desbloqueo.

- **Tocar:** Suavemente y con rapidez, pulse la pantalla hacia arriba o hacia abajo para ver cómo la página Web o la lista de canciones se mueve en la dirección de su toque. Cuanto más rápido pulse, más rápido se desplazará la pantalla. En un álbum de fotos, pulse de lado a lado para ver cómo sus imágenes desfilan triunfantes por la pantalla.

- **Separar y juntar los dedos:** Para ampliar una parte de una foto, documento o página Web, ponga los dedos índice y pulgar juntos sobre la pantalla y realice un movimiento separándolos sobre el cristal. Para reducir o alejar la imagen, ponga los dedos separados sobre la pantalla y júntelos.

- **Doble clic:** Este movimiento doble se utiliza en varias situaciones. Primero, es un método rápido para ampliar una foto o página Web. Segundo, si está viendo un vídeo, le permite alternar el aspecto de la imagen: la vista a pantalla completa (véase la figura 3.2), en la que los bordes del marco se han recortado, y la vista panorámica apaisada (véase la figura 3.3), que le encanta a los amantes del cine porque ése es el aspecto que el director quiso darle a la escena. Los verdaderos cinéfilos utilizarán mucho el doble clic.

Figura 3.2. Pantalla completa.

Figura 3.3. Vista panorámica.

● ● ● UTILICE EL TECLADO ESTÁNDAR DEL IPAD

El iPad no tiene teclas físicas, a no ser que compre el teclado opcional. No obstante, se puede utilizar un teclado virtual para introducir texto.

El teclado del iPad aparece cuando hace clic en un área de la pantalla que acepta información de entrada, como la barra de dirección del navegador, el área de texto de un nuevo mensaje de correo electrónico o un cuadro de búsqueda.

Para utilizar el teclado, simplemente pulse la tecla que desea. Cuando su dedo toque el cristal, la tecla en gris claro confirma su elección cambiando a un gris más oscuro.

El teclado funciona en posición vertical, si bien tiene más espacio en la vista apaisada. También puede dividir el teclado en dos para utilizarlo con los pulgares, al modo de un smartphone, como le explicaremos más adelante en el capítulo. El botón con el icono del teclado (⌨), que puede ver en la figura 3.4, esconde el teclado. Aquí tiene algunas otras teclas especiales:

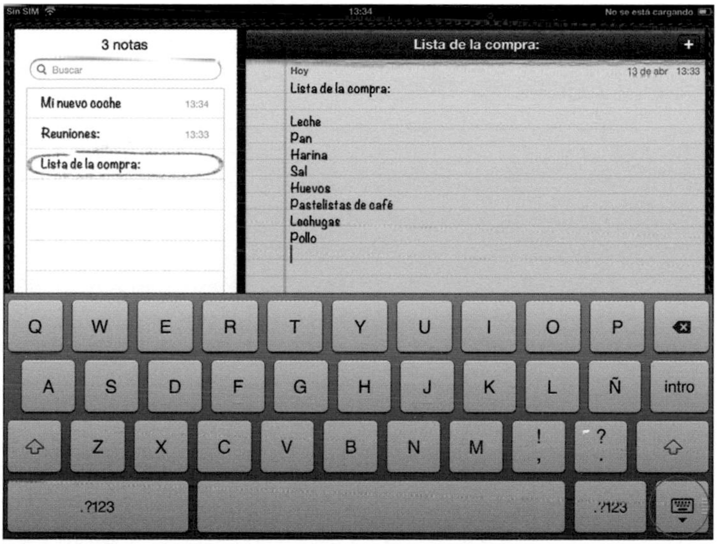

Figura 3.4. *Puede ver el icono en la parte inferior derecha del teclado.*

1. **Mayúsculas (⇧):** Cuando pulsa esta tecla, la flecha se vuelve azul para indicar que está activada. Cuando vea la flecha azul, la siguiente letra que introduzca aparecerá en mayúscula. Una vez que escriba esa letra, la flecha vuelve a la normalidad indicando que la siguiente letra será en minúscula.

2. **Retroceso (⌫):** Esta tecla borra de muchas maneras; si la pulsa una vez, borrará la letra justo a la izquierda del cursor. Si la mantiene pulsada, irá borrando varias letras seguidas. Por último, manténgala pulsada un poco más para borrar palabras enteras en lugar de letras.

3. **Puntuación y números (.?123):** Pulse este botón para insertar puntuación y números. El teclado cambia del modo alfabeto a una platilla de símbolos numéricos y gramaticales. Pulsando la misma tecla (que ahora se ha convertido en (ABC) volverá al alfabeto. Por suerte, hay un modo mucho más rápido de obtener un número o un símbolo; mantenga pulsada la tecla (.?123) y, después, arrastre el dedo hasta el número o carácter que desea.

4. **Más opciones de teclado:** Cuando cambia al teclado de números y símbolos, aparece un nuevo botón (#+=). Púlselo para solicitar una tercera opción de teclado que ofrece caracteres más inusuales, como almohadillas, boliches y corchetes.

Cuando introduce letras en un formulario Web (o en cualquier parte que no sea una dirección Web), el iPad añade una tecla **Retorno** en el teclado para que pueda moverse de una línea a la siguiente. Esta tecla cambia para indicar **Conectar** al introducir una contraseña Wi-Fi, **Ir** cuando introduce una URL y **Buscar** cuando consulta un cuadro de búsqueda.

ATAJOS DE TECLADO DEL IPAD

Como probablemente habrá descubierto ya, el teclado del iPad tiene que ser un poco creativo para incluir todas las teclas que necesita en un pequeño trozo de cristal. Pero, hay que asumirlo, ir saltando entre capas de teclado para encontrar un apóstrofe cuando está intentado terminar un mensaje de correo electrónico puede resultar lento y tedioso. Para ayudar a equilibrar la economía y la eficiencia, Apple ha incluido una serie de atajos y trucos de teclado.

• **Direcciones Web:** Cuando introduce una dirección Web en Safari, el navegador del iPad, el teclado incluye teclas para caracteres utilizados habitualmente. Por ejemplo, le ofrece una barra inclinada, el guión bajo, el guión y, lo mejor de todo, la tecla **.com** (véase la figura 3.4). ¿La

Figura 3.5. El iPad le ofrece opciones de teclado especiales para navegar por Internet.

dirección que busca no es . com? Mantenga pulsada esta tecla para elegir entre **.eu**, **.org**, **.es**, **.edu** o **.net** y deslice su dedo para elegir la que desea. Cuando acabe, pulse la tecla **Ir**.

- **Mala puntería:** ¿Ha pulsado la tecla equivocada? Si todavía no ha levantado el dedo de la pantalla, deslícelo a la tecla correcta para arreglarlo.

- **Puntuación:** El truco de pulsar y deslizar también funciona en otros aspectos. ¿Necesita un apóstrofe en lugar de una coma en el teclado principal? Pulse la tecla de la coma y deslice. ¿Necesita una almohadilla pero no quiere pasar al teclado (**.?123**)? Pulse la tecla (**.?123**) y deslice al carácter que desea sin mover el dedo del teclado o sin tener que regresar al teclado (**ABC**).

- **Tildes:** ¿Necesita una letra acentuada? Mantenga pulsada la letra correspondiente para que aparezcan una serie de opciones de tildado. Deslice el dedo para seleccionar la que necesite. Este truco funciona en la mayoría de letras que aceptan tildes.

Truco

Si no mira al texto en pantalla mientras teclea alegremente (y, por lo tanto, no se percata de las autocorrecciones del iPad hasta después de que las haya realizado), puede hacer que la tableta anuncie verbalmente sus sugerencias. Diríjase a Ajustes>General>Accesibilidad>Leer texto automático>On. *Para desactivar esta función, diríjase también aquí.*

- **Mayúsculas automáticas:** Active este ajuste (en Ajustes>General>Teclado) y el iPad pondrá automáticamente en mayúsculas la primera letra después de un punto.

- **Autocorrección:** El diccionario del iPad intenta corregir automáticamente los errores que pueda cometer al escribir. Si quiere aceptar la corrección sugerida, pulse **Barra espaciadora** y continúe. ¿No está de acuerdo con el iPad? Pulse sobre la palabra sugerida para rechazarla. Con ciertas palabras, el diccionario del iPad se muestra demasiado dispuesto a ayudar pero si lo rechaza las veces suficientes, finalmente aprende lo que quiere de él. En algunos programas, el iPad subraya en rojo las palabras de las que sospecha; pulse sobre ellas para ver alternativas. Un consejo: revise los textos que escriba antes de enviarlos, especialmente en aplicaciones rápidas como Mensajes. La autocorrección puede sustituir errores inocentes por otros embarazosos (si las autocorrecciones constantes le fastidian, desactívelas en Ajustes>General>Teclado>Autocorrección>Off).

Hablando de la sección Ajustes, el iPad también ofrece aquí algunos atajos útiles. Vaya a Ajustes>General>Teclado para verlos (véase la figura 3.6).

- **Comprobar ortografía:** El iPad marca las palabras mal escritas en las aplicaciones de texto, subrayándolas en rojo. Pulse sobre la palabra marcada para ver opciones de reemplazo.

- **Bloqueo de mayúsculas:** Si necesita ESCRIBIR ASÍ DURANTE UN RATO, active este ajuste. También si hace doble clic sobre la tecla **Mayúsculas** (⇧), se vuelve azul y escribe en mayúsculas hasta que la pulsa de nuevo para desactivarla.

- **Función rápida de ".":** Con este ajuste activado, puede hacer doble clic en la **Barra espaciadora** para insertar un punto al final de una frase y moverse un espacio a la derecha para comenzar su nueva frase con una letra mayúscula.

El área de ajustes del teclado incluye otras funciones útiles, como los teclados internacionales y el teclado dividido. Pero ahora que domina los atajos de teclado, ¿qué le parece aprender algunos atajos multitarea? Continúe leyendo.

Figura 3.6. *El área de ajustes del teclado.*

⬤ ⬤ ⬤ REALICE ACCIONES MULTITAREA EN EL IPAD

El botón **Inicio** del iPad ofrece un modo fiable para volver a la pantalla de inicio de la tableta, cambiar a otra aplicación o iniciar una nueva. Sí, ese botón **Inicio** sirve para muchas cosas. ¿No sería genial que hubiera un modo de cambiar de aplicaciones en la propia pantalla sin tener que recurrir al control físico? En el caso del iOS 5, lo hay. La última versión del sistema operativo del iPad ofrece acciones multitarea (movimientos con los dedos sobre la pantalla) como alternativa a pulsar el botón **Inicio**. Con cuatro o cinco dedos (dependiendo de lo que le resulte más cómodo) rozando el cristal, puede saltar entre aplicaciones y volver a la pantalla de inicio.

Debe configurar su iPad para que realice estos movimientos por defecto. Pero si los prueba y no sucede nada, aparte de un frustración personal, diríjase a la pantalla de inicio y después a Ajustes>General>Gestos para multitarea>On.

Esto es lo que puede hacer; así funcionan las acciones multitarea:

- **Vuelta a la pantalla de inicio:** Probablemente sea la acción que realice más a menudo. Digamos que tiene abierta una aplicación y la quiere cerrar para hacer otra cosa. Con su mano abierta, sitúe los cinco dedos sobre la pantalla y únalos, como si quisiera formar una especie de pezuña (véase la figura 3.7). En ese momento, verá cómo la aplicación abierta se encoge y desaparece y se materializa la pantalla de inicio desde el fondo. Para cuando ha unido los dedos, ya se encuentra en la pantalla de inicio.

Figura 3.7. *Con este gesto regresa a la pantalla de inicio.*

- **Pasar de una aplicación abierta a otra:** Del mismo modo que puede pasar de una pantalla de inicio a otra para ver todos sus iconos de aplicaciones, puede barrer de una aplicación abierta a otra. Digamos que está escribiendo una nota en Mail y abre Mapas para buscar una dirección. Puede volver a Mail colocando todos los dedos sobre la pantalla (véase la figura 3.8) y barriendo de derecha a izquierda. Para volver a sus aplicaciones recientemente utilizadas (Mapas en este ejemplo), mueva esos dedos de izquierda a derecha hasta que no pueda barrer más allá.

Figura 3.8. *Coloque los dedos sobre la pantalla y barra a un lado u otro.*

- **Abra el panel inferior para cambiar de aplicación:** Como explicamos anteriormente en el libro, puede hacer doble clic en el botón **Inicio** para abrir un panel en la parte inferior de la pantalla donde cambiar a otra aplicación, todo sin tener que realizar una parada en la pantalla de inicio. Pero si hacer doble clic en el botón **Inicio** para revelar el panel de aplicaciones es demasiado esfuerzo, utilice el movimiento multitarea oficial: coloque todos los dedos en la pantalla y barra hacia arriba. Al hacerlo, aparecerá el panel de aplicaciones, listo para que seleccione la que desee.

Los movimientos multitarea puede que no sean para todo el mundo, sobre todo si acostumbra a poner mucho los dedos sobre la pantalla y no quiere estar saliendo del cajón de las aplicaciones constantemente o cambiando entre aplicaciones abiertas por accidente. Pero ahorran mucho tiempo que, de otra forma, pasaría pulsando el botón **Inicio**. Y si decide que los movimientos multitarea no son lo suyo, pulse el botón **Inicio** a la antigua usanza y diríjase a Ajustes>General>Gestos para multitarea>Off.

Truco

Los iconos del panel de aplicaciones consumen memoria y energía, por lo que debería deshacerse de los que no utiliza. Abra el panel, pulse sobre uno de los iconos y, después, en el símbolo menos (-) para sacar la aplicación de la lista.

UTILICE EL TECLADO DIVIDIDO

Puede que le lleve algunos días acostumbrarse a escribir sobre la superficie de cristal del teclado, pero la mayoría de gente le coge el truco con rapidez con la tableta sobre una mesa, el regazo o apoyada en su estuche. Pero si es una de esas personas a las que les gusta sostener el iPad en todo momento, probablemente acabará con calambres en las manos por intentar sostener la tableta con sus dedos mientras pulsa en las teclas con extraños movimientos de los pulgares.

¡No fuerce más las manos! Gracias al útil teclado dividido de iPad, puede rasgar virtualmente el teclado por la mitad para escribir con mucha más comodidad en dos grupos de teclas colocados mucho más cerca de sus pulgares.

Para dividir en dos su teclado cuando aparece para ayudarle a escribir, simplemente coloque un dedo en cada mitad del teclado y deslícelos en direcciones opuestas. El teclado detectará este movimiento y se dividirá en dos, con un grupo de teclas en cada lado de la pantalla y a un buen alcance de sus pulgares.

Si tiene las manos demasiado ocupadas con su iPad y no puede llevar a cabo la división con los dedos, pulse la pequeña zona con aristas en el botón del teclado, que puede ver en la figura 3.9, para obtener un menú Soltar/Dividir que puede pulsar con un dedo. Una vez que pulse Soltar, pulse las aristas de la tecla del teclado para arrastrar el teclado verticalmente por la pantalla hasta que se encuentre en el lugar que le resulte más cómodo.

Figura 3.9. *Pulse las aristas de la tecla para obtener el menú.*

Puede emplear el teclado dividido tanto en orientación vertical como apaisada. Una vez que termine de escribir y quiera reunir las dos mitades del teclado, coloque un dedo sobre cada grupo de teclas y deslícelas hacia el centro de la pantalla. O simplemente pulse Fijar y unir, como puede ver en la figura 3.10.

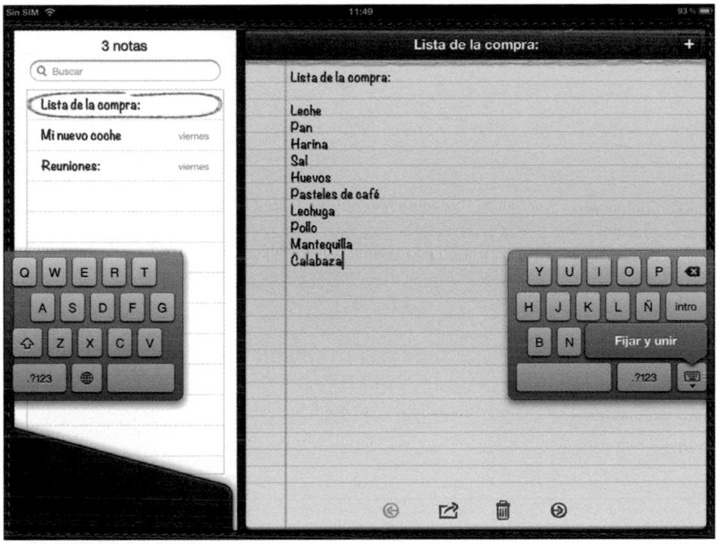

Figura 3.10. *Pulse Fijar y unir para reunir el teclado.*

● ● ● INCLUYA UN TECLADO EXTERNO

Está bien, puede admitirlo. Lo ha intentado una y otra vez pero no consigue acostumbrarse a la superficie lisa de cristal. Sus dedos echan de menos el tacto del teclado de goma, especialmente cuando trabaja con grandes documentos o programas que requieren mucha entrada de texto. Si se da por aludido, no tema. Puede recuperar la comodidad de un teclado físico e, incluso, tiene un par de opciones.

Teclado Bluetooth

El iPad tiene un chip Bluetooth integrado, por lo que puede utilizar la tableta con un teclado inalámbrico con Bluetooth habilitado, como el elegante modelo fabricado por Apple que puede ver en la figura 3.11, o un variante más portátil, como el teclado con estuche para iPad ZAGG, de Logitech. Para preparar el iPad para un teclado inalámbrico, seleccione Ajustes>General>Bluetooth>On. Después, siga las instrucciones que vienen con su teclado para emparejar teclado e iPad; esto, normalmente, implica mantener pulsado un botón hasta que algo parpadea.

Figura 3.11. *El teclado Bluetooth.*

El iPad busca dispositivos cercanos y deberá encontrar al teclado Bluetooth haciéndole señales. Cuando vea el teclado en la lista Dispositivos, selecciónelo e introduzca la clave numérica que le solicite para completar la conexión (busque el código en el manual del teclado). El icono de Bluetooth (✸) y el nombre del teclado aparecen en pantalla para anunciar el emparejamiento. Para volver al teclado virtual, seleccione Ajustes>General>Bluetooth>Off o pulse la tecla de expulsión en el teclado Bluetooth.

Puerto de teclado de iPad

Si quiere potenciar su iPad al teclear, considere el puerto de teclado para iPad de Apple. Se trata de un teclado completo integrado con un puerto de carga. Enchufe el cable a la pared, inserte el iPad en el cargador y empiece a teclear con la pantalla inclinada en un ángulo cómodo.

También puede conectar el cable USB del puerto de teclado a su ordenador para realizar alguna sincronización. Con más cables opcionales, puede conectar el puerto a la televisión, la cadena de música o el proyector de vídeo. Visite http://store.apple.com/es para ver el puerto de teclado y otros accesorios, como el puerto plano para iPad, los cables AV y el adaptador digital AV.

UTILICE UN TECLADO INTERNACIONAL O EMOJI

Si al utilizar su iPad, necesita comunicarse en inglés, francés, alemán, ruso, chino, japonés, holandés, italiano o en cualquier otro idioma, puede añadir una capa de teclado que incluya los estándares de esos idiomas. También puede utilizar el teclado Emoji integrado para añadir emoticonos al texto. Para darle a su iPad un toque global:

1. Pulse Ajustes>General>Teclados internacionales y, después, Añadir nuevo teclado.

2. Examine la lista de idiomas (véase la figura 3.12) y pulse el que desea o seleccione Emoji si quiere expresarse gráficamente. Alemán, por ejemplo, añade un teclado con caracteres alemanes. El iPad incluye el teclado en su lista de teclados personales en Ajustes>General>Tecl ado>Teclados internacionales>Teclados.

3. También puede elegir la disposición del teclado virtual (QWERTY, AZERTY o QWERTZ). Para elegir uno, pulse sobre el idioma de la lista que puede ver en la figura 3.13. Si planea utilizar un teclado externo, puede seleccionar también un diseño físico, como el del teclado Bluetooth que utiliza el mapa de caracteres del español.

Figura 3.12. *Seleccione el idioma de la lista.*

Figura 3.13. *Elija la disposición del teclado.*

Una vez añada y configure sus nuevos teclados, solicítelos cuando tenga que redactar en holandés o japonés. Puede cambiar de teclado de dos formas:

1. Puede pulsar la tecla con el icono del globo terráqueo (véase la figura 3.14), que se encuentra a la izquierda de la **Barra espaciadora**. Con cada pulsación, va pasando por sus teclados personales mientras sus nombres aparecen sobre las teclas. Deténgase cuando aparezca el teclado que desea.

Figura 3.14. Pulse la tecla del globo para obtener más teclados.

2. Por otro lado, puede mantener pulsada la tecla del globo durante un minuto para obtener una lista de sus teclados, como puede ver en la figura 3.15, para después deslizar el dedo al que desea.

Escriba. Cuando quiera volver al teclado en su idioma, pulse el globo de nuevo.

Borrar un teclado

Figura 3.15. Mantenga pulsada la tecla para obtener la lista de teclados.

Para borrar un teclado internacional que no quiere utilizar más:

1. Acuda a la pantalla de inicio y seleccione Ajustes>General>Teclado>Teclados internacionales.

2. Pulse el botón **Editar**.

3. En la lista de teclados (véase la figura 3.16), pulse el símbolo "menos" junto al teclado que quiere borrar y, después, pulse el botón **Eliminar** que aparece para confirmar la acción.

Para reordenar los teclados en el menú del globo, utilice los iconos rayados (☰) para arrastrarlos al orden deseado. Después, pulse el botón **OK** en la esquina superior derecha.

Figura 3.16. Elija el teclado que quiere borrar de la lista.

Nota

El iPad ofrece varios idiomas que no utilizan los caracteres occidentales, incluyendo el japonés, chino (simplificado) y chino escrito a mano. "¿Escrito a mano en un teclado?", se podría preguntar. No es problema para el iPad: cuando selecciona Chino (simplificado) Trazo como teclado, su pantalla se convierte en un cuaderno táctil virtual en el que puede introducir caracteres chinos con el dedo. El iPad detecta lo que está haciendo y le ofrece una lista de caracteres concordantes para elegir.

⬤ ⬤ ⬤ CORTE, COPIE, PEGUE Y REEMPLACE TEXTO

La habilidad del iPad para mover texto e imágenes por un documento (o entre documentos) es útil, pero no es la función más intuitiva de la tableta. Y no, no puede utilizar **Control-C** para copiar porque el teclado no incluye la tecla **Control**. No tema, aquí tiene la solución para mover texto e imágenes de un lugar a otro, o de un programa a otro:

1. Para cortar o copiar texto que pueda editar (como un mensaje de correo electrónico saliente o una nota), haga doble clic sobre una palabra para marcarla. Aparece un cuadro Copiar/ Seleccionar todo/Definir, como puede ver en la figura 2.17. Para seleccionar más palabras, arrastre los puntos azules de los extremos de la palabra seleccionada. Después, pulse la opción

Figura 3.17. *Al seleccionar una palabra, aparece el cuadro de opciones.*

Copiar (si selecciona más de un palabra, no verá la opción Definir; más adelante lo explicamos).

2. Para páginas que no pueda editar (como correos entrantes), mantenga el dedo pulsado hasta que vea una lupa y un cursor de inserción de texto. Arrástrelo al texto que quiere copiar. Cuando levante el dedo, aparecerá un cuadro de Seleccionar o Seleccionar todo. Con Seleccionar, marca la palabra subrayada y muestra los puntos azules para que pueda

Figura 3.18. *Todo el texto queda marcado y tiene la opción de copiarlo.*

incluir más texto o fotos. Seleccionar todo marca todo el texto que se ve en pantalla. En ambos casos, levante el dedo para que aparezca la opción Copiar. Las páginas Web funcionan de un modo algo distinto: cuando levanta el dedo, se salta las opciones de selección y muestra directamente Copiar, como puede ver en la figura 3.18.

3. Pulse el punto donde quiere pegar el texto o foto para que aparezca la opción Pegar. Puede incluso pasar a otro programa y pegar en él.

4. Pulse Pegar para copiar el texto o foto en la nueva ubicación, archivo o programa.

¿Ha cometido un error y quiere deshacerlo? Pulse la tecla (.?123) y pulse **Deshacer** en el teclado numérico. O agite rápidamente su iPad y pulse la opción Deshacer pegar (véase la figura 3.19) o Deshacer texto tecleado.

Figura 3.19. *Opciones para deshacer.*

Truco

¿Quiere seleccionar un párrafo entero de golpe? Pulse sobre él cuatro veces seguidas.

Tenga cuidado cuando agite el iPad; no querrá mandar su tableta de alta tecnología volando por la habitación porque pegó la palabra "apio" en la línea equivocada de una receta.

Además de las opciones de **Cortar**, **Copiar** y **Pegar** en las aplicaciones en las que puede editar texto (como Notas), puede reemplazar una palabra mal escrita con la correcta. O puede reemplazar una palabra con otra, sin más. Para acceder a estas opciones, haga doble clic o seleccione una palabra en pantalla. Cuando aparezca el cuadro **Cortar/Copiar/ Pegar/Sugerir**, como puede ver en la figura 3.20, pulse **Sugerir**. El iPad le ofrecerá algunas palabras alternativas, como se observa en la figura 3.21. Si ve la palabra que quería escribir, pulse sobre ella para reemplazar el texto.

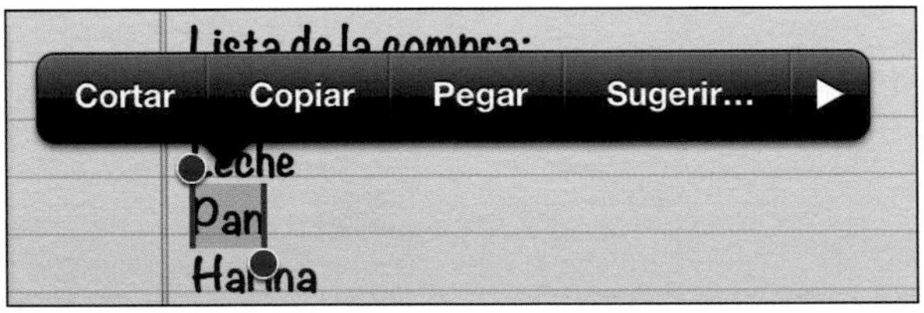

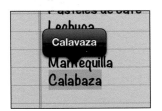

Figura 3.20. *El cuadro aparece cuando selecciona la palabra.*

Figura 3.21. *El programa le ofrece palabras alternativas.*

Pero dejemos el texto por un momento. ¿Quiere copiar una foto o vídeo en un mensaje u otro programa? Mantenga el dedo sobre la pantalla hasta que aparezca la opción **Copiar**, como se observa en la figura 3.22. Pulse **Copiar**, cree un correo electrónico y, después, pulse en el cuerpo del mensaje para obtener la opción **Pegar**. Pulse sobre él para insertar la imagen o vídeo en el archivo.

Para copiar varios elementos, como las fotos de un álbum, pulse sobre el icono (📤) de la esquina superior derecha. Después, pulse sobre las fotos que quiere copiar; aparecerán marcas de confirmación azules (✓) en las esquinas para indicar la selección.

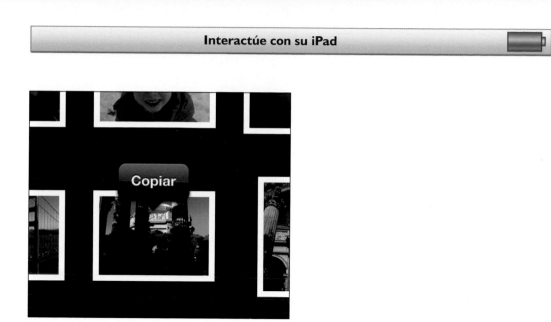

Figura 3.22. *La opción Copiar aparece cuando pulsa sobre la imagen.*

Pulse Copiar en el lado superior izquierdo de la barra de herramientas, cambie al programa en el que quiere pegar sus fotos (como un mensaje de correo electrónico) y pulse el cristal hasta que aparezca la opción Pegar.

Truco

La aplicación Notas del iPad es un buen lugar en el que recopilar texto cuando encuentra algo en una página Web o mensaje de correo electrónico que quiere conservar. Si utiliza Outlook 2007 o 2003 para Windows, o el programa Mail que viene con Mac OS X 10.5.7 o posterior, puede sincronizar sus notas entre su iPad y su ordenador. Simplemente conecte el iPad a su ordenador, haga clic en su icono en la lista fuente de iTunes y, después, en la ficha Información. Baje por la pantalla y active la casilla Sincronizar Notas y haga clic en **Sincronizar**. *Las Notas también se pueden sincronizar con iCloud, como veremos más adelante.*

BUSCAR EN EL IPAD

Una vez que su iPad esté cargado, puede que necesite encontrar algo en él; una canción de su librería, una cita de su calendario o la dirección de alguien, por ejemplo. Si tiene 64 gigabytes de contenido en un iPad repleto, puede que no le interese dar vueltas para encontrar un pequeño dato. Puede, sin embargo, dirigir el foco (*spotlight*) directamente sobre él con el sistema de búsqueda.

Spotlight es la herramienta integrada de iPad para la introspección y las búsquedas. Le permite rastrear palabras, aplicaciones, frases, nombres, títulos y más en su iPad. Puede buscar canciones, citas, mensajes de correo electrónico con la dirección de una fiesta y todo tipo de cosas. Puede llegar a Spotlight de varias maneras:

- Si se encuentra en su primera pantalla de inicio, pulse el botón **Inicio** para solicitar Spotlight.

- Si se encuentra en otras páginas de inicio, deslice de izquierda a derecha hasta que pase su primera página de inicio y llegue a la pantalla de Spotlight, en la que no puede seguir deslizando.

Truco

¿Cansado de que aparezcan canciones de Los Rodríguez, cada vez que busca mensajes de sus sobrinos, que se apellidan Rodríguez? Puede configurar los resultados de búsqueda de Spotlight para que descarte ciertos tipos de archivos. Pulse Inicio>Ajustes>General>Búsqueda en Spotlight *y desactive la casilla junto a elementos como Música o Vídeos.*

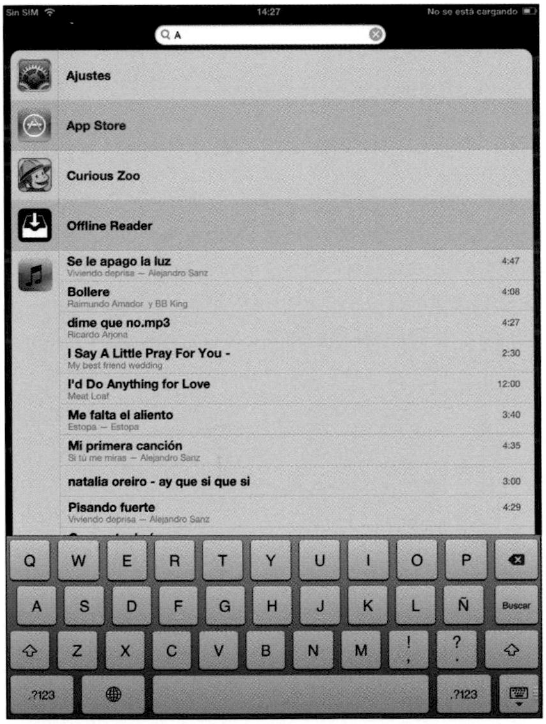

Una vez que se encuentre en la pantalla de Spotlight, escriba el nombre o palabras que está buscando. Spotlight buscará, estrechando la lista de resultados según va escribiendo, como puede ver en la figura 3.23. En la pantalla de resultados, pulse sobre cualquier elemento para abrirlo. Puede incluso iniciar una aplicación desde la lista, lo cual es un buen modo de lanzar programas una vez que haya completado las once pantallas de inicio con iconos y no tenga más espacio para mostrarlos. Acuda al final de la página y también tendrá la opción de buscar el tema en la Web y en Wikipedia a través de Safari.

Figura 3.23. *Según escribe, aparecen resultados.*

IMPRIMA CON SU IPAD

Básicamente, tiene dos formas de imprimir mensajes, fotos y otros documentos desde su iPad: las aplicaciones o AirPrint. App Store ofrece docenas de programas que le permiten imprimir archivos desde su iPad en su impresora. Algunos pueden ser más elegantes que otros, pero es probable que encuentre algo por menos de 10 euros. Si nunca ha buscado una aplicación en la Store, más adelante en el libro le explicamos cómo hacerlo; simplemente introduzca la palabra **imprimir** en el cuadro de búsqueda de App Store, y ya está. Cuando encuentre una aplicación cuya descripción y críticas le atraigan, cómprela, instálela y siga sus instrucciones para imprimir. La otra forma de imprimir es utilizando la tecnología AirPrint de Apple, que actualmente no se encuentra disponible en español. Este procedimiento puede resultar algo más caro (necesita una impresora compatible) pero, en última instancia, es más sencillo su uso porque la tecnología está integrada en su iPad, por lo que no se encuentra a merced de una aplicación de terceros. AirPrint funciona con más de 75 modelos de impresora; muchas de ellas fabricadas por HP, con modelos también de Brother, Canon, Epson y Lexmark. Por lo que, si no tiene una impresora AirPrint en casa, tendría que comprar una. Puede consultar una lista de impresoras compatibles con AirPrint en http://support.apple.com/kb/ht4356. AirPrint se ha extendido bastante últimamente, por lo que si tiene una impresora compatible, así es como funciona:

1. Encuentre una impresora preparada para AirPrint. Si ha comprado una para utilizarla con su iPad, siga las instrucciones de configuración de la misma para añadirla a su red inalámbrica (puede que tenga que actualizar algunos modelos, como la HP Photosmart D110a, con una actualización de firmware del fabricante; consulte los pasos a seguir en el manual de la impresora).

2. Elija el archivo de su iPad que quiere imprimir. AirPrint funciona con Mail, Safari, iBooks y fotos de las aplicaciones Fotos y Photo Booth. Otras aplicaciones de App Store, como iWork y Evernote, también ofrecen la opción de imprimir. Con el archivo abierto, pulse el icono (🔗) y elija Print (Imprimir), (en iWork, el comando de impresión se encuentra en el menú de herramientas).

3. Seleccione Printer (Impresora). El iPad busca en su red todas las máquinas AirPrint y muestra una lista.

4. Con la impresora seleccionada, pulse la flecha de opciones de la impresora para volver al menú principal. Pulse Range (Rango) para elegir las páginas que quiere imprimir. Por defecto, obtiene All Pages (Todas las páginas) pero lo puede cambiar. Pulse los botones de más (+) y menos (-) para aumentar o reducir el número de copias que desea.

5. Pulse el botón **Print** (Imprimir) y escuche el zumbido de su impresora.

Ajustes

✈️ **Modo Avión**		⚪⭕
🛜 **Wi-Fi**		**Sen**
🔘 **Notificaciones**		
🧭 **Localización**		Sí
📶 Datos móviles		Sin SIM
🌸 **Brillo y fondo de pantalla**		
🖼️ **Marco de fotos**		
⚙️ **General**		
☁️ **iCloud**		
✉️ **Correo, contactos, calendarios**		
🐦 **Twitter**		
📷 **FaceTime**		
🧭 **Safari**		
💬 **Mensajes**		

Redes Wi-Fi

Wi-Fi	⚪⚫

Seleccione una red... ⌛

apwf	🔒 🛜	❯
JAZZTEL_63F8	🔒 🛜	❯
Latinia	🔒 🛜	❯
Mackito de javier	🔒 🛜	❯
✓ **Sen**	🔒 🛜	❯
WLAN_01	🔒 🛜	❯
WLAN_434A	🔒 🛜	❯
Otra...		❯

Preguntar al conectar	⚪⚫

Se accederá automáticamente a las redes conocidas. Si no hay ninguna red conocida disponible, se le preguntará antes de acceder a una red nueva.

Capítulo 4

CONÉCTESE A LA WEB

Puede introducir contenido en su iPad de dos formas: descargándolo de Internet o copiando música, vídeos, libros, aplicaciones y otros elementos de su ordenador a su tableta a través de iTunes. Este capítulo le muestra cómo configurar su iPad para esa primera opción. Cualquier iPad puede conectarse a Internet con una conexión Wi-Fi. Por ejemplo, puede conectarse desde la red inalámbrica de su casa o desde el Wi-Fi de una cafetería. Pero algunos iPad no necesitan anclarse a una red estacionaria. Los iPad Wi-Fi + 4G y sus predecesores Wi-Fi + 3G pueden conectarse a la Web por el aire y a través de la misma red que utiliza para realizar llamadas telefónicas: la red móvil. Este capítulo explica la diferencia entre redes Wi-Fi y 4G LTE, 4G y 3G, y cómo establecer cada tipo de conexión. Así que, si está preparado para activar ese chip inalámbrico y hacer que su iPad entre en Internet, siga leyendo.

⬤ ⬤ ⬤ WI-FI FRENTE A REDES MÓVILES

Si ha comprado un iPad sólo con Wi-Fi, no tiene muchas opciones para el acceso Web. Entre en Internet desde la red inalámbrica más cercana (como la de una casa) o en un punto con conexión (también una red inalámbrica, normalmente en un lugar público, como un aeropuerto o un café; a veces es gratuito, pero casi siempre paga por ella).

Wi-Fi

Si posee su propia red Wi-Fi en casa, puede conectar su tableta con un par de pasos. Puede ver los **Ajustes** en la figura 4.1. Si no tiene su propia red, debe configurar una o encontrar un punto cercano con conexión que pueda utilizar legalmente para descargar el correo electrónico, páginas Web y contenido de iTunes Store (por cierto, el iPad no tiene un jack Ethernet como los que se encuentran en las redes antiguas por cable).

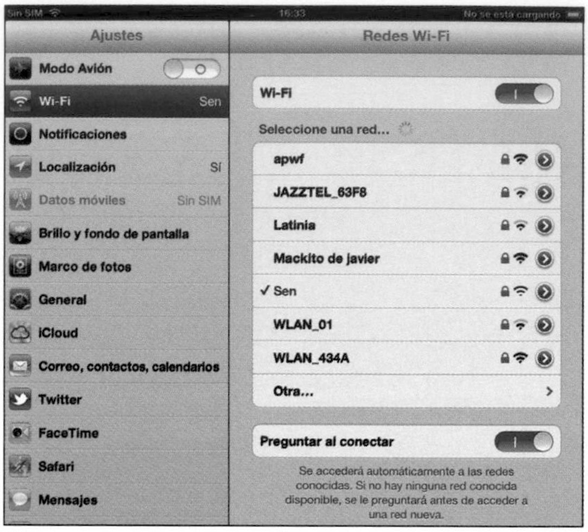

Figura 4.1. *Ajustes para las redes Wi-Fi.*

Móvil: redes 4G LTE, 4G y 3G

Si ha comprado una tableta nueva con 4G, oficialmente llamada iPad Wi-Fi + 4G, o tiene un iPad más antiguo Wi-Fi + 3G, no está limitado a las redes Wi-Fi. También puede conectarse utilizando las redes móviles, las mismas que utilizan los smarphones para navegar por la Web, ver el correo electrónico y hacer llamadas. Los ajustes se encuentran en la pantalla Datos móviles (véase la figura 4.2).

Figura 4.2. *Ajustes para los datos móviles.*

Actualmente, existen dos tipos de redes 4G: 4G LTE y 4G. La más veloz es la 4G LTE (*Long Term Evolution*, Evolución a largo plazo). Después, están las redes 4G que utilizan otros estándares, como HPSA+, pero que no son tan rápidas como 4G LTE. En cualquier caso, una red 4G es más rápida que una red 3G. Gracias a la nueva tecnología, los datos en una red 4G LTE se pueden mover hasta diez veces más rápido que en una red 3G (tenga en cuenta que esto son velocidades potenciales; la realidad, como sabe, suele ser algo más lenta que lo que afirma la publicidad).

Lo malo del 4G LTE es que no está tan extendido como las redes 3G.

Recuerde que su proveedor le cobra por utilizar su red móvil y limita la cantidad de datos que puede transferir al mes.

Dicho esto, si no hay un punto de conexión Wi-Fi cercano, con un iPad 4G/3G tendrá Internet disponible siempre y cuando haya señal telefónica.

⬤ ⬤ ⬤ CONSIGA SU CONEXIÓN WIFI

No importa el iPad que tenga, se puede conectar a Internet con una red Wi-Fi, conocida por los más frikis como 802.11 o red inalámbrica. Es la misma tecnología que permite a los ordenadores portátiles, consolas de videojuegos y reproductores portátiles conectarse a Internet a gran velocidad. De hecho, cuando configura su iPad por primera vez, la tableta puede lanzar un cuadro enumerando las redes cercanas y sugiriendo que se conecte a alguna. Busque su propia red, introduzca su nombre y su contraseña.

Si no se anima a unirse a una red, así es cómo se configura el iPad en la red inalámbrica de su hogar por primera vez:

1. En la pantalla de inicio del iPad, introduzca Ajustes>Wi-Fi. Eso le llevará a la pantalla que puede ver en la figura 4.1. Active el botón junto a Wi-Fi.

2. En el cuadro Seleccione una red inalámbrica (véase la figura 4.3), elija una. Su iPad simula las ondas y muestra los nombres de todas las redes Wi-Fi cercanas (que pueden ser muchas si vive en un edificio de apartamentos, por ejemplo). Encuentre el nombre de la red de su hogar y pulse sobre ella para unirse.

3. Introduzca la contraseña si se la solicitan. El iPad marca las redes seguras (aquellas que requieren contraseñas para evitar que los intrusos entren y chupen banda ancha) con el icono del candado (🔒). Debe introducir una contraseña para acceder a ellas.

    Una vez que introduzca su contraseña, el icono **Wi-Fi** de iPad (📶), que se encuentra en la barra de menú superior, debe encenderse indicando que, efectivamente, ya está en Internet. Inicie Safari, FaceTime, Twitter o el Game Center y disfrute.

Figura 4.3. *Cuadro para seleccionar una red inalámbrica.*

Si no ve el icono **Wi-Fi**, repita los pasos anteriores. Son habituales los errores al escribir, así que reescriba despacio su contraseña. También debe asegurarse de que la red de su casa está activa y funcionando.

El iPad es lo suficientemente inteligente para saber que es una persona ocupada, por lo que sólo debería pasar por este proceso de configuración la primera vez que se conecte con éxito a una red. Recuerdará su red y contraseña desde ese momento.

Si el iPad se conecta a una red que utilizó una vez pero no quiere volver a utilizar, acuda a la pantalla de inicio y pulse Ajustes>Wi-Fi>[nombre de la red]. Pulse el (◉) junto al nombre y, después, Omitir esta red en la siguiente pantalla.

UTILICE PUNTOS PÚBLICOS CON CONEXIÓN WIFI

Su iPad no tiene por qué estar confinado a la red de su hogar. Puede emplearse en cualquier red Wi-Fi al alcance: la red inalámbrica de su oficina o el campus, las redes públicas gratuitas en parques de la ciudad o cualquier otro lugar en el que encuentre un punto de conexión. Cuando encuentra redes en la zona y no está conectado a una, el iPad enumera las redes disponibles a las que se puede unir. La mayoría de redes públicas no requieren una contraseña.

Junto a estas redes gratuitas, encontrará puntos comerciales de conexión, con las que necesitará un elemento extra: dinero, como el de su tarjeta de crédito. Normalmente, encuentra estas redes en espacios públicos amplios, como aeropuertos, cadenas de librerías, habitaciones de hotel y otros puntos que ofrecen acceso Wi-Fi por horas o con una cuota diaria.

Para unirse a una red de pago, pulse sobre su nombre en la lista que le presenta el iPad. Después, abra Safari. La red le pedirá su número de tarjeta antes de que pueda empezar a navegar por la Web.

Si viaja mucho y no tiene el iPad Wi-Fi + 4G/3G, puede que le interese contratar un plan con algún proveedor comercial.

TRUCOS DE SEGURIDAD PARA REDES WIFI

La palabra "inalámbrico" conlleva un sentimiento de libertad: sin cables, sin enchufes, sin ataduras. Pero con esa libertad también existe un peligro potencial, porque su información personal ya no está circulando en un cable Ethernet cerrado, del punto A al punto B, sino que vuela por el aire.

Normalmente, no tiene por qué haber problemas. A no ser que alguien malintencionado que sepa cómo extraer información esté acechando. Entonces, se arriesga a un robo de identidad u otros males si, digamos, compra un par de zapatos con una tarjeta de crédito y el infeliz caza electrónicamente sus números.

Para aumentar la seguridad lo máximo posible, tenga en cuenta estos consejos mientras navega por las ondas:

- **Proteja la red de su hogar con una contraseña:** Sí, es un paso adicional al configurar su red inalámbrica (véase la figura 4.4) y hace que la conexión sea un poco más lenta, pero también mantiene alejados a los intrusos que, en el mejor de los casos, le restarán banda ancha y, en el peor, se infiltrarán en sus ordenadores para robar información personal.

Figura 4.4. Incluya una contraseña para más seguridad.

- **No realice operaciones financieras en redes inalámbricas públicas:** Ya que no sabe quién ha establecido esas redes Wi-Fi, en realidad no sabe lo seguras que son o quién más las está utilizando. Así que deje sus operaciones bancarias y de bolsa para su hogar. Utilice su iPad para comprobar los resultados de baloncesto y para ponerse al día con los titulares mientras saborea un café con leche.

- **Utilice una red privada virtual para los negocios en la carretera:** Si tiene que encargarse de asuntos laborales desde su iPad mientras viaja, haga que el departamento de sistemas le permita acceder a la VPN (Red privada virtual) de su empresa. Un nombre rimbombante para un acceso seguro a la Web.

Recuerde, Internet es algo maravilloso y estupendo pero también tiene un lado oscuro. Tenga cuidado ahí fuera.

UTILICE UNA RED MÓVIL

Si pagó un poco más por un iPad Wi-Fi + 4G o 3G, no tiene que preocuparse por ir de punto Wi-Fi en punto Wi-Fi para estar conectado. Tiene conexión allí donde haya cobertura móvil, porque los modelos 4G/3G se conectan a Internet a través de sus chips móviles.

Cuando el iPad esté utilizando su red móvil, verá las familiares barras de señal en la esquina superior izquierda de la pantalla, que puede ver en la figura 4.5. Éste es el mismo gráfico que utilizan los teléfonos móviles para mostrar la calidad de la conexión. Cuantas más barras, más sólida es la señal.

Figura 4.5. *Las barras le indican la calidad de la señal.*

En oposición a las magníficas cinco barras de señal, se encuentra el mensaje "Sin conexión". Esto no siempre significa que está fuera de un rango de red. Puede significar que olvidó activar la conexión móvil o que todavía no se ha registrado para este servicio. Los iconos en la esquina superior izquierda le indican en qué red se encuentra:

- **Wi-Fi (⌃):** Está conectado a un punto Wi-Fi, seguramente el que tiene mejor conexión, si bien esto puede variar en cada red; algunas redes sobrecargadas de cafeterías u hoteles no son tan rápidas como 4G LTE.

- **LTE (LTE):** Si su iPad muestra estas tres letras en la esquina, se encuentra en una resplandeciente red 4G LTE, la más rápida de las tecnologías móviles actuales.

- **4G (4G):** No tan rápida como la conexión LTE pero está bastante bien.

- **3G (3G):** O tercera generación de móviles; es la cuarta opción más rápida y está disponible en la mayoría de zonas urbanas.

- **GPRS (º):** La red más lenta; lleva funcionando muchos años.

Incluso aunque su iPad puede caer a velocidades de tortuga cuando se encuentra en áreas de cobertura móvil con una o dos barras, recuerde: un hilo de información es, al fin y al cabo, información, y es mejor que nada.

⬤ ⬤ ⬤ UTILICE UN SERVICIO DE BANDA ANCHA MÓVIL

Así que no compró el iPad Wi-Fi + 4G y ahora se arrepiente porque no puede unirse a una red móvil cuando no hay Wi-Fi alrededor. ¿Qué hace? ¿Ofrecer su iPad en eBay e invertir el dinero en la fundación "Por la actualización al iPad Wi-Fi + 4G"? ¿Hacerse con un modelo anterior Wi-Fi + 3G? ¿Ir desesperadamente de punto Wi-Fi en punto Wi-Fi por toda la ciudad?

Si no tiene pensado pasarse a un iPad 4G, tiene otra opción: un punto de banda ancha móvil. Esta conexión portátil capta una señal móvil de un proveedor y la convierte en una mini red Wi-Fi, de forma que cuatro o cinco dispositivos inalámbricos (ordenadores portátiles, consolas, iPads, etc.) pueden entrar en Internet a la vez.

Figura 4.6. *Dispositivo punto de banda ancha móvil*

Suena bien, ¿verdad? Sí, tener una red Wi-Fi allá donde vaya tiene sus ventajas, aunque también un lado negativo: Primero, tiene que pagar por este router móvil, que cuesta entre 100 y 250 euros. Además, tiene que contratar un plan de servicio que, normalmente, añade otros 40 euros al mes a su factura. Si hace las cuentas, es más económico tener un servicio móvil en su iPad 4G con un proveedor. Además, los modelos Wi-Fi + 4G no requieren hardware adicional. Esta ventaja esta incluida, aunque el chip 4G o 3G del iPad añade unos 130 euros al coste de su tableta.

Pero hay casos en los que el router de bolsillo tiene sentido: cuando necesita tener varios dispositivos en línea al mismo tiempo. Esto podría ser el caso de una familia con, por ejemplo, tres iPad, un iPad, dos portátiles, etc. El pago mensual cubre a los tres y es mucho más barato que comprar tres iPad 4G y los plantes LTE.

⬤ ⬤ ⬤ ACTIVE Y DESACTIVE EL SERVICIO DATOS MÓVILES

Disponer siempre de una conexión a Internet a través de una señal móvil es conveniente en la actual sociedad de la información; no tendrá que preocuparse por perderse un importante mensaje de correo electrónico o un acontecimiento inesperado en las noticias.

Pero habrá momentos en los que quiera apagar su servicio Datos móviles como, por ejemplo, si se encuentra cercano al límite de transferencia de datos y no quiere pagar más dinero de la cuenta. Otro buen momento es cuando viaja a otros países y quiere evitar enormes cargos por entrar por accidente en la red 3G de un tercero.

En estas situaciones, diríjase a Ajustes>Datos móviles>Datos móviles>Off para desactivar el chip 4G LTE/4G/3G de su iPad.

También puede detener la transferencia de datos en Ajustes>Datos móviles>Itinerancia de datos>Off. Y si quiere apagar todas las capacidades inalámbricas del iPad, elija Ajustes>Modo Avión>On. Cuando sea seguro volver a navegar, vuelva a estas pantallas para activarlo todo (véase la figura 4.7).

Figura 4.7. *En esta pantalla encontrará los ajustes para su conexión móvil.*

UTILICE SKYPE PARA REALIZAR LLAMADAS POR INTERNET

El iPad no es un iPhone pero no significa que no pueda realizar llamadas con él. Bueno, cierto tipo de llamadas, en concreto llamadas VoIP. Éstas son las siglas en inglés de Voz sobre protocolo de Internet. Básicamente, se trata de una tecnología que convierte las conexiones de Internet en conexiones telefónicas y a su iPad en un gigantesco iPhone.

Con un software especial y un micrófono, VoIP le permite realizar llamadas de ordenador a ordenador o incluso de ordenador a un teléfono normal. Y con programas como Skype, puede realizar llamadas de iPad a iPad, de iPad a ordenador o de iPad a teléfono. Lo mejor de todo es que puede obtener Skype gratuitamente en App Store.

Para utilizar Skype, necesita abrir una cuenta con el servicio. Es parecido a configurar un servicio de mensajería instantánea. Durante el proceso, elige un nombre de usuario y una contraseña. Su nombre aparecerá después en la lista de contactos de Skype junto a los nombres de otros usuarios con los que realiza llamadas.

Para realizar una llamada con Skype, pulse sobre el nombre de una persona (que tiene que estar en línea) de su lista de contactos. Para llamar a una línea telefónica normal, pulse el icono del teclado telefónico, que puede ver en la figura 4.8, y marque el número.

Figura 4.8. *Pulse en el icono para obtener el teclado telefónico.*

Las llamadas de Skype son gratuitas si son de ordenador o iPad a ordenador o iPad, pero Skype cobra si llama a un teléfono real. Las tarifas son bajas en comparación con los servicios telefónicos habituales y es un modo popular de realizar llamadas internacionales baratas. Skype ofrece varios planes para realizar llamadas según sus necesidades. Consulte los precios y los planes en http://www.skype.com/intl/es/home/. Skype puede ser un buen método para mantenerse en contacto con amigos en el extranjero de forma barata. No obstante, Internet tiene mucho tráfico, por lo que la fidelidad de las señales se puede ver afectada.

Truco

Con el iPad 2012 o el iPad 2 y la última versión de Skype, puede realizar vídeollamadas ejecutando la aplicación en un iPhone con cámara, un ordenador o una tableta. Y si sus amigos tienen dispositivos iOS o Mac, puede utilizar la aplicación FaceTime para esas vídeollamadas.

NAVEGUE POR LA WEB

Por supuesto, puede navegar por la Web con un smartphone aunque puede acabar con el cuello dolorido y los ojos escocidos de leer la minúscula pantalla, incluso aunque amplíe al máximo la imagen. Para la mayoría de la gente, esta "micronavegación" está bien para el tren o en la cola del cine pero, ¿quién quiere hacerlo en un café, en la biblioteca o tirado en el sofá?

Navegar por la Red en un iPad elimina los viejos dolores y escozores. Su pantalla de 10 pulgadas le muestra la página Web prácticamente al completo. Y olvídese del ratón; el iPad utiliza una versión táctil del navegador Safari, de forma que sus dedos serán los que paseen por la Web. Saltará de vínculo en vínculo con un toque en la pantalla y podrá ampliar las páginas desplegando dos dedos.

La última versión de Safari Mobile, que llegó en octubre de 2011, es el navegador iOS más intuitivo y versátil hasta la fecha. En iOS 5 y posteriores, muestra páginas Web más rápido que nunca y ofrece en la tableta la navegación por fichas, páginas ordenadas y limpias, y la función para guardar y leer más tarde.

Desde los conceptos básicos para navegar con tableta hasta consejos sobre seguridad en la Red, este capítulo le ofrece el gran tour de Safari en el iPad, su ventana abierta a la World Wide Web.

⬤ ⬤ ⬤ UN TOUR POR SAFARI

El iPad se lo pone fácil para acceder a la Web; simplemente, pulse el icono de Safari en su pantalla de inicio (véase la figura 5.1). La primera vez que abre el navegador, verá una ventana vacía, preparada para albergar páginas Web. Pulse sobre la barra de direcciones para que aparezca el teclado del iPad e introduzca una dirección Web.

Excepto la capacidad de reproducir ciertos vídeos (los creados con Adobe Flash), Safari incluye todas las funciones de un navegador de ordenador personal: favoritos, archivo de historial, cookies, bloqueo de ventanas emergentes y más.

Cuando se dirige a un sitio Web, Safari se comporta tal y como un navegador convencional. Resalta la barra de direcciones mientras carga todos los elementos de la página y muestra el icono animado de espera de Apple, que tiene este aspecto: (✳).

Figura 5.1. *Puede encontrar el icono de Safari fácilmente en su iPad.*

Aquí tiene una pequeña descripción de la pantalla principal de Safari, comenzando por arriba a la izquierda:

- (◀), (▶) **(Atrás, Adelante):** Para volver a la página en la que estaba previamente, pulse el botón (◀). Tiene que ir hace atrás antes de poder ir hacia delante, así que, después de pulsar (◀), puede pulsar el botón (▶), que le conduce a la página en la que estaba antes de pulsar (◀). ¿Lo pilla?

- (⌂) **(Favoritos):** Pulse aquí para ver una lista de sus sitios Web preferidos. Más adelante en el capítulo le ofrecemos más información al respecto.

- (↗) **(Menú de acción):** Pulse este icono multifunción para añadir un nuevo favorito, añadir la página actual a su lista de lectura para leerla más tarde, añadir el favorito de la página a su pantalla de inicio, enviar un vínculo a la página, compartir el vínculo en un mensaje desde su cuenta de Twitter o imprimir la página.

* **Barra de dirección:** Esta estrecha barra blanca es donde introduce una dirección Web (también conocida como URL) para acceder al sitio.

* (**✗**), (**↻**) **(Detener, Recargar):** Si ha solicitado la página equivocada o se ha cansado de esperar mientras se carga lentamente un sitio, pulse el botón (**✗**) en la barra de direcciones para detener la descarga de la página.

  Si no ha pulsado el botón (**✗**) y se carga la página, ese botón se convierte en (**↻**). Púlselo para volver a cargar la página (si no se ha cargado bien, por ejemplo) o si quiere ver la última versión de un sitio que se actualiza con frecuencia, como un sitio de noticias o de subastas.

* **Cuadro de búsqueda:** Safari tiene un cuadro separado para introducir

Figura 5.2. *En la parte superior de la pantalla, encontrará los elementos para la navegación.*

términos de búsqueda. Pulse sobre él y aparecerá el teclado. Introduzca su término y pulse la tecla **Buscar** que sustituye automáticamente a la de **Retorno** en su teclado.

* (**+**) **(Añadir pestaña):** Haga clic en el botón (**+**) para añadir una pestaña para una nueva página Web, sin cerrar la página en la que se encuentra.

En la figura 5.2 puede ver varios de estos elementos del navegador Safari.

UTILICE LAS PESTAÑAS EN SAFARI

La capacidad para abrir varias páginas Web en la misma ventana del navegador y para cambiar de una a otra es una función estándar en los navegadores de los ordenadores desde hace años. Es conocida como navegación con pestañas y, desde el iOS 5, es una función del navegador Safari de iPad. Las pestañas sustituyen el antiguo método para gestionar varias páginas en el iPad, donde una pantalla llena de pequeñas miniaturas representaba sus páginas Web abiertas y seleccionaba entre ellas, lo cual era un método un poco extraño.

Las pestañas de su iPad funcionan igual que las de su ordenador: comienza con una página abierta en medio de su navegador. Para abrir una segunda página sin cerrar la primera, pulse el icono (**+**) junto a la primera pestaña e introduzca la dirección de la segunda página. Safari abre la nueva página y añade una pestaña marcada en la parte superior de la ventana, como puede ver en la figura 5.3.

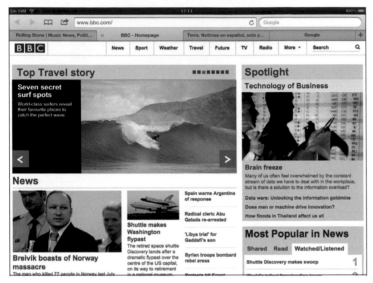

Figura 5.3. *Observe las pestañas en la parte superior de la ventana.*

Para cambiar de una página a otra, pulse sobre la pestaña de la otra página. Para reorganizar las pestañas, arrástrelas en su nuevo orden con el dedo.

Puede tener hasta nueve pestañas abiertas a la vez. Y si mira arriba y se da cuenta de que tiene más pestañas que el interior del archivador de un médico, puede cerrar las que no necesite. Simplemente pulse la (**✖**) de la pestaña que quiera cerrar.

¿No recuerda el nombre o dirección de un sitio que abrió en una pestaña hace un rato? Puede refrescar su memoria de dos maneras. Primero, puede pulsar el botón (**◀**), que puede ver en la figura 5.4, para ver una lista de los sitios recientemente visitados. Para ver una lista que vaya más atrás en el tiempo, consulte el historial de Safari, como le explicamos más adelante en el capítulo.

Figura 5.4. *Pulsando la flecha, obtiene un listado de sitios Web visitados.*

Si se encuentra en una página Web y observa un vínculo a una página que desea abrir en una pestaña aparte en lugar de reemplazar la página actual, mantenga pulsado el vínculo hasta que se abra un menú. Pulse **Abrir en una pestaña nueva** para darle su propia pestaña.

Aunque tener pestañas abierta por toda la pantalla de su iPad es un buen método para ver sitios Web con rapidez, puede que prefiera que Safari abra nuevas páginas en nuevas pestañas y las mantenga en segundo plano hasta que quiera verlas.

Si le gusta la idea, puede configurar Safari para que abra páginas tras bambalinas. Pulse **Inicio>Ajustes>Safari>Abrir pestañas nuevas en 2.º plano>On**, como puede ver en la figura 5.5.

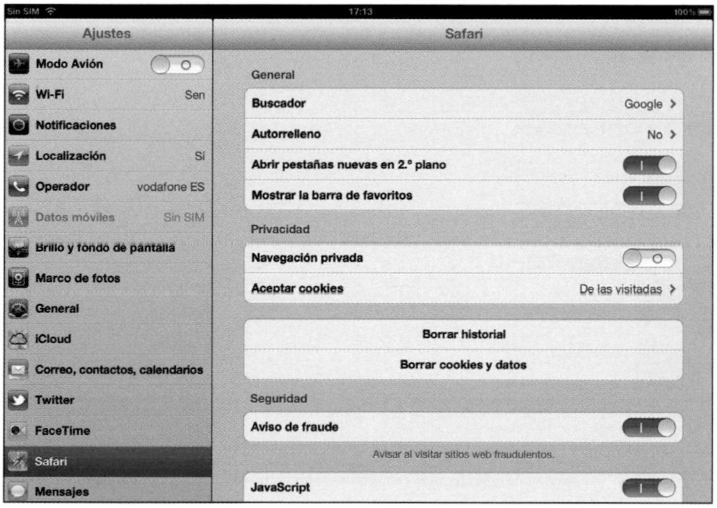

Figura 5.5. *Active esta opción para cambiar su experiencia Web.*

⬤ ⬤ ⬤ AMPLÍE Y DESPLÁCESE POR LAS PÁGINAS WEB

Tan pronto como muchos nuevos propietarios de iPad abren sus cajas, dedican horas a ampliar y desplazarse por páginas Web, porque es genial y divertido pasar un dedo por un trozo de cristal y ver cómo responde una página Web.

Aunque el iPad tiene una pantalla bastante grande, la experiencia no es la misma que navegar por la Web desde la pantalla de 17 pulgadas de su portátil o el monitor del ordenador de mesa, aún más grande. Muchas empresas ofrecen versiones para móvil de sus sitios Web, incrementando el tamaño del texto y los gráficos para que sea más sencillo verlos desde los iPad y smartphones. Mejor aún, muchos sitios ofrecen aplicaciones gratuitas para iPad que aprovechan la pantalla táctil para mejorar la navegación, entre otras cosas.

Pero no todos los sitios Web tienen en cuenta a los usuarios de iPad o smartphones. Encontrará muchas páginas Web que se ven perfectamente pero su texto tiene un tamaño reducido para leerlo con comodidad.

Por suerte, el iPad le ofrece tres modos para leer páginas Web más fácilmente.

- **Rote el iPad a modo apaisado:** Gire la tableta 90 grados en cualquier dirección y, como puede ver en la figura 5.6, la pantalla rota y agranda la página Web para que ocupe la posición más amplia del iPad.

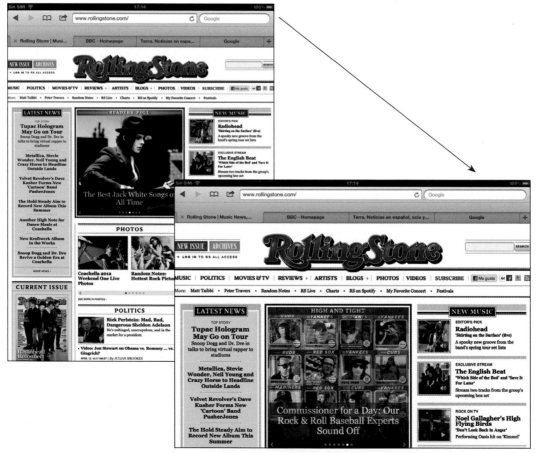

Figura 5.6. *Gira la pantalla para lograr una mayor amplitud.*

- **Amplíe y pellizque:** Coloque el pulgar y el índice (o el dedo que prefiera) sobre la pantalla y, poco a poco, sepárelos para ampliar (aumentar) la parte de la página que se encuentra entre sus dedos. Para reducir el tamaño del área seleccionada, acerque los dedos y haga el movimiento similar al de un pellizco.

- **Doble clic:** Las páginas Web se componen de varios elementos (texto, gráficos, etc.) y Safari puede aislar cada uno de ellos y ampliar sólo una parte. Encuentre la sección de la página que quiera leer y haga doble clic sobre ella para expandirla. Haga doble clic de nuevo para reducir la sección a su tamaño original (véase la figura 5.7).

Doble toque

Figura 5.7. *Haga doble clic y se ampliará la parte de la página que le interesa.*

Cuando amplía una página y quiere leer una parte que no está a la vista, simplemente mueva los dedos por el cristal para llevar esa sección al centro de la pantalla.

También puede desplazarse rápidamente pasando el dedo por la pantalla. Mientras sus dedos vuelan, puede que pulse un vínculo accidentalmente, pero Safari sabe que se encuentra en tránsito y no abre el sitio vinculado. Para hacer clic en un vínculo intencionadamente, detenga el desplazamiento y pulse el vínculo.

Truco

De vez en cuando, encontrará en ciertos sitios Web un marco (una columna de texto) con su propia barra de desplazamiento; un área de contenido que se desplaza de forma independiente respecto a la página principal (si tiene cuenta en Facebook, la lista Amigos es de este estilo). El iPad ofrece su propia manera de navegar por estos marcos sin desplazar toda la página: se trata del arrastre a dos dedos. Para desplazarse dentro de un marco, utilice dos dedos en lugar de uno.

UTILICE EL LECTOR DE SAFARI

¿Ha visto alguna vez una de esas páginas Web que contienen un artículo fascinante que quiere leer pero la página está rodeada de tantos anuncios, gráficos, barras de herramientas y otros deshechos que siente que se encuentra en medio de un carnaval a media mañana? (¿Y no lo odia?). La buena noticia es que iOS 5 incluye una estupenda función denominada Lector. Como su pariente para ordenadores, el Lector de Safari elimina todas las distracciones gráficas de la página y presenta el artículo en un formato agradable y fácil de leer. Es como un par de cómodas zapatillas de andar por casa para sus ojos. ¿La mala noticia? El Lector no funciona con todos los sitios Web. De hecho, algunos operadores de sitios Web odian los navegadores que eliminan la publicidad de sus páginas porque ésa es su forma de ganar dinero. Aún así, hay muchos sitios que funcionan bien con el Lector.

Para saber si una página Web acepta el Lector de Safari, busque el icono **Lector** en la barra de direcciones. Si lo ve, púlselo. Como por arte de magia, el icono se vuelve morado (véase la figura 5.8), los anuncios desaparecen y sólo el texto y las imágenes esenciales aparecen en el centro de la pantalla. Puede incluso ajustar el tamaño de la fuente pulsando el icono (**A**A) hasta que esté satisfecho con el aspecto de la página.

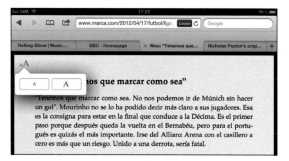

Figura 5.8. *El Lector de Safari facilita considerablemente la lectura de páginas Web.*

Ahora, no sólo podrá leer cómodamente, también puede compartir la página en este formato pulsando el icono (📤) de la barra de herramientas de Safari y eligiendo la opción de enviarlo por correo electrónico, imprimirlo, adjuntarlo a un mensaje de Twitter, marcarlo o incluirlo en su lista de lectura. Y, cuando acabe de leer con el Lector, pulse de nuevo el botón **Lector** para que la página tenga su abarrotado aspecto original.

UTILICE LA LISTA DE LECTURA DE SAFARI

¿Encuentra muchas cosas interesantes en la Web pero no tiene tiempo para leerlas? En ese caso, la lista de lectura de Safari puede ayudarle. Aunque no puede alargar su día un par de horas, puede guardar vínculos a artículos que encuentra al navegar para que pueda leerlos cuando tenga tiempo. La lista de lectura es una lista de favoritos temporales que sabe lo que ha estado leyendo.

La próxima vez que esté navegando con Safari y encuentre un artículo que no pueda explorar por completo, pulse (📤) y seleccione Añadir a la lista de lectura del menú que puede ver en la figura 5.9. Safari guarda el artículo en su lista de lectura personal del navegador.

Más adelante, cuando tenga tiempo para leer, pulse el icono (📖) y seleccione la opción Lista de lectura del menú. Verá una lista ordenada de todos los artículos guardados. Para leer uno, pulse sobre su entrada. Con la lista de lectura visible, puede añadir la página actual a la lista pulsando el icono (➕) en la esquina superior derecha (véase la figura 5.10).

Figura 5.9. Desde el menú podrá guardar la lectura para más adelante.

Safari divide la lista de lectura en dos partes, Todo y No leído. Todo, como habrá adivinado, muestra todos los artículos que ha guardado en la lista. La lista No leído sólo muestra las historias que no ha abierto todavía. Cuando abre, lee y se mueve por cada artículo, su vínculo pasa automáticamente de la lista No leído a la lista Todo, ahorrándole la molestia de recordar lo que ha leído y lo que no.

Para eliminar una historia de la lista de lectura, pase el dedo por la entrada y pulse el botón de borrar.

Figura 5.10. Pulse el icono y gestione sus lecturas desde el menú.

Si está leyendo las historias en su ordenador, iPad u otro dispositivo iOS 5, como un iPhone, la lista de lectura es aún mejor si utiliza iCloud. Esto es debido a que iCloud sincroniza su lista de lectura entre todos los dispositivos, de forma que las historias que guarda en un lugar, digamos, su iPhone, se muestran también en su iPad u ordenador, siempre y cuando todos esos dispositivos utilicen el mismo ID de Apple. Seleccione Inicio>Ajustes>iCloud y, después, active Favoritos.

⬤ ⬤ ⬤   SALTAR A OTRAS PÁGINAS WEB

Puede que esté tan fascinado navegando con el iPad con los movimientos de sus dedos que se olvide completamente del concepto de hacer clic en vínculos, sobre todo teniendo en cuenta que ha utilizado un ratón para hacerlo los últimos 15 años.

Así es como se manejan los vínculos en el iPad: pulse sobre ellos con el dedo; eso es parecido a lo que hacía con el ratón. Como sabe, no todos los vínculos son azules y están subrayados. Algunos, de hecho, son gráficos, como fotos o iconos.

Si mantiene el dedo sobre un vínculo por un momento, aparecerá un cuadro como el que puede ver en la figura 5.11, identificando la dirección Web completa del vínculo y ofreciéndole cuatro opciones: puede Abrir la página vinculada, Abrir en una pestaña nueva, Añadir a la lista de lectura o Copiar el vínculo en el portapapeles del iPad para pegarlo en otro lugar.

Figura 5.11. *Mantenga el dedo sobre el vínculo para obtener el menú de opciones.*

⬤ ⬤ ⬤ UTILICE EL AUTORRELLENO PARA AHORRAR TIEMPO

Algunas personas estarán encantadas con el sencillo teclado virtual del iPad y otras lo odiarán porque tendrán la sensación de teclear sobre una mesa de cristal. Y habrá quien sólo lo utilice para comprar objetos en línea mientras se relajan en una hamaca. No importa lo que sienta por el teclado, hay una función incluida en Safari que gusta a todo el mundo: el autorrelleno.

El autorrelleno, como sugiere su nombre, introduce automáticamente su nombre, dirección y número de teléfono en formularios Web evitándole la molestia de introducir la misma información una y otra vez. Es útil, ahorra tiempo y acelera las transacciones de los locos de las compras.

Además de su información de contacto, el autorrelleno puede recordar contraseñas de sitios Web, pero tenga cuidado. Si pierde accidentalmente su iPad o se lo roban, el ladrón podría recuperar su contraseña, entrar en sus cuentas protegidas y robarle todavía más.

Para activar **Autorrelleno** (véase la figura 5.12):

1. Comience en la pantalla de inicio y seleccione **Ajustes>Safari>Autorrelleno**.

2. En la pantalla **Autorrelleno**, active el botón junto a **Datos de contacto**.

3. Pulse la línea **Mis datos** y elija su nombre y dirección de su lista de Contactos.

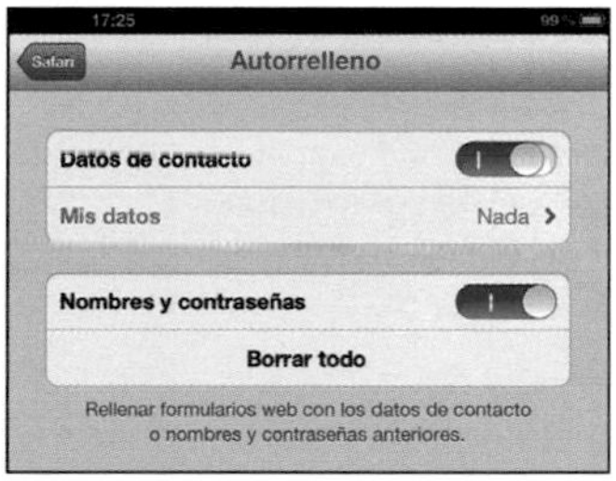

Figura 5.12. *Pantalla de activación de Autorrelleno.*

Ahora, cuando llegue a un formulario Web que requiera su información, encontrará un botón **Autorrelleno** en el teclado de su iPad; púlselo y evitará introducir todos los datos. Utilizar el autorrelleno también puede ayudarle a prevenir erratas.

Si decide utilizar la función de autorrelleno para introducir automáticamente sus contraseñas, active la opción **Nombres y contraseñas**. Entonces, cuando llegue a un sitio que le solicite su contraseña, Safari le dará tres opciones: **Sí**, **Nunca para este sitio** y **Ahora no** (esta última significa que le volverán a molestar en su próxima visita).

Para estar seguro, elija **Sí** sólo en sitios en los que no haya transacciones monetarias de por medio, como periódicos en línea. Pulse **Nunca para este sitio** para bancos, sitios de comercio en línea y cualquier otro que implique dinero y números de tarjeta de crédito.

⬤ ⬤ ⬤ CREE Y UTILICE FAVORITOS

Si configuró sus preferencias de sincronización para recopilar favoritos, verá que Safari está llena de ellos; es decir, una lista de sitios que puede volver a visitar con un toque en la pantalla de forma que no tenga que recordar ni introducir sus URL.

Si acaba de sacar el iPad de su caja y todavía no lo ha conectado a su PC o Mac (o no lo ha registrado en iCloud), puede copiar fácilmente los favoritos de su ordenador desde Internet Explorer (Windows) o Safari (Macintosh y Windows).

Para ver todos sus favoritos, pulse el icono (📖) en lo alto de la pantalla de Safari. Aparece el cuadro de favoritos, como puede ver en la figura 5.13. Algunos favoritos pueden estar libres en la lista, mientras que otros pueden estar en carpetas o incluso en carpetas dentro de otras carpetas. Pulse sobre una carpeta para ver lo que hay dentro. Pulse sobre el favorito para abrir el sitio Web al que dirige.

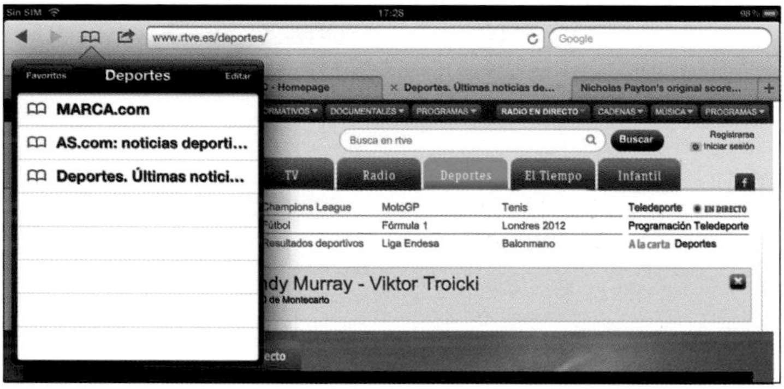

Figura 5.13. *Pulsando en el icono se despliega la lista de favoritos.*

Truco

El útil cuadro de búsqueda en la esquina superior derecha de la ventana de Safari puede hacer más cosas aparte de husmear en la Web. En iOS 5, pulse sobre él para solicitar el teclado del iPad y en un segundo cuadro de búsqueda llamado Buscar en la página. Cuando pulse sobre una palabra clave, verá cuántas veces aparece la palabra en la página actual, lo cual es realmente útil si está pasando por varias pantallas de texto. Si la palabra no aparece en la página, continúe. Si aparece, pulse los botones (◄) y (►) para moverse por las sucesivas palabras encontradas.

Añada nuevos favoritos al iPad

Mientras navega, puede añadir nuevos favoritos en su iPad. Cualquier sitio que marque se copiará en su ordenador la próxima vez que sincronice. Y si ha configurado sus parámetros en iCloud para que gestione favoritos entre sus dispositivos iOS 5 y su ordenador, los sitios de su iPad también se comparten.

Para añadir un sitio Web a su lista de favoritos, pulse el icono (📧) en la parte superior de la pantalla y, después, pulse Añadir favorito, como puede ver en la figura 5.14. En la pantalla Añadir favorito, tendrá las siguientes opciones:

Figura 5.14. *Cuadro para añadir un nuevo favorito.*

- **Renombrarlo:** Algunos sitios Web tienen nombres horriblemente largos, como "Jam Session de punteos a cinco cuerdas de los buenos tiempos del tío Earl", pero puede cambiarlos. Pulse el cuadro superior de la pantalla Añadir favorito y renombre el sitio con algo más corto, como "Banjos".

  El cuadro justo de debajo, que no puede manipular, muestra la dirección Web del sitio.

- **Archivarlo:** La tercera línea del cuadro le permite archivar el marcado por su cuenta, en una carpeta o en la barra Favoritos de la ventana del navegador, que siempre se encuentra en la parte superior del navegador para un acceso rápido. Pulse el vínculo de los favoritos para abrir la lista de carpetas de favoritos de Safari. Cuando encuentre la que quiere, pulse la carpeta para dejar su favorito en ella, donde le esperará siempre que quiera visitar esa página.

Truco

Si comete un error mientras introduce una URL y no se da cuenta en el momento, no tiene que borrar hasta llegar al error. Mantenga el dedo pulsado sobre el texto hasta que aparezca una lupa y un cursor de inserción; arrastre el dedo hasta la errata, levántelo y corrija el fallo. Después, vuelva donde estaba.

⬤ ⬤ ⬤ CREAR FAVORITOS EN LA PANTALLA DE INICIO

¿Es una de esas personas que tiene atajos a sus sitios Web favoritos en su escritorio? Si es así, probablemente le gustará continuar con la tradición en la pantalla de inicio de su iPad. No hay problema.

Cuando se encuentre en el sitio que quiere guardar, pulse el icono (🔄) y seleccione **Añadir a Inicio**, como puede ver en la figura 5.15. Entonces, el icono del sitio Web se situará en la pantalla de inicio de su iPad (véase la figura 5.16). Y no se preocupe por saturar las páginas de la pantalla de inicio, puede tener hasta once y moverse entre ellas. O, si se le acaban, puede almacenar los iconos en carpetas, como explicamos previamente en el libro.

Figura 5.15. *Pulse Añadir a Inicio para incluir el favorito en la pantalla inicial.*

Figura 5.16. *El icono aparece en su pantalla de inicio.*

● ● ● SOLICITAR EL HISTORIAL

El menú de favoritos del iPad (📖) incluye otra información importante, además de su lista de lectura y la colección de sus sitios favoritos. También es donde Safari almacena su historial.

El historial de los navegadores de los ordenadores ha salvado a muchos que no recordaban el nombre del interesante sitio que vieron días atrás. Safari tampoco le deja olvidar su historial en el iPad y también mantiene una lista de sitios recientemente visitados.

Para ver su rastro Web, pulse (📖) y, después, la carpeta `Historial`, donde Safari almacena los sitios en ordenadas carpetas con nombres como `Hoy (antes)`, como puede ver en la figura 5.17. Pulse un favorito de una de las subcarpetas del historial para acceder al sitio Web. El vínculo no estará en la carpeta `Historial` para siempre, por lo que puede que le interese guardarlo como favorito antes de que desaparezca.

Figura 5.17. El *Historial no es una lista permanente.*

Borrar el Historial

¿No quiere dejar un registro de su historial por si alguien coge su iPad para cotillear? Una forma de evitar esto es establecer un bloqueo con contraseña en el iPad, como se explica más adelante en el libro. De esta forma, cualquiera que desee entrar en su iPad necesitará un código de cuatro dígitos para desbloquear la pantalla.

Otra forma es borrar todo su historial. Para hacerlo, abra la carpeta `Historial` y pulse **Borrar historial** en la esquina superior derecha (véase la figura 5.17). Acaba de borrar todo su historial personal. Probablemente, muchos políticos le envidian ahora mismo.

● ● ● EDITE Y ORGANICE FAVORITOS Y CARPETAS

Safari coloca los favoritos en el orden en el que los guarda y puede que ésa no sea la mejor manera de encontrarlo, sobre todo si navega por la Red guardando direcciones Web a diario. Safari está preparado para esta situación, así como para la probabilidad de que desee borrar viejos favoritos cada cierto tiempo.

Editar sus favoritos (y carpetas de favoritos) es rápido y efectivo en el iPad. Para editar un favorito o una carpeta, pulse el icono (📖) y, después, pulse Editar (véase la figura 5.18). Para editar los favoritos que se encuentran dentro de una carpeta, pulse el icono (📖), abra la carpeta y pulse la opción Editar.

Figura 5.18. *Encontrará la opción Editar en la parte superior derecha del cuadro.*

Truco

Si es un cazador de noticias, hay algo que merece la pena guardar en los favoritos: la fuente RSS de sus sitios de noticias preferidos. Las fuentes RSS son subscripciones a los resúmenes de historias de un sitio. Suscríbase y se ahorrará la molestia de comprobar las actualizaciones de noticias manualmente. Además, podrá leer pequeños resúmenes de los artículos sin anuncios y molestas animaciones. Si desea leer un artículo completo, pulse el titular.
Safari también funciona como un útil lector RSS. Cuando pulsa un vínculo "RSS" en un sitio Web o cuando introduce la dirección de una fuente RSS en la barra de direcciones (suele comenzar con `feed://`*), Safari muestra automáticamente una tabla de contenidos con las noticias de esa página.*

Esto es lo que puede hacer con los favoritos y las carpetas después de pulsar Editar:

- **Borrar:** Cuando quiera deshacerse de un favorito o carpeta, pulse el icono (⊖) y después **Borrar** para confirmar.

- **Editar:** ¿Quiere renombrar una carpeta o un favorito? Pulse sobre una carpeta para obtener la pantalla Editar carpeta para cambiar el nombre de la misma. Para editar un favorito, pulse sobre él para obtener la pantalla Editar favorito, donde podrá cambiar su nombre y dirección. Pulse la opción Favoritos, en la esquina superior izquierda cuando termine.

- **Volver a archivar:** Para crear una nueva carpeta, pulse la opción Carpeta nueva en la esquina superior izquierda de la pantalla Editar favorito, nómbrela y pulse Favoritos para especificar dónde quiere archivarla. Puede mover una carpeta existente pulsando Editar, después el nombre de la carpeta y por último eligiendo una nueva ubicación en la pantalla Editar carpeta.

- **Reordenar:** ¿Quiere ordenar sus favoritos y carpetas de otra forma? Como muestra la figura 5.19, puede arrastrar el icono (≡) arriba y abajo por la lista para mover carpetas o favoritos a una nueva ubicación. Pulse **OK** cuando haya terminado.

Figura 5.19. Mantenga pulsado el icono de las tres rayas para mover el favorito.

SINCRONICE SUS FAVORITOS

Guardar favoritos en su iPad sobre la marcha está bien pero, a lo largo de los años, seguramente habrá guardado una considerable colección de ellos en su ordenador. De hecho, probablemente se sienta muy apegado a algunos de esos vínculos. La buena noticia es que se los puede llevar, al menos a su iPad.

Para copiar su librería completa de favoritos de Internet Explorer o Safari desde su ordenador a su iPad, todo lo que tiene que hacer es activar una casilla en iTunes (los aficionados a Mozilla Firefox pueden sincronizar con aplicaciones como Firefox Home o Sync Browser). Conecte su iPad (con la sincronización Wi-Fi o con el cable USB), haga clic en su icono en la ventana de iTunes y, después, haga clic en la opción **Información**, en la parte superior de la pantalla. Desplácese hacia abajo, dejando atrás otras cosas que puede sincronizar, como los contactos, los calendarios y las cuentas de correo, hasta que llegue a la sección denominada **Otros**. Ahora, haga lo siguiente, dependiendo del tipo de ordenador que tenga:

- **PC de Windows:** Active **Sincronizar favoritos con** y seleccione Safari o Internet Explorer en el menú que aparece. Haga clic en **Aplicar** y después en **Restaurar**.

- **Mac:** Active **Sincronizar favoritos de Safari**, haga clic en **Aplicar** y después en **Restaurar** (véase la figura 5.20).

Este es el método iTunes para sincronizar. Si tiene una cuenta iCloud, puede sincronizar favoritos en todos sus dispositivos sin cables.

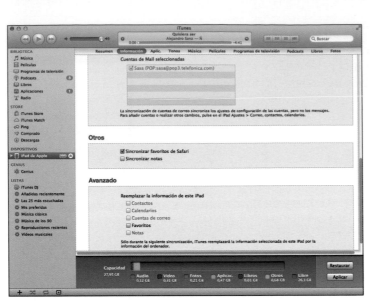

Figura 5.20. *Active la opción para sincronizar los favoritos de Safari.*

Como mencionamos previamente, los favoritos que cree en el iPad se sincronizan en su ordenador. Pero, si las cosas empiezan a ponerse confusas y quiere borrar todos los favoritos de su iPad y comenzar con una nueva lista en su ordenador, desplácese hasta la zona Avanzado de la pantalla de Información, justo en el punto donde indica Reemplazar la información de este iPad. Active la casilla junto a Favoritos antes de sincronizar de nuevo.

⬤ ⬤ ⬤ GUARDE Y ENVÍE IMÁGENES DE LA WEB

De vez en cuando, se encuentra con una imagen en una página Web que quiere tener en su ordenador. Puede ser una foto genial de su jugador favorito, la imagen de una casa en venta o una foto graciosa de un perro pequinés. Con el sistema de un ordenador, sólo tiene que hacer clic con el botón derecho de su ratón sobre la imagen y seleccionar la opción para guardarla. Pero, ¿cómo lo hace con su iPad, donde no tiene ratón, ni una forma obvia de hacer clic con ningún botón?

Fácil. Pulse sobre la foto o gráfico deseados con su dedo. Aparece un cuadro con varias opciones, como se observa en la figura 5.21. Pulse la opción Guardar imagen para descargar una copia de la imagen en la biblioteca Foto de su iPad. A partir de ahí, puede verla cuando quiera, o enviarla por correo electrónico.

Figura 5.21. *Abra el menú para guardar la imagen.*

Truco

Hablando del correo electrónico (que explicamos en el siguiente capítulo), puede guardar las fotos adjuntas a los mensajes. Y si tiene un mensaje con varias fotos adjuntas, el iPad es lo suficientemente inteligente como para ofrecerle la opción de guardarlas todas a la vez.

REPRODUZCA AUDIO Y VÍDEO WEB

Cuando se anunció el iPad en 2010, hubo muchas quejas respecto al hecho de que no reproduciría archivos en formato Adobe Flash, los cuales representan una buena parte de los vídeos y videojuegos de la Red. Algunas personas pensaron que la carencia de soporte Flash reduciría las opciones de éxito del iPad, pero incluso Adobe ya ha anunciado que va a dejar el flash.

Así que aquellos rumores eran falsos. Todavía no es pan comido (el iPad no reconoce los formatos de archivo flash, RealPlayer o Windows Media) pero puede reproducir en streaming muchos otros formatos. Además, tiene la aplicación YouTube que reproduce mucho vídeos y películas QuickTime, como tráileres de películas, siempre que estén preparados en formatos de vídeo adaptados para iPad. También reproduce archivos de audio MP3 y WAV directamente desde la Web. Aquí tiene algunos ejemplos de sitios con streaming:

- **RNE:** El sitio Web de Radio Nacional de España (`http://www.rtve.es/podcast/`) ofrece una amplia lista con los podcast de los diferentes programas de la cadena, que además pueden buscarse según diferentes criterios (véase la figura 5.22).

- **Onda Cero:** Encontrará la opción de escuchar la sintonía en directo (además de los podcasts de sus diferentes programas) aquí: `http://www.ondacero.es/podcast/`.

- **Los 40 Principales:** La cadena de música ofrece podcasts de todos sus programas y sus populares "Hot Mix", además del streaming en directo de la sintonía. Puede escucharlos aquí: `http://www.los40.com/`.

Figura 5.22. *RNE ofrece un completo listado con los podcasts de sus programas.*

Prácticamente cualquier archivo MP3 se reproduce perfectamente en el navegador Safari. Si ya ha saturado la biblioteca musical de su iPad, busque **música mp3 gratis** o entre en el sitio Web de su cadena de radio favorita para encontrar un streaming MP3 de su programación en directo.

En lo que respecta al vídeo, tiene más cosas que ver además de los vídeos de streaming preparados para iPad de Inicio>YouTube. Apple conserva una gran colección de tráileres de películas en `http://trailers.apple.com`. Pulse en el vínculo y en el cartel de una película para empezar. El sitio de tráileres de películas de Apple es tan popular (véase la figura 5.23) que la empresa ha creado una aplicación llamada iTunes Movie Trailers, que puede descargar gratuitamente desde App Store.

Figura 5.23. *Apple conserva una amplia colección de tráileres de películas.*

REDES SOCIALES EN EL IPAD

Con su iPad puede conectarse a todas sus redes sociales favoritas cuando entre en el alcance de una conexión inalámbrica. Porque, después de todo, mucha gente pasa gran parte del día poniéndose al día con eventos en Facebook, Twitter, Flickr, etc. Algunos sitios incluso tienen sus propias aplicaciones para iPad.

Aquí le mostramos algunas de las disponibles:

• **Twitter:** Este servicio de microblogging se ha vuelto tan popular que se ha integrado en iOS 5; de hecho, puede compartir un vínculo a una página Web pulsando el menú de acción (📷) de esa página y eligiendo **Tweet**. Además del programa oficial de Twitter para iPad, App Store ofrece opciones como HootSuite, que puede ver en la figura 5.24, que gestiona las actualizaciones de varias redes sociales como LinkedIn y Facebook, junto con sus mensajes en Twitter.

• **Facebook y MySpace:** Ambos sitios tiene aplicaciones oficiales gratuitas en App Store, así como aplicaciones de terceros, como Friendly y MyPad, que le ofrecen modos alternativos de entrar en los medios sociales. Las aplicaciones están adaptadas a la pantalla táctil pero, si no le gustan, tiene `http://es-es.facebook.com/` y `http://es.myspace.com/` en Safari.

Figura 5.24. *Interfaz de HootSuite en el iPad.*

- **Flickr:** Hay muchas aplicaciones disponibles para navegar por imágenes en este gigante sitio para compartir fotos, si bien muchas están dedicadas sólo a facilitar la subida de fotos. Algunas aplicaciones hacen que buscar y compartir desde el iPad sea más fácil pero, quizá, la mejor forma de navegar por el sitio Web de Flickr (véase la figura 5.25) es dirigiendo Safari a `http://www.flickr.com/groups/flicrkrenespaol/`.

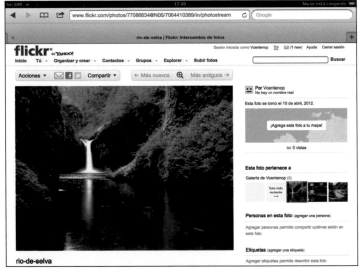

Figura 5.25. *Sitio Web de Flickr.*

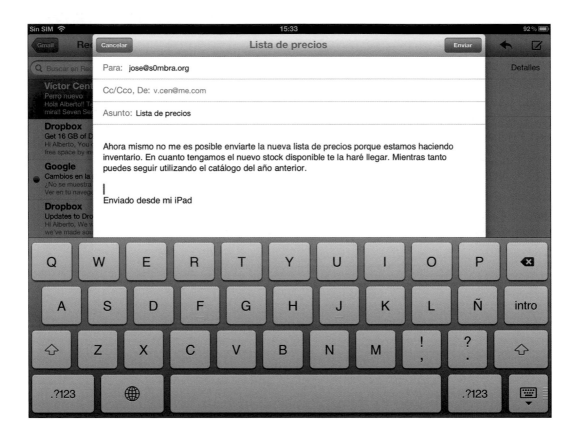

MANTÉNGASE EN CONTACTO CON EL CORREO ELECTRÓNICO Y LA MENSAJERÍA

El correo electrónico es parte del día a día y ser capaz de componer, enviar y recibir correo en teléfonos móviles significa que puede estar moviéndose y seguir en contacto, incluso aunque eso implique encorvarse sobre un smartphone, entornando los ojos y picoteando en una pantalla minúscula.

El iPad cambia todo esto. Ahora, puede relajarse en su sofá, encender la tableta y escribir y leer mensajes de correo en su espaciosa pantalla de 10 pulgadas. Se acabaron los mensajes secos y abreviados por culpa de los reducidos teclados. Este capítulo le conduce por el programa de correo electrónico del iPad, desde la configuración de sus cuentas hasta el envío de su primer mensaje.

Y si el correo electrónico no le proporciona la gratificación inmediata que busca en sus comunicaciones, el iPad está equipado con Mensajes, la aplicación que funciona con el servicio gratuito de Apple, iMessages, para enviar instantáneamente texto, fotos y vídeos a otros usuarios iOS y Twitter (el omnipresente servicio de microblogging). También aprenderá sobre ello en este capítulo. Y cuando acabe de comprobar su correo electrónico y sus mensajes, podrá disfrutar de las películas, la música y ese nuevo best-seller, con sólo pulsar un botón, y sin tener que dejar su sofá.

CONFIGURE UNA CUENTA DE CORREO ELECTRÓNICO (O DOS)

Gracias a su conectividad Wi-Fi o Wi-Fi + 4G LTE, el iPad puede recoger su correo electrónico del aire. Puede leer, escribir y enviar mensajes para que pueda permanecer en el lado digital de su vida.

Pero para que los mensajes empiecen a fluir por su iPad, debe configurar sus cuentas para que su tableta sepa dónde buscar su correo electrónico.

Copie los ajustes de correo de su ordenador con iTunes

Le llega el correo electrónico a su ordenador personal, ¿verdad? Si está utilizando un programa como Microsoft Outlook o Apple Mail, puede copiar la configuración de su cuenta en su iPad sin tener que juguetear con direcciones de servidores y otros misteriosos elementos técnicos.

Para hacerlo, conecte su iPad a su ordenador (ya sea mediante Wi-Fi o cable USB), haga clic en su icono en iTunes y, después, en **Información**. Desplácese hacia abajo hasta **Sincronizar cuentas de Mail** y active la casilla (véase la figura 6.1). Seleccione las cuentas que quiere gestionar desde su iPad. Haga clic en **Aplicar** o **Sincronizar** para copiar la configuración (pero no sus mensajes del ordenador) en su iPad, donde ahora podrá ver los nuevos mensajes de correo electrónico.

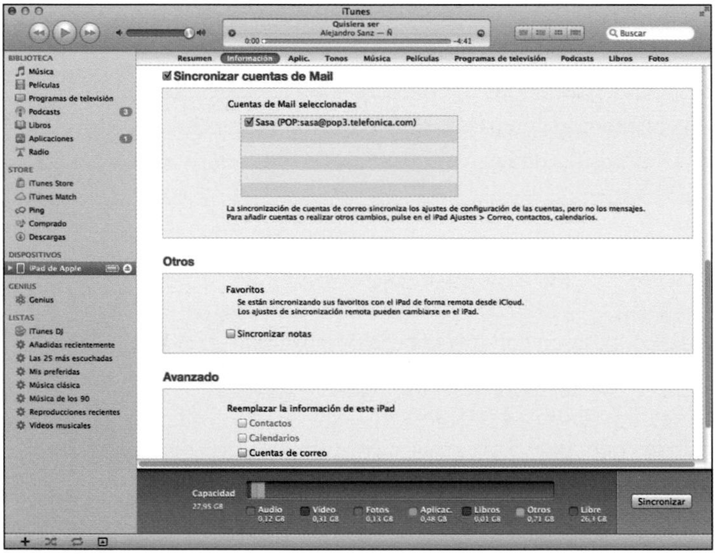

Figura 6.1. *Sincronice todas sus cuentas de correo con un sencillo paso.*

Truco

¿Necesita una nueva cuenta de correo? Puede obtener una de Apple cuando se registra para conseguir una cuenta iCloud gratuita. Su dirección será `[su nombre]@me.com`.

Configure cuentas de correo en el iPad

Para configurar manualmente cuentas de correo electrónico, primero pulse en la aplicación Mail de la pantalla de inicio del iPad. Si utiliza iCloud, Microsoft Exchange, Gmail, Yahoo, AOL o Hotmail, pulse sobre el icono correspondiente (véase la figura 6.2). Si no utiliza ninguno de estos servicios, pulse en Otras. Una vez hecho esto:

1. En la siguiente pantalla, introduzca su nombre, dirección de correo electrónico, contraseña y el nombre de usuario que utilizará el iPad para identificar su cuenta. Si pulsó la opción Otra, prepárese para introducir los parámetros de su proveedor de servicios de Internet (ISP). Éstos incluirán su nombre de usuario, contraseña y las direcciones de sus servidores ISP de correo entrante y saliente (que suelen ser algo parecido a `correo.miservidor.com` y `smtp.miservidor.com`, respectivamente).

    Figura 6.2. *Seleccione su servicio de correo electrónico.*

    Si no conoce de memoria las direcciones del servidor y no encuentra los papeles del ISP, compruebe la sección de ayuda de su sitio Web y busque "configuración del correo electrónico" o "direcciones del servidor de correo electrónico". O eche un vistazo a la configuración del programa de correo electrónico en su ordenador personal.

2. Haga clic en **Guardar** y el programa de correo obtendrá sus nuevos mensajes. Repita el proceso si tiene más de una cuenta. También puede añadir cuentas más adelante en Ajustes>Correo, contactos, calendarios>Añadir cuenta...

Si tiene más de una cuenta de correo electrónico, el iPad le ofrece una bandeja de entrada unificada en la parte superior de la pantalla Buzones, como puede ver en la figura 6.3. Esto implica que puede ver todos sus nuevos mensajes de todas las cuentas pulsando Todos.

Figura 6.3. *Pantalla Buzones.*

Por supuesto, también puede entrar en cada bandeja de entrada individualmente, pulsando sobre el nombre de la cuenta. Y si quiere ver otros buzones de la misma cuenta, como Enviados, Papelera o Borrador, baje hasta la sección **Cuentas**, pulse sobre el nombre y después sobre el nombre de la bandeja que quiere ver.

UN PASEO POR EL PROGRAMA MAIL

Una vez que configura sus cuentas, el programa de correo electrónico del iPad funciona como cualquier otro: lee mensajes, los escribe y los envía. Pero en lugar de abrir ventanas solapadas para cada mensaje que lee o compone, el iPad los mantiene ordenados.

No tiene que hacer clic sobre algo para ver un buzón en la parte izquierda de la pantalla y un mensaje abierto junto a él: sostenga su iPad horizontalmente. Su buzón aparece como una lista vertical, mostrando el nombre del remitente, el asunto del mensaje y una vista previa de dos líneas. Un cuadro de búsqueda le permite rastrear palabras clave en su correo. Aquí tiene algunos consejos para utilizar iPad Mail:

- Un punto azul (●) junto a un mensaje significa que todavía no lo ha leído.

- Un icono numérico gris en el lado derecho de la vista previa de un mensaje (**3** ❯) se refiere al número de mensajes en ese hilo o grupo de mensajes agrupados porque comparten el mismo asunto.

- Pulse sobre la vista previa de la bandeja **Recibidos** para abrir el mensaje y que ocupe el resto de la pantalla, con el encabezamiento, el texto y los adjuntos (véase la figura 6.4).

- Para contestar a un mensaje (o reenviarlo a otra persona), pulse (↩). Esto abre un nuevo menaje con una copia del original en la parte inferior, listo para que realice sus anotaciones y lo envíe; o para que incluya una nueva dirección y lo reenvíe. También abre el teclado virtual para que añada texto si lo desea.

Si le parece que la pantalla de la bandeja de entrada está demasiado concurrida con vistas previas y paneles, sostenga el iPad verticalmente. Este movimiento de 90 grados reorienta la pantalla; todos los cuadros en segundo plano desaparecen y el mensaje que le interesa se sitúa al frente y en el centro, llenando la pantalla, con una barra de herramientas en la parte superior (véase la figura 6.5).

Figura 6.4. *Puede ver los distintos elementos del correo electrónico del iPad.*

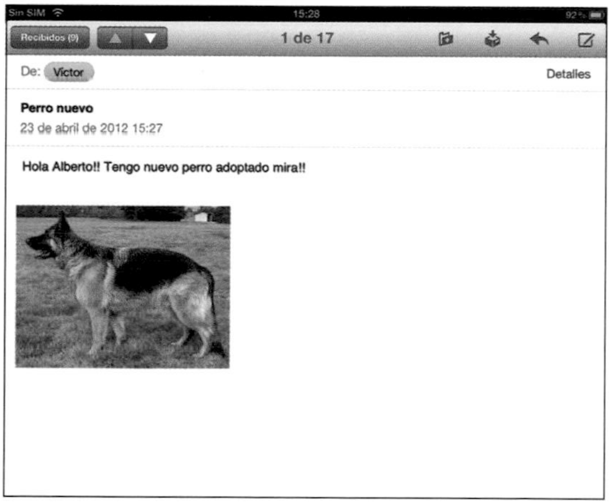

Figura 6.5. *Coloque el iPad en posición vertical para limpiar la pantalla.*

Esa escueta barra de herramientas no tiene mucho espacio para iconos y etiquetas, por lo que, aquí tiene una guía para descifrar esos misteriosos símbolos, que parecen sacados de una novela de Dan Brown:

- (▲), (▼) **(Mensaje anterior, Mensaje siguiente):** Cuando tiene un mensaje abierto en pantalla, no es necesario que vuelva a la bandeja de Recibidos para abrir el siguiente (o para regresar al anterior). Pulse el icono (▲) para ir al siguiente mensaje o (▼) para volver al anterior.

- (↻) **(Comprobar correo):** Pulse el icono (↻) para que el iPad compruebe si hay nuevos mensajes y para que los cargue en su bandeja de entrada.

- (📁) **(Mover a la carpeta):** ¿Quiere guardar un mensaje abierto en una carpeta diferente de la cuenta? Pulse este icono y elija la carpeta que desea.

- (🗑) **(Borrar):** Pulse aquí cuando quiera deshacerse definitivamente de un mensaje.

- (↩) **(Reenviar, Responder, Imprimir):** Cuando quiera responder a un mensaje, reenviarlo a otro destinatario o imprimirlo, pulse (↩) y elija la acción correspondiente en el menú que aparece.

- (✎) **(Crear nuevo mensaje):** ¿Quiere enviar un nuevo mensaje a alguien? Pulse aquí para comenzar con un mensaje en blanco.

La aplicación Mail condensa las direcciones de correo electrónico para que sólo sean nombres en un oval azul. Para ver la dirección completa del remitente, pulse sobre el nombre para abrir un cuadro con información del mismo y las opciones para enviar un mensaje de texto o iniciar un chat en FaceTime.

⬤ ⬤ ⬤ LEER EL CORREO

Entonces, ¿cómo lee su correo una vez que configura sus cuentas? De este modo:

1. Pulse el icono **Mail** de la pantalla de inicio del iPad. A no ser que lo haya movido, estará en la fila inferior de iconos, entre **Safari** y **Fotos**.

2. Si está conectado a Internet, el iPad comprueba todas las cuentas de correo electrónico que ha configurado y descarga todos los nuevos mensajes que encuentre. Pulse sobre el nombre de una cuenta en Buzones de entrada.

3. Si sostiene el iPad horizontalmente, (en modo apaisado), su buzón se sitúa en el lado izquierdo de la pantalla. Pulse sobre la vista previa de un mensaje para verlo al completo en el centro de la pantalla. Si sostiene el iPad verticalmente, el primer mensaje (o el actual) ocupa la pantalla; pulse Recibidos, en la esquina superior izquierda, para ver el resto de mensajes que le esperan (véase la figura 6.6). También puede barrer con el dedo de izquierda a derecha por el borde izquierdo de la pantalla para abrir el panel de mensajes recibidos; barra de derecha a izquierda o pulse sobre el mensaje en pantalla para esconderlo. Si se encuentra en una carpeta de una cuenta de correo específica, como la carpeta de Gmail, pulse sobre el nombre de cuenta (Gmail, en este caso) en la esquina superior izquierda para ver las carpetas de esa cuenta.

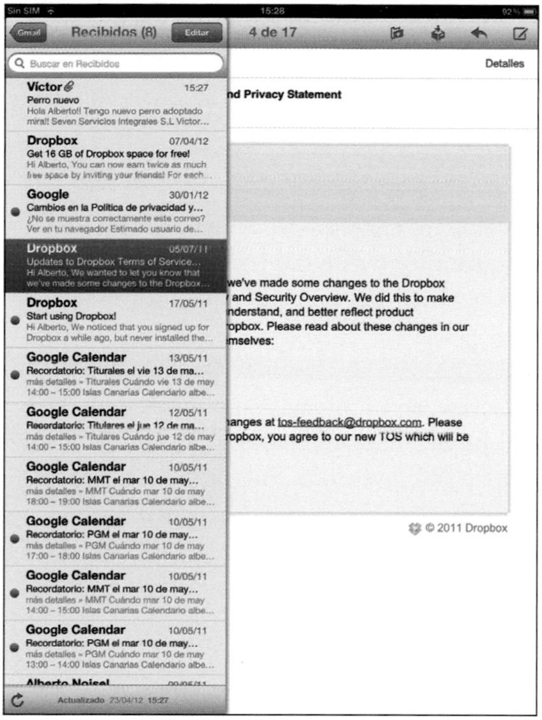

Figura 6.6. Puede desplegar la vista previa de los mensajes de su bandeja de entrada.

4. Recorra su buzón, o bien pulsando las vistas previas de los mensajes en la bandeja de mensajes recibidos, o bien utilizando los iconos (▲) y (▼) para bajar y subir por la lista. Para marcar un mensaje para leerlo más tarde, utilice el botón de la cabecera, como veremos más adelante.

Archivos adjuntos

Los mensajes de correo electrónico vienen a veces con archivos adjuntos. El iPad puede abrir y mostrar archivos de Microsoft Office e iWork. También soporta PDF, RTF (Formato de texto enriquecido), `.vcf` (un estándar de archivos de contactos) y archivos de texto (`.txt`), así como varios tipos de archivos de fotos y gráficos, junto a algunos tipos de archivos de vídeo y audio (siempre que no estén protegidos).

Los archivos adjuntos, como las fotografías, suelen aparecer abiertos y visibles en los mensajes, de forma que si alguien quiere enviarle algunas fotos de sus vacaciones en Italia, no tiene que andar buscando iconos al final del mensaje; obtiene envidia instantánea sin esfuerzos adicionales.

Algunos adjuntos, como documentos de procesamiento de texto, hojas de cálculo y presentaciones, aparecen como iconos al final del mensaje. Pulse el icono de Excel, por ejemplo y se abrirá la hoja de cálculo, ocupando toda la pantalla.

Utilice la información de los mensajes de correo

¿Se ha dado cuenta de que muchos mensajes de correo electrónico están relacionados con citas para cenar, reuniones y otros compromisos que utilizan direcciones e información de contacto de la gente? La aplicación Mail del iPad lo sabe y está preparada para hacer algo al respecto.

Digamos que recibe un mensaje proponiendo una cena en un nuevo restaurante, con la dirección incluida en el mensaje. Si es una ubicación desconocida, pulse sobre ella. El iPad reconoce que se trata de una dirección y la convierte en un vínculo. Púlsela y aparecerá un cuadro ofreciéndole una serie de opciones, como puede ver en la figura 6.7, entre las que se incluye la capacidad de ver la dirección en el programa Mapas del iPad. ¡Eso sí que es un buen servicio!

Figura 6.7. *Observe las útiles opciones que le ofrece el iPad.*

Otras de opciones son:

- **Añadir a Contactos:** Si el remitente incluye información personal en un mensaje, como un nombre, dirección o número de teléfono, puede añadirlo a su lista de contactos con un sólo paso.

- **Añadir a contacto existente:** Si tiene, digamos, el nombre pero no el número de un amigo o colega en su archivo de contactos, puede añadir los nuevos datos.

- **Copiar:** ¿Necesita mover esta información a otro mensaje o programa? Seleccione Copiar y cuando tenga el programa de destino, mantenga la opción pulsada y seleccione Pegar en el menú emergente.

Si el mensaje tiene una fecha, hora o frase marcada ("cena mañana"), mantenga pulsada esa sección de texto para obtener una opción de menú para añadirla como un evento en el programa Calendario del iPad. Y ahora que domina la lectura de mensajes, siga leyendo para descubrir cómo escribir y enviar mensajes.

ESCRIBIR Y ENVIAR CORREO ELECTRÓNICO

Cuando esté listo para escribir, el iPad estará a su disposición. Para empezar con un mensaje en blanco, pulse el icono (✏) en la parte superior de la pantalla. Si está respondiendo (o reenviando) un mensaje, pulse (←) y seleccione Responder, Responder a todos o Reenviar. En cualquiera de los casos, creará un nuevo mensaje.

1. Si es un nuevo mensaje, pulse en el campo Para:, en la parte superior. El teclado del iPad aparece para su disfrute. Si el destinatario está en su lista de contactos o si ya ha escrito antes a esta persona, el iPad le sugiere direcciones según escribe y, si las acepta, completa la línea. Cuando se encuentra en el encabezamiento, también puede pulsar el icono (⊕) que aparece por arte de magia debajo de Enviar, para abrir su lista de contactos. El proceso para el campo Cc/Cco: es el mismo. Si está respondiendo a un mensaje, la dirección o direcciones de sus corresponsales ya están en su sitio. También puede arrastrar direcciones desde el campo Cc/Cco: al campo Para: con el dedo.

2. Pulse sobre la línea Asunto: y escriba lo que desee. Si está respondiendo a un mensaje, puede pulsar y editar el campo, borrando con la tecla correspondiente del teclado.

3. Pulse sobre el cuerpo del mensaje y escriba su misiva.

4. Si tiene varias cuentas de correo, pulse sobre el campo De: y seleccione la cuenta que quiere utilizar.

5. Cuando finalice, pulse **Enviar** en la esquina superior derecha (véase la figura 6.8). Pulse **Cancelar** si cambia de idea.

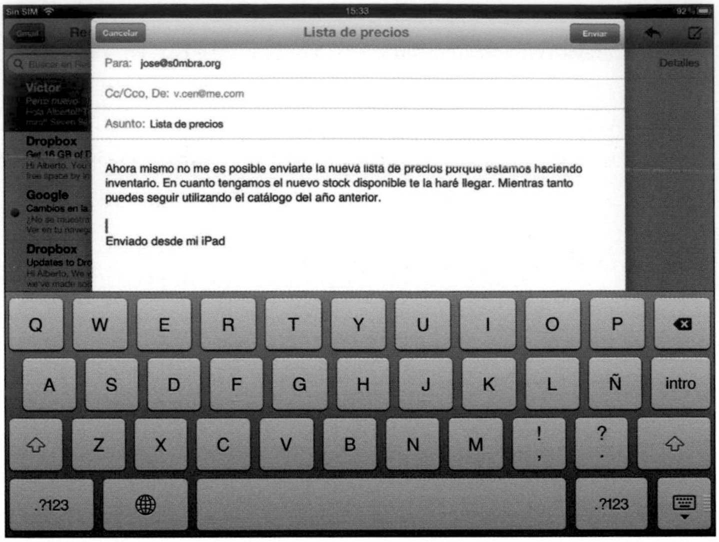

Figura 6.8. *Rellene todos los campos del mensaje y pulse Enviar.*

Truco

¿Quiere enviar una foto por correo electrónico? Acuda a la aplicación Fotos de la pantalla de inicio y abra el álbum que contiene la imagen o imágenes que quiere enviar. Pulse el icono (⬆) en la parte inferior de la pantalla y pulse sobre las fotos que quiere enviar. Después, pulse el botón **Compartir** *para crear un nuevo mensaje con las imágenes adjuntas. Si ya ha iniciado un mensaje, puede pegar la imagen, como explicamos previamente en el libro.*

⬤ ⬤ ⬤ DAR FORMATO A SUS MENSAJES

La versión original del programa de correo del iPad estaba bastante bien para crear, enviar y recibir correo electrónico. Sin embargo, era un poco básica e insulso en su representación plana de texto. Por suerte, con iOS 5, las cosas han mejorado.

Ahora puede transformar sus mensajes con texto en negrita, cursiva o subrayado. Esto ayuda, cuando quiere *resaltar* `algunas` **palabras** de su mensaje. Utilizando los estilos tipográficos puede hacer que sea más fácil leer textos largos, utilizando la negrita y el subrayado para dividir secciones.

Para añadir formato al mensaje que está elaborando, pulse sobre la palabra que quiere adornar y después pulse Seleccionar para marcarla. Para dar formato a una frase, pulse sobre una palabra, elija Seleccionar y después arrastre los puntos azules en cualquier dirección para marcar todas las palabras que quiera incluir. Para dar formato a todo el mensaje (y fastidiar a sus destinatarios), seleccione una palabra y después pulse Seleccionar todo.

1. Una vez que tenga el texto seleccionado, pulse el área marcada.

2. El menú que aparece ofrece las opciones habituales Cortar/Copiar/Pegar/Sustituir pero si pulsa el icono (▶) al final del cuadro de menú, aparecerán dos nuevas opciones: B/U y Nivel de cita. Pulse B/U para que aparezca el menú completo de Negrita/Cursiva/Subrayado (véase la figura 6.9).

3. Pulse sobre el estilo que desee. Puede utilizar más de uno a la vez, así que, láncese a utilizar el texto en negrita, cursiva y subrayado. Pulse sobre el cuerpo del mensaje para volver a él cuando acabe con el formato.

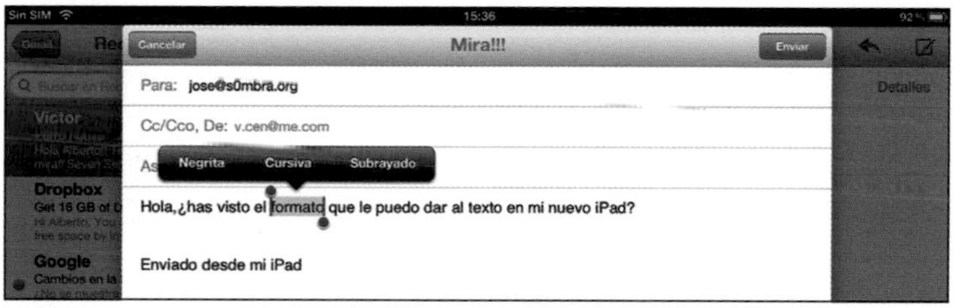

Figura 6.9. *Tiene tres opciones para dar formato al texto.*

¿Recuerda la opción Nivel de cita junto al menú B/U? Púlsela para aumentar o reducir la sangría del texto seleccionado. Por ejemplo, para resaltar un párrafo en un mensaje, destaque el texto con los métodos explicados, pulse (▶) en el menú emergente y, después, pulse Nivel de cita. Aquí, puede seleccionar Aumentar para añadir sangría y cambiar el color del texto con los primeros tres sangrados. Pulse Reducir para eliminar sangrados en el texto seleccionado, nivel a nivel.

GESTIONE SU CORREO ELECTRÓNICO

El correo electrónico se puede acumular rápidamente, sobre todo si tiene varias cuentas llevando correo a su tableta. Si se encuentra ahogado en medio de una marea de mensajes, aquí tiene algunas cosas que puede hacer para poner su correo de nuevo bajo control:

- **Archivar los mensajes en carpetas diferentes:** Algunos proveedores de correo, como Yahoo o AOL, le permiten crear sus propias carpetas para clasificar los mensajes como prefiera, como por temas o por remitentes. Si tenía su propio sistema de carpetas antes de utilizar el iPad, las carpetas deberían seguir ahí cuando añada la cuenta a la tableta. Para archivar un mensaje en una de estas carpetas personales, pulse el icono (📁) y elija la carpeta que quiere utilizar.

- **Crear nuevas carpetas en el iPad:** Si necesita más sitios donde colocar sus mensajes, puede crear nuevas carpetas en el iPad, gracias a iOS 5. Acuda a la pantalla principal de la cuenta de correo (la que muestra todos los buzones) y pulse el botón Editar de la esquina. En la pantalla Editar, pulse Nuevo buzón. En la pantalla que aparece, nombre la nueva carpeta ("trabajo" o "Reforma de la cocina"). Pulse la línea de ubicación de la carpeta para elegir su colocación. Pulse **Guardar** cuando acabe. Ahora tiene una nueva carpeta en la que archivar su correo. Para borrar un buzón, pulse **Editar** en la pantalla principal de la cuenta, después pulse la carpeta que quiere eliminar. En la siguiente pantalla, pulse **Borrar** buzón.

- **Borrar toda la papelera de golpe:** Sacar uno a uno con el dedo todos los mensajes que quiere eliminar es tedioso, pero hay un método más rápido. Pulse el botón **Editar** en lo alto del panel de Recibidos. Aparecen botones para **Archivar**, **Mover** y **Marcar** en la parte inferior de la pantalla (véase la figura 6.10). En la lista de mensajes recibidos, pulse los que desea mover o

Figura 6.10. *Observe las opciones disponibles en la parte inferior de la pantalla.*

archivar. Cada mensaje que selecciona se desliza a una "pila" junto a la lista de entrada. Puede leerlas para estar seguro de no eliminar mensajes que necesita. Una vez que haya hecho su selección, pulse el botón adecuado para enviar todos esos mensajes al mismo sitio a la vez: ya sea a la papelera o a una carpeta diferente.

- **Marcar mensajes para más adelante:** Cuando se mueve por la lista de correo recibido, verá ese tipo de mensajes. Ya sabe, esos a los que tiene que responder en algún momento pero con los que todavía no puede detenerse (y tampoco puede olvidarse de ellos). En esta situación, pulse el botón **Editar** en la parte superior de la ventana de Entrada y después pulse el botón **Marcar**.

  Aquí, tiene dos opciones. Puede marcar ciertos mensajes, lo cual hace que destaquen en la bandeja de Recibidos con una vivaz bandera naranja (véase la figura 6.11). O puede marcarlos como no leídos, lo cual restaura el punto azul que les da el aspecto de mensajes nuevos, de forma que llamen su atención cuando tenga tiempo para sentase a responder.

- **Buscar spam:** ¿Quiere ver los mensajes dirigidos a usted en los campos Cc/Cco: o Para: y no el correo enviado a 500 personas a la vez desde enormes listas de correo o repartidores de propaganda? El iPad puede identificar esos mensajes personales uniéndoles la marca (para) o (Cc). Para activar estas marcas, seleccione Ajustes>Correo, contactos, calendarios y active Etiqueta Para/Cc. Los mensajes sin estas etiquetas se verán fácilmente por si quiere borrarlos.

Figura 6.11. *Observe las banderas y los puntos marcando ciertos mensajes.*

- **Buscar en sus bandejas de entrada:** ¿Quiere encontrar un mensaje concreto perdido entre sus bandejas? Abra la bandeja en la que quiere buscar y tras pulsar en el cuadro de búsqueda en lo alto de la columna, introduzca las palabras clave del mensaje que quiere encontrar. Puede buscar por remitente, destinatario, asunto o por el texto del mensaje. Después de introducir las palabras clave, pulse la tecla **Buscar** del teclado. Si utiliza una cuenta que almacena los mensajes en un servidor (como las cuentas IMAP) y su búsqueda no da resultados, pulse Buscar en el servidor… para ver los mensajes que ya no están en su iPad pero se encuentran en el servidor de correo de su ISP.

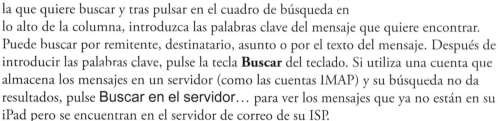

AJUSTAR LA CONFIGURACIÓN DE MAIL

Como casi todos los programas, la aplicación Mail del iPad viene con una configuración estándar para elementos como el tamaño del texto que aparece en pantalla. Si no le gusta el aspecto del texto o quiere ajustar el programa de otras formas, (como el número de líneas que aparecen en la vista previa del mensaje), diríjase a Inicio>Ajustes>Correo, contactos, calendarios. Desde ahí, podrá:

- **Cambiar el tamaño mínimo de fuente:** Al contrario que en el correo en papel, puede hacer que el texto del mensaje sea más grande o más pequeño fácilmente. Los tamaños van de Pequeño a Gigante.

- **Añadir una firma personalizada:** Como con un programa de correo normal, puede añadir una firma personalizada al final de cada mensaje. Entre las firmas más populares están la información de contacto, la dirección de Twitter o citas de la película *Matrix* (véase la figura 6.12).

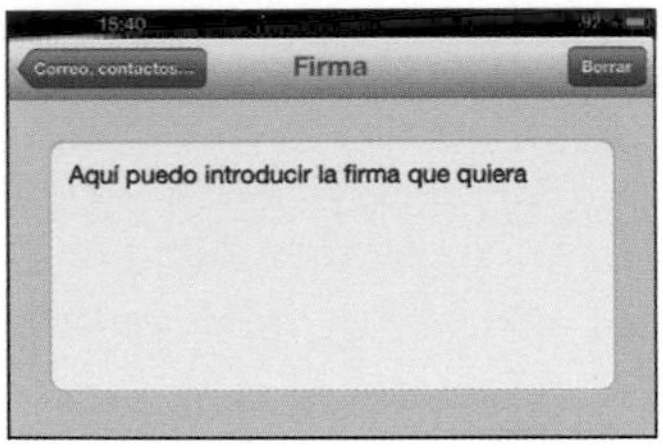

Figura 6.12. Incluya la firma que quiere que aparezca en todos sus mensajes.

- **Mostrar más (o menos) vista previa en la lista de mensajes:** En principio, el programa Mail le muestra una vista previa de dos líneas de cada mensaje para que se haga una idea de su contenido. Puede cambiarla de una a cinco líneas o puede desactivar por completo la vista previa.

- **Establecer una cuenta predeterminada:** Si tiene varias cuentas de correo en su iPad, utilice este ajuste para designar una de ellas como la cuenta predeterminada para todos los mensajes salientes (y para los mensajes que crea pulsando sobre vínculos de correo en otros programas). Recuerde, puede pulsar el campo De: para cambiar a otra cuenta sobre la marcha.

- **Cargar imágenes remotas (o no):** A algunas personas no le gustan los gráficos incrustados en el mensaje porque transmiten la señal al remitente de que ha abierto el mensaje. Desactive esta opción si lo desea.

- **Organizar por hilos:** ¿Odia que los mensajes se agrupen bajo una única línea de asunto? Desactive esta opción (y esos iconos (❸ ❯)) aquí.

- **Incrementar los niveles de sangrado:** Mail incluye sangrados a las secciones del mensaje original cuando contesta. Si no le gustan, desactívelos.

- **Borrar cuentas de correo no deseadas:** ¿Necesita deshacerse de una cuenta? Acuda a la sección Cuentas, pulse sobre el nombre de la cuenta para acceder a su configuración y, después, pulse **Eliminar Cuenta**.

CUENTAS POP3 E IMAP EN EL IPAD

Mucha gente utiliza el correo basado en Web, sobre todo si es gratuito. Pero mucha gente no lo hace, por diferentes motivos, quizá porque tienen cuentas de sus proveedores de servicios de Internet, utilizan cuentas de su empresa o se preocupan por la seguridad y la privacidad. En cualquier caso, estas cuentas son normalmente de uno de estos dos tipos:

- **Cuentas POP:** Siglas de *Post Office Protocol* (Protocolo de la oficina de correo), estas cuentas utilizan una tecnología más antigua de mensajería pero aún son habituales en Internet.

  El inconveniente principal de POP es que no ha sido diseñado para comprobar el correo desde más de un ordenador (sí, es anterior al boom de los móviles). A no ser que su ISP le autorice a guardar correo en su servidor, los servidores POP transfieren el correo entrante en su ordenador (incluyendo su iPad) antes de leerlo, lo cual está bien si sólo utiliza ese ordenador para su correo electrónico. No obtendrá una copia de ese mensaje cuando se conecte desde otro ordenador, porque ya lo habrá descargado.

- **Cuentas IMAP:** IMAP, *Internet Message Access Protocol* (Protocolo de acceso a mensajes en Internet) es un sistema de correo más moderno, que suelen preferir quienes están en continuo movimiento. En lugar de descargar un mensaje a un ordenador y dejarlo ahí, los servidores IMAP mantienen todo su correo en línea. Esto implica que puede recuperar el mismo correo desde cualquier ordenador (o iPad) que utilice. Estos considerados servidores IMAP recuerdan qué mensajes ha leído y enviado. También mantienen fichas en el resto de sus carpetas de correo (Yahoo, AOL o Gmail utilizan IMAP, como lo hacen los servidores corporativos de Microsoft Exchange).

  Ahora, las malas noticias: como todo este correo se sitúa en un servidor IMAP, debe borrar deliberadamente los viejos mensajes o su bandeja de entrada se saturará. En cuentas IMAP con poca capacidad de almacenamiento, el servidor puede empezar a devolver nuevos mensajes cuando se satura, molestando a sus remitentes. Y eso no le interesa.

No importa el tipo de cuenta que tenga, el iPad funciona con él. Sólo necesita tener a mano toda la información de cuenta.

Sincronizar sus cuentas de correo con iTunes es un modo de configurar correctamente cada cuenta en su iPad. Si se saltó ese paso, puede hacerlo a la vieja usanza, manualmente.

Truco

Normalmente el iPad copia sus mensajes IMAP, de forma que pueda gestionar su correo, incluso sin estar en línea. Si quiere dirigir esos mensajes a una carpeta de correo específica, puede hacerlo. Abra Ajustes>Correo, contactos, calendarios>[nombre de cuenta IMAP]>Cuenta>Avanzado. *En esa pantalla, indíquele al iPad dónde colocar los borradores (Draft), los mensajes enviados (Sent) y los borrados (Trash).*

Así es cómo añade manualmente la cuenta a la aplicación Mail:

1. Comience en la pantalla de inicio del iPad y diríjase a Ajustes>Correo, contactos, calendarios>Añadir cuenta.

2. En la siguiente pantalla, pulse sobre el tipo de cuenta e introduzca su nombre, dirección de correo electrónico, contraseña y una descripción opcional.

3. Pulse **Siguiente** para pasar a las pantallas de creación de cuentas.

4. La aplicación Mail intenta determinar qué tipo de cuenta tiene (POP o IMAP) a partir de la dirección de correo electrónico. Si no puede averiguarlo, le conduce a una segunda pantalla donde le pide información, como el nombre de host para los servidores de correo entrante y saliente. En la parte superior del cuadro, pulse IMAP o POP, para informar al iPad del tipo de cuenta que utiliza (véase la figura 6.13). Si no cuenta con esta información, pregunte a su proveedor de servicios de Internet o al informático de su oficina para averiguarlo.

5. Cuando termine de introducir la información, pulse **Guardar**.

Si toda la información que introdujo es correcta, su cuenta estará configurada y su iPad podrá gestionar sus mensajes.

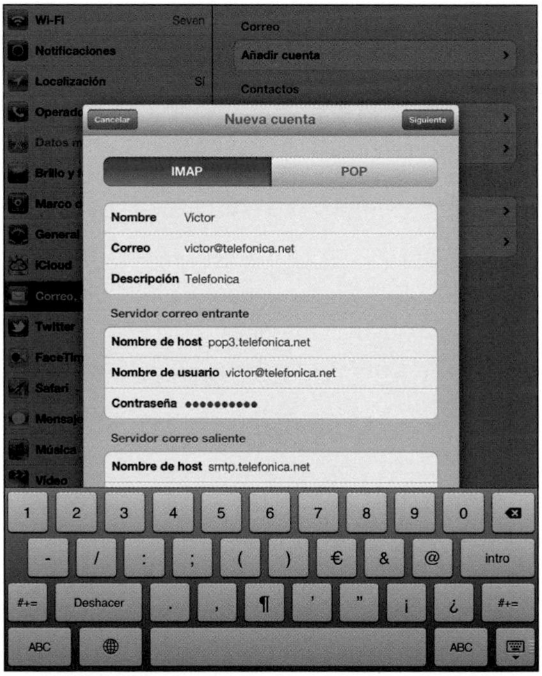

Figura 6.13. *Indique el tipo de cuenta e introduzca la información requerida.*

⚫ ⚫ ⚫ UTILICE TWITTER

Twitter, para aquellos que no hayan prestado atención los últimos años, es un servicio de "microblogging"; le permite poner al día a sus amigos sobre sus actividades o reflexiones. Millones de personas lo utilizan para informar sobre lo que sienten o lo que ven, buscar noticias y compartir fotos y sitios Web. Tiene 140 caracteres por mensaje para expresar sus pensamientos. Y es gratuito.

Si ya tiene una cuenta en Twitter y la utiliza a menudo para conectarse con el mundo, prepárese para una alegría, porque iOS 5 y posteriores le permiten publicar mensajes en Twitter directamente desde varias aplicaciones, incluyendo Safari, Mapas, YouTube, Cámara y Fotos. Conéctese a su cuenta en Inicio>Ajustes>Twitter. Técnicamente, Twitter no es una aplicación integrada, pero muchos programas del iPad le ofrecen la opción de publicar mensajes. Para obtener la experiencia Twitter completa, con la que podrá no sólo publicar mensajes desde aplicaciones, sino también leer otros mensajes y reacciones a los contenidos que comparte, puede instalar o activar la aplicación de Twitter desde la pantalla Ajustes:

1. Pulse Inicio>Ajustes>Twitter.

2. Pulse el botón **INSTALAR** (véase la figura 6.15) para conseguir una copia de Twitter de App Store. Necesitará una cuenta y contraseña de App Store para hacerlo.

Figura 6.14. *Instale Twitter en su iPad.*

3. Si ya tiene una cuenta en Twitter, introduzca su nombre de usuario y contraseña en la pantalla de configuración de Twitter y regístrese.

4. Si es nuevo en Twitter, pulse el botón para crear una nueva cuenta y siga las instrucciones.

Ahora que tiene Twitter instalado y su cuenta personal en marcha, ¿qué hace con él en su iPad? Si es un usuario experto, probablemente ya habrá dejado este libro a un lado para enviar algunos mensajes a sus amigos.

Si es nuevo en Twitter, continúe leyendo. Primero, debe encontrar gente en Twitter de la que le gustaría tener noticias de forma regular. En el argot de Twitter, eso significa seguir o subscribirse a estos usuarios de Twitter. Pueden ser amigos, famosos, medios de comunicación, oficinas gubernamentales o cualquiera con una cuenta en Twitter. Una vez que elija seguir a alguien, Twitter le envía sus actualizaciones según las van publicando. En conjunto, Twitter llama a esas actualizaciones, Cronología. Para seguir a un "tuitero", debe conocer su nombre de usuario.

Una forma de encontrar y seguir a alguien es pulsando en el icono de búsqueda (**Q**), introduciendo el nombre de la persona o un tema en el que esté interesado y pulsando la tecla **Búsqueda** de su teclado. En la lista de resultados, pulse sobre la foto de perfil de la persona u organización que le interesa. Esto expande la página de perfil del usuario. Pulse el botón **Seguir** para añadir las publicaciones de ese usuario a su cronología. Para más información sobre el uso de Twitter, consulte `https://twitter.com/#!/ayuda`.

Otras personas pueden decidir seguir sus actualizaciones en Twitter, por lo que es buena idea publicar algunos mensajes para sus seguidores de vez en cuando. Para enviar mensajes desde la aplicación de Twitter, pulse (☑) en la esquina inferior izquierda, componga el mensaje y pulse **Enviar** en la esquina superior derecha. Su mensaje aparecerá en la cronología de todos sus seguidores.

La aplicación Twitter tiene otros iconos en el lado izquierdo de la pantalla, como puede observar en la figura 6.16. Pulse en Cronología para desplazarse por la lista de mensajes. Como puede ver en la figura 6.16, si alguien publica un vínculo a un sitio Web, puede pulsar sobre la URL para ver cómo se abre la página en un nuevo panel; deslice el panel hacia la derecha para cerrarlo.

Figura 6.15. *Puede ver los iconos a la izquierda y la página Web abierta en el panel derecho.*

Pulse el icono (@) para ver mensajes que le mencionan por su nombre de usuario. Pulse el icono del sobre para enviar mensajes directos (privados) a gente a la que sigue (siempre que ellos también le sigan). Otro control le permite crear listas (≡). Pulse el icono del avatar para editar su perfil de Twitter. ¿Quiere enviar mensajes desde aplicaciones que soportan Twitter (como las mencionadas previamente)? Pulse el icono (📩) para ver si tiene dicha opción en el menú desplegable. Pronto compartirá todo tipo de contenido con los demás.

| Calendarios | | **Día** Semana Mes Año Lista | | 🔍 Buscar |

6

lun	mar	mié	jue	vie	sáb	dom
					1	2
3	4	5	**6**	7	8	9
10	11	12	13	14	15	16
17	18	19	20	21	22	23
24	25	26	27	28	29	30

jueves 6 septiembre
2012

eventos de todo el día

11:00

Reunión

12:00

13:00

14:00

15:00

16:00

17:00

Reunión
Madrid   Veterinario

18:00

19:00

20:00

21:00

● **Reunión**	11:00 a 12:00
alerta	**10 minutos antes** **10 minutos antes**
● **Reunión** Madrid	17:00 a 18:00
alerta	**10 minutos antes** **10 minutos antes**
● **Veterinario**	17:00 a 18:00
alerta	**10 minutos antes** **10 minutos antes**

Hoy   ◀   ago   sep   1   2   3   4   5   **6**   7   8   9   10   11   12   13   14   15   16   17   18   19   20   21   22   23   24   25   26   27   28   29   30   oct   ▶   +

ORGANICE SU VIDA CON LAS APLICACIONES DEL iPAD

Las aplicaciones, también conocidas como "los programas que se ejecutan en su iPad" (e iPhone e iPod Touch), convierten la tableta de Apple en un versátil dispositivo más allá de su papel como, digamos, una ventana a la Web o un lector portátil de correo electrónico. Como mencionamos previamente en el libro, el iPad viene de serie con varias aplicaciones integradas, incluyendo Safari y Mail, previamente explicadas.

Más adelante en este libro, aprenderá sobre las aplicaciones del iPad destinadas al entretenimiento, como Música, Vídeos y Fotos, pero este capítulo se centra en las aplicaciones que le permiten manejarse en su día a día y en el mundo que lo rodea. Sí, esta parte del libro trata de la organización personal.

Para comenzar, tenemos Calendario (para organizar sus citas), Contactos (su libro de direcciones) y Notas (para tomar apuntes para sí mismo). Después, tenemos Recordatorios (una lista de tareas) y Notificaciones (una aplicación que le informa cuando el resto de aplicaciones tiene algo que decirle). Y, por último, Mapas, que le ayuda a encontrarse a sí mismo y encontrar el camino a sus reuniones, citas y otros lugares desconocidos.

Y, recuerde, son sólo algunas de las aplicaciones que vienen en su iPad. Cuando las conozca, estará preparado para abordar la enorme cantidad de artículos de App Store. Pero eso será más adelante.

● ● ● SINCRONICE SU INFORMACIÓN PERSONAL EN EL IPAD

A lo largo de los años, los ordenadores y los dispositivos portátiles han sustituido a las agendas en papel y los planificadores portátiles. Si ha estado manteniendo sus contactos y calendarios en programas de ordenador, como Microsoft Outlook o el programa iCal de

Apple, introducir esa información en su iPad es sólo cuestión de una sincronización. Todo lo que tiene que hacer es conectar su iPad a iTunes a través de Wi-Fi o cable USB o utilizar el servicio iCloud de Apple para pasar su información personal a su tableta.

Sincronización con iTunes

Para copiar los contactos a un iPad conectado utilizando iTunes, seleccione su iPad en la lista de dispositivos, haga clic en **Información** y después utilice el menú para elegir el programa en el que mantiene sus contactos (véase la figura7.1). Desplácese hacia abajo por la pantalla de **Información** para ver el resto de datos personales que puede sincronizar:

- **Citas en el calendario:** Incluya su calendario en el iPad activando las casillas de su calendario Outlook o iCal.

- **Contactos:** Mueva la agenda de su ordenador al iPad en un suspiro. Más adelante, explicamos cómo hacerlo.

- **Notas:** Esas anotaciones que mantiene en Microsoft Outlook o el programa Mail del Mac pueden pasar a la aplicación Notas del iPad. Más adelante, en este mismo capítulo, comprobará cómo.

En las siguientes páginas se explica en detalle el proceso de sincronización para cada dato concreto (calendarios, contactos y notas).

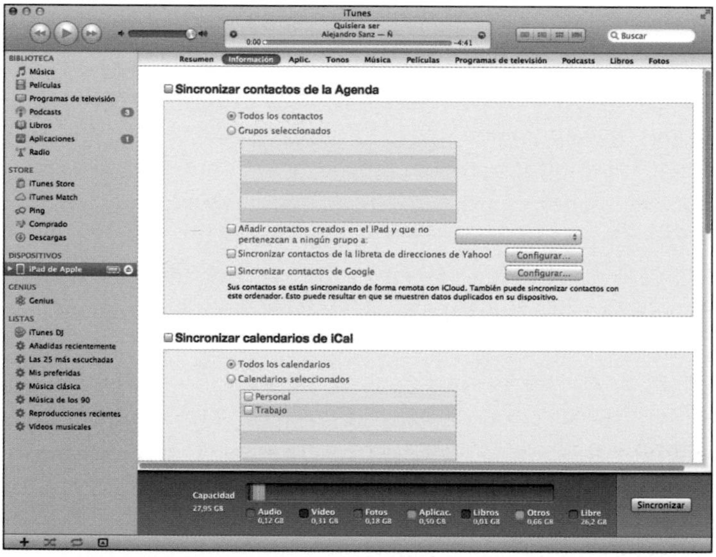

Figura 7.1. *Busque los programas donde mantiene su información.*

Sincronización con iCloud

Si se registró para hacerse con una cuenta iCloud cuando activó y configuró su nuevo iPad, puede que ya esté compartiendo su información personal entre su iPad, su PC o Mac y cualquier otro dispositivo que soporte iCloud de Apple. Pero, ¿qué pasa si perdió esa oportunidad y ahora quiere registrarse en iCloud? O, ¿qué sucede si decide, después de unas cuentas semanas en iCloud, que no quiere sincronizar algunas citas o su aplicación Notas?

Todo lo que tiene que hacer es ajustar la configuración de su iPad:

1. Diríjase a Inicio>Ajustes>iCloud.

2. En el panel de ajustes que puede ver en la figura 7.2, pulse el botón junto a cada aplicación o programa para activarlo o desactivarlo, según quiera o no sincronizar con su iPad.

Recuerde que si ya está sincronizando su información con iCloud, no debe sincronizarla también con iTunes. Si lo intenta, encontrará un cuadro de aviso, advirtiéndole del riesgo de duplicar datos.

Figura 7.2. Active las aplicaciones que desee sincronizar.

● ● ● CONFIGURE SUS CALENDARIOS

Como hemos mencionado, la llegada de iCloud en 2011 le ofrece dos maneras de llevar sus citas del calendario, del ordenador al iPad (y viceversa). El método inalámbrico, a través de iCloud, se explica más adelante en el libro. Pero si no utiliza iCloud o no quiere que su información personal vuele por los aires, puede sincronizar con iTunes para mantener los datos más seguros. Asegúrese de elegir sólo una fuente de sincronización para evitar los duplicados de contenidos.

Igual que el iTunes puede sincronizar sus ajustes de favoritos y correo de su ordenador a su tableta, también puede sincronizar una copia de su calendario (siempre que utilice Outlook en su PC o iCal en su Mac). También puede utilizar Entourage 2004 o posterior seleccionando en Entourage, Preferencias>Sincronizar servicios y activando la opción que permite que comparta su información con iCal (Outlook 2011 funciona del mismo modo en el Mac: Preferencias>Sincronizar servicios). Para sincronizar su información entre su ordenador y su iPad, encienda iTunes y después:

1. Conecte su iPad con su ordenador a través de Wi-Fi o cable USB y pulse sobre el icono del iPad en la lista fuente de iTunes.

2. En la parte principal de la ventana de iTunes, haga clic en la ficha Información. Desplácese hacia abajo, pasando Contactos y Calendarios.

3. Active la casilla junto a Sincronizar Calendarios con Outlook o Sincronizar Calendarios de iCal (véase la figura 7.3). Si tiene varios calendarios (para el trabajo, su casa y el colegio, por ejemplo), seleccione los que quiere copiar en su iPad.

Figura 7.3. *Seleccione los calendarios que desea sincronizar.*

4. En la esquina inferior derecha de la ventana de iTunes, haga clic en el botón **Aplicar**.

5. Si su iPad no comienza automáticamente a actualizar su agenda, seleccione Archivo>Sincronizar iPad. Si no ha cambiado ningún ajuste del calendario (como desactivar la sincronización iCal) pero quiere actualizar sus citas, no verá el botón **Aplicar**; en su lugar, sólo encontrará el botón **Sincronizar**. Podrá pulsarlo, en lugar de regresar al mundo de los menús.

En el iPad, pulse el icono **Calendario** en la pantalla de inicio para ver desplegarse su programación (véase la figura 7.4). Si tiene varios calendarios, pulse el botón **Calendarios** para seleccionar uno y ver sus eventos, o bien consolidar sus citas en un calendario superior haciendo clic en Mostrar todos los calendarios. Utilice el cuadro de búsqueda para encontrar eventos específicos.

En la parte superior de la pantalla, pulse **Lista**, **Día**, **Semana**, **Mes** o **Año** para ver su calendario a corto o largo plazo, coloreado por tipo (casa, trabajo, mantenimiento, etc.).

Pulse en **Hoy** para ver lo que tiene en su futuro inmediato (véase la figura 7.5). La vista en lista muestra los eventos uno después de otro. Dependiendo de la vista que elija, el iPad muestra los meses, semanas o días en una barra de navegación situada debajo del calendario, que puede ver en la figura 7.5. Pulse las flechas a los lados de la barra para moverse adelante o atrás en el tiempo.

Figura 7.4. *Puede ver su calendario mensual desplegado con sus citas y notas.*

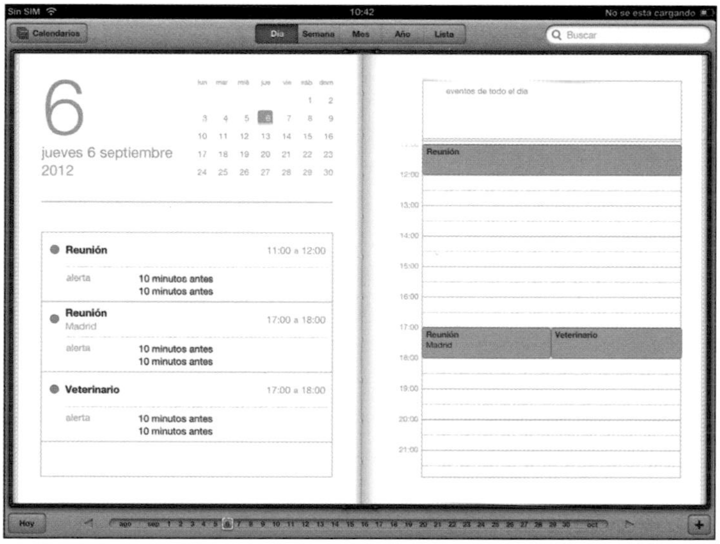

Figura 7.5. *Su calendario día a día. Observe la barra para desplazarse en el tiempo.*

Si no le va demasiado la sincronización pero quiere crear nuevos calendarios en su iPad, también puede hacerlo. Pulse el botón **Calendarios** en la esquina superior izquierda. Pulse el botón **Editar** en la siguiente pantalla, luego Añadir calendario y nombre su creación. La gente que utilice iCal también puede activar un calendario de cumpleaños a partir de los datos incluidos en su información de contacto en la agenda del Mac OS X). Para borrar un calendario, seleccione Calendarios>Editar>[nombre del calendario]. En la parte inferior de la pantalla, pulse el botón rojo **Borrar calendario**.

⬤ ⬤ ⬤ UTILICE EL CALENDARIO DEL IPAD

El calendario del iPad no es un repositorio estático de eventos. Puede añadir y borrar eventos en su iPad y sincronizar los cambios en su ordenador (o en sus cuentas iCloud o Exchange). La aplicación Calendario también le permite suscribirse a calendarios en línea para mantenerse informado de eventos de los calendarios de Google o Yahoo, o sobre los eventos de los calendarios de sus equipos deportivos favoritos.

Añada un evento

Para incluir una nueva cita o un nuevo evento, pulse el icono (**+**) en la esquina inferior derecha de la pantalla del calendario. En el cuadro que aparece (véase la figura 7.6), introduzca la información del evento, como el nombre, la ubicación y los tiempos de inicio y finalización. Existe la opción Día entero para esos festivales al aire libre o torneos deportivos de sus hijos. Pulse Alerta para que el programa le recuerde una cita, desde cinco minutos hasta dos días antes de la misma.

Figura 7.6. *Introduzca la información relativa al nuevo evento.*

Si necesita una cita permanente, como sus lecciones semanales de guitarra o reuniones de grupo, puede repetir un evento cada día, cada semana, cada dos semanas, cada mes o cada año (como en el caso de su aniversario de boda). También existe un pequeño campo denominado Notas en caso de que necesite recordar alguna información adicional sobre la cita, como "Traer el informe del segundo trimestre".

Editar o borrar un evento

Los calendarios cambian, sobre todo si trabaja en el vertiginoso mundo corporativo o tiene un hijo adolescente (o ambos casos a la vez). Para cambiar la hora de un evento, búsquelo en el calendario, pulse sobre él y aparecerá el cuadro Editar. Si debe cancelar una cita, desplácese a la parte inferior del cuadro de edición y pulse el botón rojo **Eliminar evento**.

Establecer una alerta iPad

Para hacer que el iPad lance una alerta de texto y audio para un evento en ciernes, pulse Ajustes>General>Sonidos y active Alertas calendario. En ese momento, un cuadro recordatorio aparecerá en pantalla, acompañado con un sonido robótico. Si el iPad está apagado, el mensaje aparece cuando lo enciende aunque el audio no se ejecuta.

Para hacer que las alertas aparezcan como notificaciones iOS 5 y en la pantalla desplegable del Centro de notificaciones, diríjase a Ajustes>Notificaciones>Calendario>Centro de notificaciones>On.

● ● ● MANTENGA LOS CONTACTOS

Incluir una copia de su archivo de contactos (su agenda electrónica) en su iPad es sencillo. Puede sincronizar los contactos a través de iCloud o, como explicamos aquí, a ras de tierra, a través de iTunes; simplemente, elija un método de sincronización. Para iTunes, los usuarios de Windows deben tener sus contactos almacenados en Outlook Express, Outlook 2003 o posterior, Windows Contacts o la agenda de Windows (utilizada por Outlook Express y otros programas de correo electrónico).

Los usuarios de Mac deben utilizar al menos Mac OS X 10.5 y la agenda de Mac OS X, que el programa de correo electrónico de Apple utiliza para guardar las direcciones. También puede utilizar Outlook 2011 o Entourage 2004 y posterior, pero primero debe vincular, antes de sincronizar. Para hacerlo, seleccione Preferencias y haga clic en Servicios de sincronización. Después, active las casillas para compartir contactos con la agenda. Outlook o Entourage comparten la información y la agenda la sincroniza con su iPad.

Para convertir su iPad en una gran agenda de cristal, siga los siguientes pasos:

1. Conecte su iPad a su ordenador por Wi-Fi o cable USB y haga clic en su icono cuando aparezca en la lista fuente del iTunes. Si utiliza Outlook o Outlook Express, inícielo también.

2. En la parte principal de la ventana de iTunes, haga clic en la ficha Información.

   • Usuario de Windows: Active la casilla junto a Sincronizar contactos con y, después, utilice el menú desplegable para elegir el programa cuyos contactos desea copiar.

- Usuario de Mac: Active la casilla **Sincronizar contactos de la Agenda**. Si quiere sincronizar grupos de contactos, selecciónelos del cuadro **Grupos seleccionados**. También puede importar las fotos de perfil que tenga en sus archivos de contacto.

3. Haga clic en el botón **Aplicar**, en la esquina inferior derecha de la ventana de iTunes.

iTunes añade la información de contacto de su agenda en su iPad. Si añade nuevos contactos a su ordenador con su iPad enchufado, seleccione **Archivo>Actualizar iPad** o haga clic en el botón **Sincronizar** de iTunes, para mover manualmente los nuevos datos a su tableta. ¿Tiene iCloud? ¡Obtendrá una copia de seguridad en línea de sus contactos!

Truco

También puede añadir contactos directamente en el iPad. Pulse el icono (✚) en la parte inferior de la pantalla de Contactos e introduzca la información de la persona. Si se encuentra en un servidor Exchange sincronizado, diríjase a Ajustes>Correo, contactos, calendarios, *pulse sobre su nombre de cuenta y, después, active el botón* **Contactos** *para incluir nuevas direcciones en el iPad a través del aire.*

Para buscar a un amigo en su iPad, pulse el icono **Contactos** de su pantalla de inicio. Utilice el cuadro de búsqueda o, en la lista de contactos, diríjase al nombre de la persona en el lado izquierdo de la pantalla. Tome un atajo pulsando sobre la ficha con la letra en el borde izquierdo, que puede ver en la figura 7.7. Pulse sobre un nombre para ver los detalles de la persona. Aquí tiene algunas cosas que puede hacer:

Figura 7.7. *La interfaz de la agenda es muy intuitiva.*

- **Cambiar la información:** ¿Necesita actualizar una dirección o cambiar un número de teléfono? Pulse el botón **Editar**, en la parte inferior de la pantalla.

- **Añada una foto:** Las fotos de perfil del programa de contactos de su ordenador deberían estar aquí en el iPad. Puede añadir una foto a un contacto desde la aplicación Fotos. Abra el archivo del contacto, pulse **Editar** y, después, **Añadir foto**. Encuentre la foto que desea y manipúlela para que tenga el tamaño adecuado si lo desea.

- **Sitúe una dirección en el mapa:** Pulse sobre una dirección para abrir la aplicación Mapas y ver la ubicación resaltada en un fogonazo de cartografía instantánea de iPad.

- **Envíe mensajes:** Pulse la dirección de correo electrónico de la persona para abrir un mensaje con la dirección ya incluida. Pulse el botón **Mensaje** para enviar un iMessage.

- **Pase la información:** Pulse el botón **Compartir contacto** de la página del contacto para adjuntar la información como archivo `.vcf` (el formato que utilizan la mayoría de agendas electrónicas) a un nuevo mensaje.

- **Comience una vídeo llamada con FaceTime:** Pulse **FaceTime** y, después, el número de teléfono o la dirección de correo electrónico que su amigo utilice en FaceTime.

Para borrar un contacto, sáquelo de la agenda de su ordenador y la persona desaparecerá de su iPad la próxima vez que sincronice. Para borrar un contacto directamente en el iPad, abra el archivo, pulse Editar y después **Eliminar contacto**.

TOME NOTAS

¿Necesita un trozo de papel virtual en el que anotar algunos pensamientos? ¿Necesita escribir un memorando para enviárselo por correo electrónico a sus colegas pero no tiene la aplicación Pages? ¿Quiere copiar el recibo de una página Web y guardarlo como futura referencia? El programa Notas del iPad está a su disposición. Para comenzar, regrese a su página de inicio y pulse **Notas**. El programa se abre y aquí es donde los diseñadores de Apple han sido creativos.

Cuando sostiene el iPad en vertical, tiene el aspecto de uno de esos cuadernos de papel amarillo a rayas. Pero si lo sostiene en modo apaisado, como puede ver en la figura 7.8, el cuaderno comparte la pantalla con un papel virtual que ordena sus notas y las mantiene dentro de una carpeta de cuero artificial, del tipo que coloca sobre su mesa y le da un aspecto elegante. Puede ver incluso las costuras en el cuero digital.

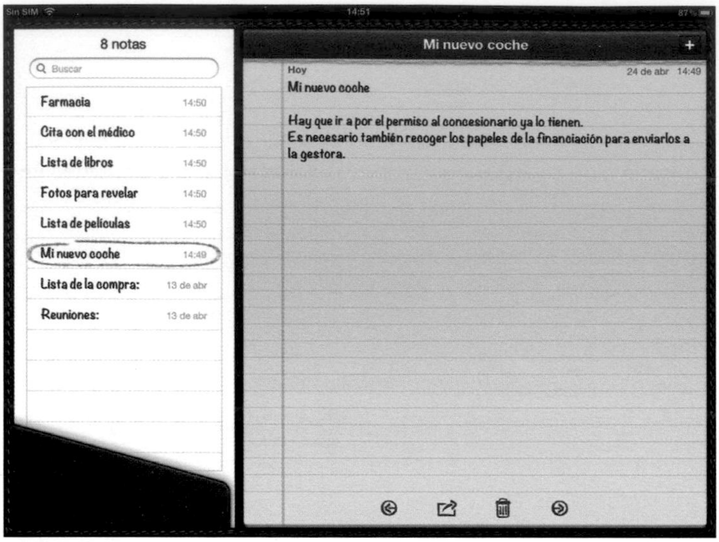

Figura 7.8. *Este es el original aspecto de su cuaderno de notas virtual.*

Truco

Aunque es difícil cambiar su escritura a mano con un papel y un bolígrafo de verdad, el programa Notas le ofrece tres opciones de fuente para anotar sus reflexiones. Para ver sus opciones o para cambiar la fuente actual, acuda a la pantalla de inicio y siga Ajustes>Notas. *Aquí, podrá elegir entre* Noteworthy, Helvetica *y una fuente denominada* Marker Felt, *que era la alegre fuente original que utilizaba Notas.*

Cuando sostiene el iPad en modo vertical, solicita el índice de notas pulsando **Notas** en la esquina superior izquierda, como puede ver en la figura 7.9. Pulse sobre cualquier entrada de la lista para abrir y leer esa nota concreta; o para añadirle más texto. Todas las funciones de copiar, cortar, pegar y sustituir funcionan en Notas, por lo que puede pegar extractos de texto de páginas Web o de otros lugares. Sin embargo, no puede pegar imágenes, sólo conseguirá una línea de texto con el nombre de archivo de la imagen y su ubicación. Aquí tiene algunos trucos:

- **Iniciar notas:** Para comenzar una nueva nota, pulse el icono (✚) en la esquina superior derecha (véase la figura 7.9) y, después, pulse sobre la "hoja de papel" para solicitar el teclado del iPad e introducir texto.

- **Sincronizar notas:** Puede sincronizar notas a y desde una cuenta Mac Mail Outlook. Conecte el iPad al ordenador (mediante Wi-Fi o cable USB), haga clic en el icono del iPad de la ventana de iTunes y, después, en la ficha Información de la parte superior de la pantalla. Desplácese hacia abajo hasta el área **Otros** y active la casilla junto a **Sincronizar notas**. Haga clic en **Aplicar** y, después, en **Sincronizar**.

- **Buscar notas:** Si está buscando una palabra o palabras concretas, introdúzcalas en el cuadro de búsqueda para solicitar una lista con todas las notas en las que aparecen dichas palabras. Para moverse arriba y abajo por su colección de notas, utilice las flechas de las parte inferior de la pantalla (véase la figura 7.9). Puede incluso imprimir o enviar por correo el contenido de una nota pulsando el icono (📧) y seleccionando Imprimir o Enviar por correo.

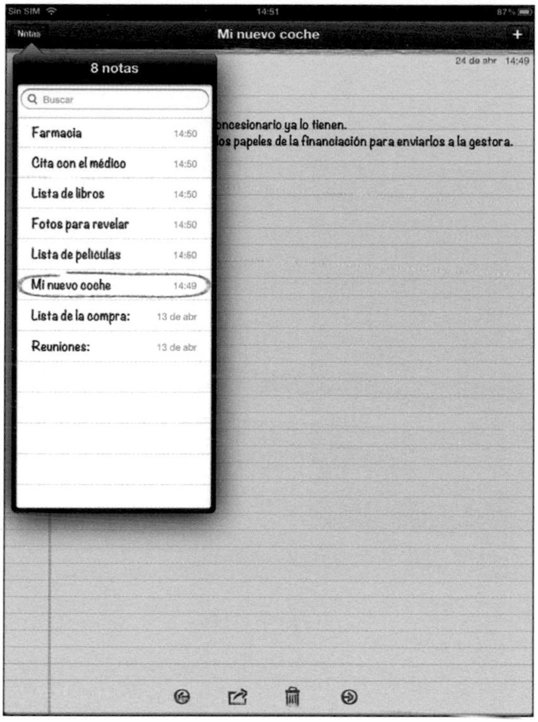

Figura 7.9. Aplicación Notas con la pantalla vertical.

⬤ ⬤ ⬤ UTILICE LOS RECORDATORIOS

Cuando la aplicación Recordatorios llegó al iPad en otoño de 2011 con iOS 5, los aficionados a hacer listas dieron saltos de alegría, porque Apple por fin tachaba de la lista de cosas pendientes esta función tantas veces reclamada. Recordatorios es muy fácil de utilizar, y puede anotar sus tareas en una ordenada lista o asignarlas a una fecha posterior. Así es cómo se hace:

- **Por lista:** Abra el icono **Recordatorios** en su página de inicio. Pulse el botón **Lista**, el icono (✚) situado en la esquina superior derecha y, después, introduzca la tarea que quiere recordar, como "Comprar pañales".

- **Por fecha:** Pulse el botón **Fecha** en la parte superior de la pantalla. Aparecerá un calendario de varios meses en el lado izquierdo, como puede observar en la figura 7.10. Puede desplazarse por los distintos meses para llegar a la fecha que desea. Pulse sobre ella para seleccionarla. En el lado derecho de la pantalla, la fecha cambia al día seleccionado. Pulse el icono (✚) de la esquina superior derecha para introducir la información sobre la tarea.

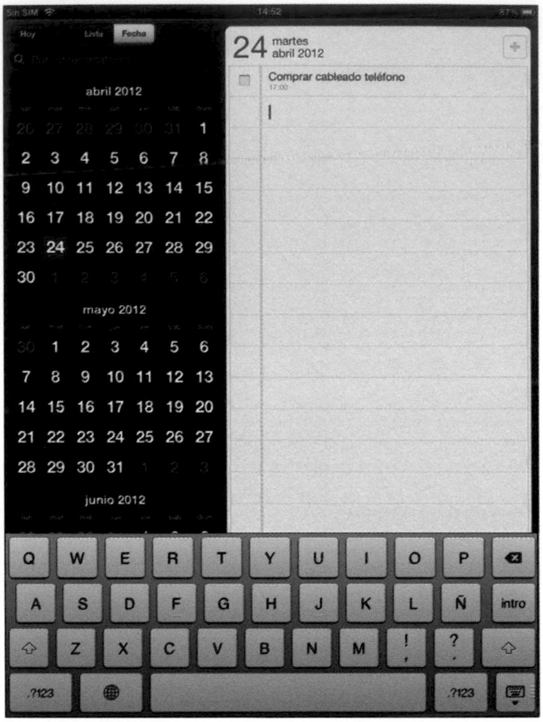

Figura 7.10. *Puede organizar sus recordatorios por fecha.*

Cuando complete sus tareas, ya sea en modo Lista o en modo Fecha, pulse el cuadro vacío junto a la tarea para marcarla. Aquí tiene algunas otras cosas que puede hacer con la aplicación Recordatorios:

- En el modo Lista, pulse la línea Completado en el lado izquierdo de la pantalla para ver una lista de tareas realizadas y obtener la placentera sensación de ver el trabajo realizado.

- Pulse sobre una entrada de los recordatorios para añadir o ver más información sobre la tarea. En la pantalla Detalles, puede pulsar para añadir un recordatorio a su recordatorio (en la forma de una notificación en pantalla, como se explica a continuación), repetir la alerta, añadir una nota sobre la tarea o incluso borrarla por completo.

¿No recuerda cuándo hizo algo? Busque sus recordatorios pulsando los botones **Lista** o **Fecha** e introduciendo las palabras clave en el cuadro de búsqueda.

UTILICE LAS NOTIFICACIONES

Las aplicaciones originales del iPad pueden ordenar su vida, desde avisarle sobre reuniones a recordarle que compre leche de camino a casa. Una vez que visite Ajustes>Notificaciones y active las alertas para las aplicaciones que le interesan, recibirá pequeñas notificaciones en pantalla, independientemente de lo que esté haciendo en el iPad.

Pero con todas estas aplicaciones a bordo, ¿no sería genial contar con una opción con la que obtener un vistazo rápido de su día completo (algo, digamos, como las citas del calendario y los mensajes de correo electrónico y de texto que le esperan)?

Por suerte, puede contar con semejante panel de control de su vida. Se denomina la pantalla de notificaciones. Para acceder a ella desde cualquier parte o aplicación de su iPad, coloque el dedo en el borde superior de la pantalla y arrástrelo hacia abajo, como si estuviera bajando una persiana en miniatura. Aparecerá la pantalla de notificaciones que puede ver en la figura 7.11.

Encontrará todo tipo de información y podrá saltar a cualquier aplicación o mensaje de la lista pulsando sobre él. Las notificaciones también aparecen en la pantalla de bloqueo del iPad. Para acceder a ellas, sitúe el dedo sobre el icono de la aplicación y deslícelo hacia la derecha. Esto desbloquea el iPad y abre la aplicación que reclama su atención.

Figura 7.11. *La pantalla de notificaciones es como el cuadro de mando de su vida.*

Para cerrar la pantalla de notificaciones, coloque el dedo en la parte inferior del cristal y deslice hacia arriba. Considérese notificado.

Personalizar notificaciones

Por defecto, la pantalla de notificaciones muestra pinceladas de información básica, como recordatorios pendientes, eventos del calendario o cualquier mensaje nuevo que haya llegado. Pero puede personalizar sus notificaciones añadiendo, eliminando o reordenando sus aplicaciones.

Para hacerlo, acuda a Ajustes>Notificaciones. Puede ordenar las aplicaciones manualmente o por empleo (con las más recientes arriba). Para hacerlo manualmente, pulse el botón **Editar** de la esquina superior derecha y utilice el icono (≡) para arrastrarlas a su nuevo orden. Pulse sobre el nombre de una aplicación para activar o desactivar sus notificaciones o para personalizarlas más eligiendo un estilo de alerta (*banner* o cuadro) o si tendrán sonido o aparecerán en la pantalla de bloqueo del iPad.

⬤ ⬤ ⬤ ENCUENTRE SU CAMINO CON MAPAS

La aplicación Mapas del iPad le permite olvidarse de esos mapas de carretera desplegables que siempre acaban manchados y arrugados en el asiento trasero del coche. Abra la aplicación Mapas en la pantalla de inicio. Introduzca cualquier dirección en la aplicación y la verá al instante en pantalla, con su ubicación marcada con un alfiler rojo virtual (véase la figura 7.12). Todos los movimientos de dedos habituales del iPad funcionan en los mapas, por lo que puede ampliar, desplazarse, pellizcar y deslizar a lo largo y ancho del mundo.

No obstante, al igual que Safari, Mapas necesita una conexión a Internet para extraer la información de la Web, por lo que no es el mejor recurso para obtener direcciones de emergencia cuando se encuentra perdido en la ciudad sólo con su iPad. Si se gastó el dinero en el modelo Wi-Fi + 4G/3G, no debe preocuparse por la falta de conexión a Internet.

Figura 7.12. *Encuentre cualquier ubicación en Mapas.*

Para trazar su camino, pulse el icono **Mapas** en la pantalla de inicio. Aquí tiene algunas cosas que puede hacer con Mapas y una conexión de red:

- **Encontrar una dirección:** Pulse el botón **Buscar**. En el cuadro de dirección, en la parte superior de la pantalla, introduzca una dirección o pulse el icono (▢) para solicitar su lista de favoritos. Aquí puede introducir lugares que marcó previamente, ver sus ubicaciones recientes o localizar una dirección de su lista de contactos. Cuando el marcador rojo aparece en el mapa, pulse el icono (❷) de la barra que hay sobre él para que aparezca un cuadro con la información de esa dirección, como puede ver en la figura 7.13.

Figura 7.13. *El menú emergente del marcador ofrece varias opciones de acción.*

- **Marque el punto:** Mantenga pulsado cualquier punto del mapa para situar un marcador sobre él. Si no acierta, deslice el marcador a la dirección correcta. Pulse (❷) para ver la dirección completa, obtener la ruta hasta o desde allí o eliminar el marcador. También puede añadir la ubicación a sus contactos o favoritos o pulsar **Compartir ubicación** para enviar la dirección por correo electrónico, Twitter o Mensajes (muy útil cuando ha organizado una cena de grupo en un restaurante). Si la barra de información del marcador incluye el icono (◉), púlselo para ver una foto de la ubicación, extraída de Google Street View, que podrá ampliar, aislar y rotar 360 grados; pulse la miniatura del mapa para volver a la vista normal. Puede colocar un marcador a distancia pulsando la esquina inferior derecha de la pantalla (donde parece que el mapa se deshace), pulsando Colocar marcador y arrastrando el marcador por el mapa hasta la ubicación correcta. Y puede marcar su ubicación actual pulsando el icono (➤) de la barra de menú.

- **Elija una vista:** La aplicación Mapas no escatima en el decorado. Pulse la esquina inferior derecha para ver los estilos disponibles (véase la figura 7.14): **Estándar** (el clásico), **Satélite** (una foto de alta calidad desde una cámara en el cielo), **Híbrido** (nombres de calles superpuestas a la foto de la calle) y **Relieve** (siluetas elevadas sobre el área). Active Tráfico para ver posibles atascos antes de salir de casa. Pulse el botón **Imprimir** para obtener una copia en AirPrint con sus viajes; especialmente útil en caso de que su iPad se quede sin batería antes de llegar a su destino.

Figura 7.14. *Opciones de estilo y extras de Mapas.*

Nota

¿Alguna vez se ha preguntado lo que significan esas líneas verdes, amarillas y rojas de los mapas con las condiciones del tráfico? El código de color tiene que ver con la velocidad. El verde significa que el tráfico se está moviendo a una media de 75 km/h o más, y el amarillo significa que está circulando más lento, entre 40 y 74 km/h, aproximadamente. El rojo significa que el tráfico se arrastra pesadamente a menos de 40 por hora, por lo que puede encontrarse unos cuantos taxistas malhumorados ahí fuera.

UBIQUE SU POSICIÓN UTILIZANDO EL GPS

¿Alguna vez ha mirado un mapa y se ha preguntado dónde se encontraba exactamente en relación al lugar al que quería llegar? A no ser que el mapa tuviera una de esas flechas del tipo "Usted está aquí", normalmente tenía que intentar adivinar, si bien no con su iPad.

Asegúrese de disponer de una conexión a Internet y el Servicio de Localización activado. Pulse el icono de **Ubicación actual** (➤) en la parte superior de la pantalla Mapas. El iPad sitúa un punto azul en el mapa para marcar su posición en un radio de unos cuantos cientos de metros (véase la figura 7.15). Aunque el iPad Wi-Fi no tiene un chip GPS como lo tiene el iPad 4G/3G, sí tiene un software que calcula su posición en relación a una gran base de datos a partir de puntos Wi-Fi y torres de antenas móviles.

Figura 7.15. *Pulse la flecha y aparecerá un punto azul marcando su ubicación.*

Puede incluso combinar la capacidad de encontrar al instante su ubicación actual con la posibilidad de obtener la dirección de otro lugar. Pulse el botón **Cómo llegar** en la parte superior de la pantalla. A no ser que se encuentre desconectado, el iPad suele comenzar con su ubicación actual en el primer cuadro. En el segundo cuadro, introduzca la dirección de destino o pulse (📖) para acceder a las direcciones de sus contactos. Una vez que tiene el punto de partida y el de destino de su viaje, el iPad muestra una barra azul ofreciendo direcciones para la conducción, el transporte público y la ruta a pie.

Si quiere utilizar su posición actual y aventurarse después como un boy scout, el iPad incluye una brújula digital. Para utilizarla, pulse el icono (➤) una vez, para obtener su posición y, después, pulse de nuevo para activar la brújula, que aparece en la pantalla del iPad como un icono (◈). Para rotar la brújula hacia el norte, mantenga el iPad paralelo al suelo. Para volver a la vista normal del mapa, pulse sobre el icono de la brújula (◣) en la barra de herramientas.

OBTENGA INDICACIONES EN EL MAPA

¿Tiene que encontrar el camino del punto A al punto B o de Guadalajara a Huesca? Para trazar su ruta, pulse el botón **Cómo llegar** en la parte superior de la pantalla. Aparecerá un cuadro con dos campos. Si quiere comenzar desde un punto distinto al que se encuentra, pulse (✖) en el cuadro de inicio e introduzca el nuevo punto de origen. En el cuadro de destino, introduzca la dirección o pulse (🕮) y elija de su lista de sitios guardados, visitados recientemente o de sus contactos. Una vez que el iPad obtiene los puntos de origen y destino, calcula cómo llegar en coche, transporte público o a pie. Pulse sobre el coche, el autobús o el icono del caminante (véase la figura 7.16) para obtener indicaciones paso a paso (incluyendo rutas alternativas, si están disponibles). Si se encuentra en medio de ninguna parte, puede que sólo obtenga las direcciones en coche. Para invertir los puntos de partida y destino para volver a casa, pulse el icono (🔄).

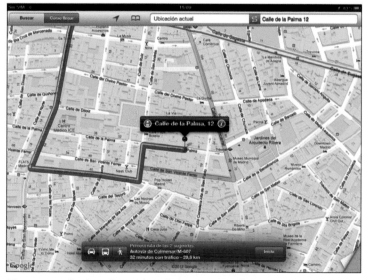

Figura 7.16. *Elija el tipo de indicaciones que desea.*

El iPad le entrega sus indicaciones en la barra azul. Pulse el botón **Inicio** para comenzar. Podrá ver cada paso de su viaje de dos maneras:

1. Para ver todos los pasos en una lista, pulse el icono (▤) y desplácese por las indicaciones (véase la figura 7.17); pulse el icono del cuadrado para cerrar el cuadro.

2. Para ver cada giro de uno en uno en la barra azul, pulse los iconos (◀) y (▶) para que cada nueva ubicación aparezca en el mapa según avanza.

A no ser que seleccione las indicaciones para transporte público, obtendrá también una estimación del tiempo que tardará en su viaje. Si solicitó una ruta en transporte público, pulse el icono del reloj para ver una lista de horarios. Si cuenta con una conexión a Internet mientras avanza, la ruta irá actualizando las condiciones del tráfico.

Figura 7.17. Puede ver sus indicaciones en una lista.

Figura 7.18. Vea las indicaciones de una en una.

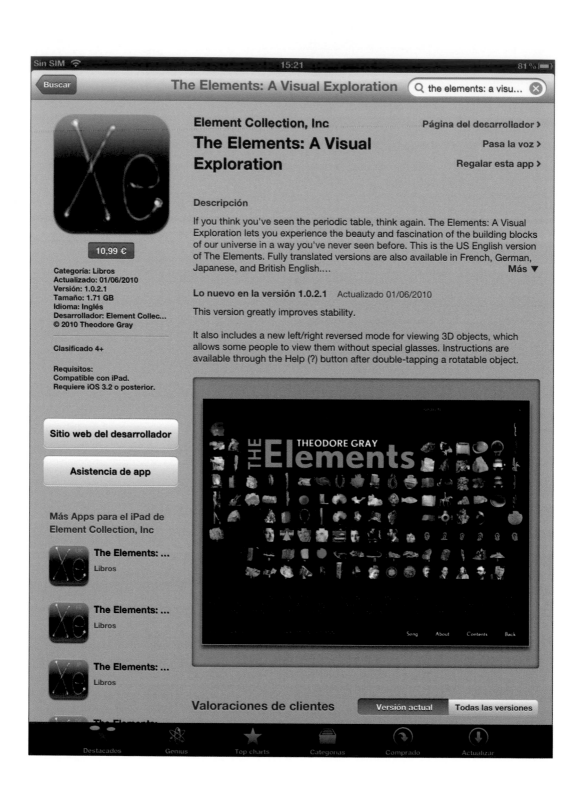

Capítulo 8

DE COMPRAS POR LA APP STORE

En los inicios (en 2003, para ser exactos) estaba iTunes Music Store. El imperio perfectamente legal de Apple vendía canciones a 99 céntimos, y enseguida se convirtió en un éxito. La premisa y la promesa eran simples: entretenimiento barato que podía descargar y disfrutar al instante. Tan sólo unos años más tarde, la renombrada iTunes Store añadió (y aún vende) programas de televisión, películas y sencillos videojuegos de arcade para iPods. Y después, en 2008, Apple añadió la App Store para programas iOS. La App Store es el lugar donde puede descargarse aplicaciones o programas que se ejecutan en su iPad (y en su iPod Touch e iPhone). Sí, puede cargar su iPad con muchos más programas, además de los incluidos y explicados hasta ahora.

En la App Store puede encontrar decenas de miles de aplicaciones, incluyendo tutoriales de idiomas extranjeros, periódicos electrónicos, guías de restaurantes, rastreadores de huracanes, procesadores de texto y sofisticados videojuegos. Y las empresas crean nuevos programas todas las semanas. Es una parte enormemente popular del imperio Apple, con más de 25.000 millones de descargas hasta marzo de 2012.

Con el iPad en la calle desde hace dos años, puede elegir entre más aplicaciones que nunca. De las 700.000 aplicaciones que funcionan en dispositivos iOS, más de 200.000 fueron diseñadas en exclusiva para la tableta. Este capítulo le muestra cómo ir de compras, configurando una cuenta en App Store, comprando e instalando su primera aplicación y manteniendo sus aplicaciones organizadas una vez que empiece a llenar su iPad.

⬤ ⬤ ⬤ DIRÍJASE A LA APP STORE

¿Recuerda cuando las tiendas de informática ofrecían estanterías y estantcrías de software, en coloridas cajas de cartón? La App Store se ha deshecho de los estantes físicos y las masas de gente pero sigue ofreciendo miles de programas, limpiamente organizados en más de 20 categorías, justo al otro lado de su conexión a Internet. Una vez que se encuentre en línea, podrá:

1. Pulsar el icono de App Store (véase la figura 8.1) en la pantalla de inicio del iPad.

2. Pulsar el icono de iTunes Store en la lista fuente del iTunes y, después, el vínculo de App Store en la parte superior de la pantalla (véase la figura 8.2). O, si está buscando un tipo específico de programa como, digamos, una aplicación para el seguimiento del gasto, haga clic en el pequeño triángulo que aparece en la ficha de App Store para abrir un submenú de categorías de aplicaciones e ir directamente a la sección **Finanzas**.

   Cualquiera de estas acciones le conduce a la App Store. Si elige el camino de iTunes desde la comodidad de su ordenador, probablemente acabará navegando por la selección de la tienda en una pantalla más grande; pero también deberá dar un paso adicional para sincronizar sus compras desde iTunes a su iPad.

Figura 8.1. *Pulse el icono de la App Store para empezar sus compras.*

Figura 8.2. *También puede entrar en la App Store a través de iTunes.*

◉ ◉ ◉ UN PASEO POR APP STORE

No importe cómo llegue hasta ella, la App Store tiene mucho que ofrecer. En la mayoría de los casos, aparece directamente en la página de inicio de la tienda, donde los empleados de Apple anuncian nuevos productos constantemente.

Si pulsa sobre el nombre o icono de cualquier aplicación, se dirige a la página de la tienda, donde puede leer más información sobre las características de la aplicación. También puede ver capturas de pantalla de muestra, leer críticas de gente que ha comprado la aplicación y comprobar los requisitos de sistema del programa, para asegurarse de que es compatible con el hardware y el software de su modelo de iPad. Para aplicaciones diseñadas tanto para iPad como para iPhone, algunos desarrolladores le ofrecen varias capturas de pantalla para analizar; junto a Capturas de pantalla, pulse el botón **iPad**, que puede ver en la figura 8.3, para ver sólo las imágenes del iPad.

Figura 8.3. *Seleccione las capturas de pantalla que quiere ver.*

Las páginas de aplicaciones para juegos suelen incluir un rango de edades para ayudar a los padres a decidir si el juego es apropiado para sus hijos. Las páginas de aplicaciones gratuitas incluyen un botón de descarga, y las aplicaciones en las que hay que rascarse el bolsillo incluyen un vínculo para comprar el programa. Si compra una aplicación, se factura a la tarjeta de crédito de su cuenta Apple. Siga leyendo para saber cómo crear una cuenta.

En la parte superior de la página de cada aplicación, verá una categoría desplegada, algo como App Store>Deportes o App Store>Fotografía. Si la aplicación que está mirando no le encaja, haga clic en el nombre de la categoría para ver aplicaciones parecidas.

Truco

¿Quiere mantenerse al día con los últimos lanzamientos y noticias de la App Store? Eche un vistazo a su página de Facebook en `http://www.facebook.com/AppStore` *o siga su cuenta de Twitter en* `http://www.twitter.com/AppStore` *(ambas en inglés).*

CREAR UN ID DE APPLE

Antes de poder comprar los geniales programas que ve en la tienda, debe tener una cuenta con Apple, también conocida como ID de Apple. Puede que creara una cuenta cuando recorría las pantallas de configuración de su nuevo iPad, o puede que ya tenga un ID de Apple gracias a sus compras anteriores; puede utilizar su nombre y su contraseña y las facturas pasarán a la tarjeta de crédito que consta en el archivo.

Si nunca ha comprado uno de los productos en línea de Apple, como música en iTunes, o si se saltó el paso del ID de Apple en las pantallas de configuración del iPad, deberá crear una cuenta antes de poder comprar. Puede hacerlo en su iPad o en su ordenador.

Para crear una cuenta desde la pantalla de inicio del iPad, pulse el icono de App Store, diríjase a la parte inferior de la pantalla, pulse **Registrarse** y, después, **Crear ID de Apple**. Introduzca la información requerida en cada pantalla.

Para conseguir una cuenta desde su ordenador, abra iTunes, pulse el botón **Regístrese** de la esquina superior derecha de la ventana y, después, haga clic en **Crear nueva cuenta**.

Tanto en el iPad como en su ordenador, siga estos tres pasos:

1. Acepte los términos y condiciones para utilizar la tienda y comprar cosas.

2. Introduzca un nombre de usuario y contraseña (véase la figura 8.4).

3. Proporcione una tarjeta de crédito o número de cuenta PayPal y dirección de facturación.

Figura 8.4. *Introduzca la información requerida para crear su cuenta.*

En su primer paso creando un ID de Apple, deberá leer y aceptar las condiciones de uso del documento legal de la primera pantalla. Esta declaración de 27 páginas le informa sobre sus derechos y obligaciones como cliente de iTunes Store y App Store. Se reducen a dos puntos principales: "no descargaré un disco, lo copiaré en un CD y venderé copias piratas en el top manta" y "los fallos en las aplicaciones de terceros no son nuestra responsabilidad".

Pulse el botón **Aceptar** para pasar al segundo paso. Aquí, crea un ID de Apple, una contraseña y una pregunta y respuesta secreta. Si alguna vez olvida sus datos, ésta será la pregunta que deba responder para demostrar su identidad. Apple también le pide que introduzca su fecha de cumpleaños para ayudar a verificar su identidad (debe tener más de 13 años para crear una cuenta).

En la tercera y última pantalla, proporcione un número válido de tarjeta de crédito con una dirección de facturación. También puede utilizar una cuenta PayPal.

Haga clic en **Hecho**. Ha creado un ID de Apple. A partir de ahora, puede acceder a App Store haciendo clic en el botón de **Acceso** de la esquina superior derecha de la ventana de iTunes. Debido a que esta cuenta está ahora vinculada a una tarjeta de crédito, sea extremadamente prudente con su ID de Apple. Ignore los mensajes de correo que afirman ser de Apple y le piden que haga clic en vínculos que le solicitan reintroducir su información de la tarjeta de crédito. Son estafas. En el siguiente punto, explicamos cómo cambiar sus detalles de pago.

Regístrese sin una tarjeta de crédito

¿Qué sucede si sólo quiere descargar aplicaciones gratuitas de la tienda? No tendrá que dar un número de tarjeta de crédito pero deberá registrarse para la App Store; y no sólo para la iTunes Store principal donde se limitaría, porque normalmente sólo son gratis los podcasts. En iTunes, haga clic en el vínculo de App Store, en la página principal de iTunes Store. Una vez que esté allí:

1. Busque el programa gratuito que desea y pulse el botón **GRATIS**.

2. Cuando aparece el cuadro de registro, pulse el botón **Crear nueva cuenta**.

3. Acepte los términos y condiciones de uso y, después, introduzca la información relativa al nombre de usuario, contraseña y de cumpleaños.

4. En la pantalla de formas de pago, pulse **Ninguna**.

5. Introduzca su nombre y dirección de correo electrónico y haga clic en el vínculo que Apple utiliza para verificar su nueva cuenta.

6. Cuando reciba el correo de confirmación de la tienda, haga clic en el vínculo incluido para verificar su cuenta.

Cuando termine con el paso 6, podrá iniciar sesión con su nuevo nombre de usuario y contraseña. Cuando lo haga, volverá a la App Store preparado para engullir aplicaciones gratuitas para su iPad.

Truco

¿Necesita cambiar los datos de información u otra información de su cuenta iTunes/App Store? Inicie sesión en la tienda y haga clic en su nombre de cuenta. En el cuadro que aparece, reintroduzca su contraseña y haga clic en el botón **Ver cuenta***. En la pantalla de configuración de la cuenta, haga clic en* Editar información de cuenta *o en* Editar información de pago.

COMPRE, DESCARGUE E INSTALE APLICACIONES

De acuerdo, ha encontrado la App Store y tiene un ID de Apple; ahora está listo para cargar su iPad con todos los programas, juegos y utilidades geniales que pueda.

- **Introduzca aplicaciones en el iPad:** Cuando tenga una conexión Wi-Fi o móvil, pulse el icono de App Store de la pantalla de inicio. En la parte superior de la pantalla, en

Popular, puede ver las novedades y las tendencias. En la parte inferior de la pantalla, puede pulsar para ver lo que el genio de iTunes piensa que le puede gustar, ver una lista de las aplicaciones más descargadas (Top Charts) y comprobar las aplicaciones por categorías. Cuando encuentre una aplicación que desee, pulse el botón para la descarga gratuita o el botón con el precio; pulse este último al convertirse en un botón **COMPRAR APP** (véase la figura 8.5). Introduzca su nombre de usuario y contraseña (incluso si se trata de una aplicación gratuita) y comenzará la descarga. Cuando el programa termina de cargarse e instalarse, pulse su icono para iniciarlo. El tiempo de descarga varía según el tamaño de la aplicación. Por ejemplo, el bonito libro de texto interactivo que puede ver en la figura 8.5 son 1,71 gigabytes, así que déle su tiempo.

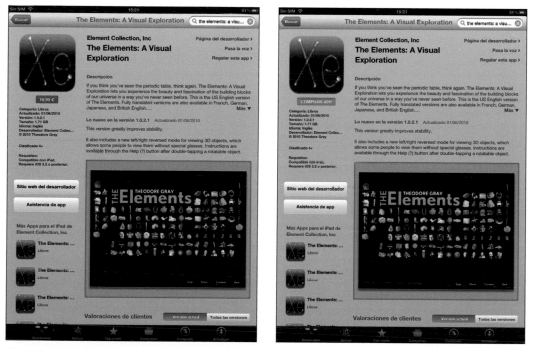

Figura 8.5. *Pulse el botón para comprar la aplicación.*

- **Consiga aplicaciones en iTunes Store:** En su ordenador, haga clic en el vínculo de App Store en la página principal de iTunes Store y eche un vistazo. Cuando encuentre una aplicación que quiera, haga clic en el botón **GRATIS** o **COMPRAR APP** para descargar una copia en iTunes. Puede ver todas las aplicaciones que ha comprado haciendo clic en Aplicaciones, en la lista fuente de iTunes. Cuando termine de comprar, conecte el iPad a su ordenador y sincronícelos, como se explica más adelante.

⬤ ⬤ ⬤ DESINSTALAR APLICACIONES

No todas las aplicaciones son lo que espera de ellas. Puede que no cumplan sus expectativas de algún modo. Puede que alguno de esos grandes juegos y programas utilicen demasiada de la limitada capacidad de su iPad. Algunas aplicaciones incluso pueden estar estropeadas y puede que quiera eliminarlas en lugar de esperar a que el desarrollador publique una actualización.

Puede desinstalar una aplicación de dos maneras:

- **Eliminar aplicaciones en el iPad:**
  Como puede ver en la figura 8.6, mantenga pulsado el programa no deseado hasta que empiece a temblar y aparezca un aspa en la esquina del icono. Pulse el aspa, confirme su intención de borrar y despídase de la aplicación. Pulse el botón **Inicio** para volver a la normalidad.

- **Eliminar aplicaciones en iTunes:**
  Conecte el iPad a su ordenador y haga clic en su icono en la lista fuente del iTunes. En la ventana principal de iTunes, haga clic en la ficha Aplic. En la lista, desactive las casillas junto a las aplicaciones que quiera eliminar y, después, haga clic en **Sincronizar** para desinstalarlas. Las aplicaciones eliminadas permanecen en su biblioteca iTunes pero no cargará con ellas en su iPad a no ser que las vuelva a seleccionar y a sincronizar.

Figura 8.6. *Pulse el aspa para eliminar la aplicación.*

Truco

Aunque todas las ventas de la App Store son finales, puede que obtenga un reembolso si una aplicación estaba mal etiquetada o no funcionaba como se anunciaba. No es algo seguro y deberá hablar con calma y claridad con el personal de ayuda de iTunes sobre los problemas técnicos que ha tenido ("no me gusta" no es una excusa válida). Contacte con el soporte técnico en `http://www.apple.com/es/support/itunes/contact/`*.*

⬤ ⬤ ⬤ BUSQUE APLICACIONES

Al igual que puede comprar aplicaciones tanto en su ordenador como en su tableta, también puede buscarlas en iTunes o en el iPad. Esto viene bien si no sabe el nombre exacto de la aplicación que busca o quiere introducir algunas palabras clave en el cuadro de búsqueda y ver qué obtiene. Así es cómo se busca:

- **En el iPad:** Pulse el cuadro de búsqueda en la parte superior de la pantalla de la App Store para que aparezca el teclado. Introduzca las palabras clave para la aplicación que busca y, después, pulse la tecla **Buscar**. El iPad relaciona lo que escribe sobre la marcha y le muestra una lista como la que se observa en la figura 8.7. En la parte superior de la pantalla de resultados, podrá filtrar las aplicaciones por categoría, precio y otros criterios.

- **En el ordenador:** La esquina superior derecha de la ventana de iTunes tiene un bonito cuadro de búsqueda. Cuando se encuentra en una biblioteca de iTunes, al introducir las palabras clave en el cuadro, aparecen resultados de su propia colección. Pero cuando busca con la iTunes Store seleccionada en la lista fuente, sus resultados provienen de las aplicaciones, los juegos, la música

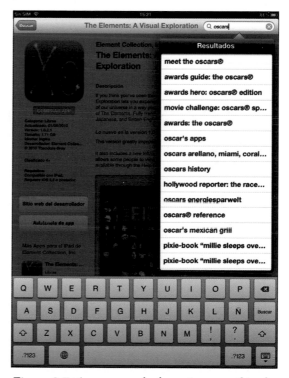

Figura 8.7. *Aparecen resultados según va escribiendo.*

y otros contenidos a la venta de la tienda en línea. Si no encuentra enseguida lo que busca, haga clic en el botón **Búsqueda avanzada** de la esquina superior izquierda para obtener un grupo de cuadros, como puede ver en la figura 8.8, que le permita estrechar sus resultados aún más por nombre de desarrollador, categoría o dispositivo.

Figura 8.8. *Acceda a la búsqueda avanzada para potenciar su búsqueda.*

Una vez que iTunes complete una búsqueda, haga clic sobre el nombre de una aplicación para acudir a su página de la Store para más información.

AMPLIAR APLICACIONES DEL IPHONE

La mayoría de los más de 700.000 programas de App Store son para iPhone e iPod Touch (de momento, en cualquier caso). Pero no permita que eso evite que compre, porque la mayoría de aplicaciones para iPhone funcionan igual de bien en el iPad, así que el software para la tableta no va a escasear. Y, aunque las aplicaciones para iPhone/iPod Touch funcionan en el iPad, no fueron diseñadas para él. Como resultado, pueden verse un poco escasas en la pantalla grande, como puede observar en la figura 8.9. Aún así, puede ejecutar las aplicaciones para iPhone e iPod Touch en el iPad de dos maneras:

- **Ejecutar la aplicación con su tamaño real:** Aunque de esta forma mantiene el aspecto original de la aplicación, se ve un poco ridícula, flotando ahí en medio de su iPad como una pequeña isla rodeada de un océano de pantalla oscura. Y resulta más complicado alcanzar los botones de la aplicación.

- **Ejecutar la aplicación doblando su tamaño:** Si no quiere bizquear, puede ampliar el tamaño de esa aplicación de iPhone. Simplemente, pulse el botón **2x** en la esquina inferior derecha de la pantalla del iPad, que puede ver en la figura 8.9. El iPad duplica cada píxel en la aplicación del iPhone para que se amplíe en la pantalla. No obstante, dependiendo del programa, agrandar sus aplicaciones con el botón **2x** puede hacer que tengan un aspecto extraño. Aún así, habrá hecho uso de la vista expandida de su iPad.

Con el paso del tiempo, cada vez hay más aplicaciones diseñadas (o rediseñadas) para que se adapten a esta gloriosa pantalla grande. En un año, más o menos, la función 2x sólo quedará como una solución pintoresca.

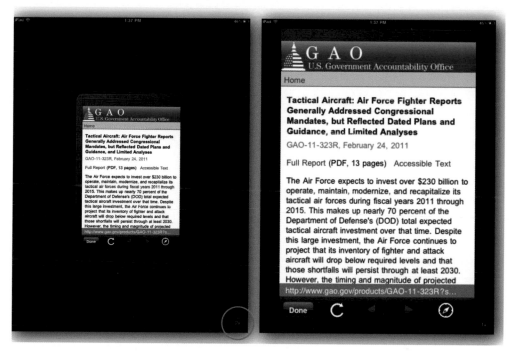

Figura 8.9. *Duplique el tamaño de la imagen con el botón 2x.*

● ● ● SINCRONICE Y ORGANICE APLICACIONES EN ITUNES

Al principio de este libro, aprendió a reorganizar los iconos de la pantalla de inicio de su iPad. Y, después de leer las primeras páginas de este capítulo, puede que tenga una tonelada de nuevos iconos de aplicaciones por todo su iPad aunque no en el orden que le gustaría. Por supuesto, puede arrastrar iconos temblorosos por sus 11 páginas de pantalla de inicio pero puede resultar algo confuso y frustrante si coloca accidentalmente un icono en la página equivocada. Además, esa pantalla del iPad es muy grande y se le podría salir el hombro arrastrando esas aplicaciones durante distancias tan largas.

iTunes ofrece un modo más sencillo para organizar sus pantalla de inicio; puede ordenar todos sus iconos utilizando el ordenador:

1. Conecte el iPad a su ordenador, ya sea con la configuración Wi-Fi o con el cable USB. Haga clic en el icono del iPad en la lista fuente.

2. Haga clic en la ficha **Aplic.** Ahora podrá ver todas sus aplicaciones; una lista completa a la izquierda, una versión gigante de la pantalla de su iPad en el centro y páginas de

inicio individuales a la derecha o debajo de la gran pantalla (véase la figura 8.10). Active la casilla Sincronizar aplicaciones para sincronizar las aplicaciones descargadas a través de iTunes. Seleccione (o deseleccione) las aplicaciones que quiera en el iPad marcándolas en la lista.

3. Arrastre un icono que quiera mover de la gran pantalla a la miniatura de la página deseada que tiene al lado o debajo de ella. Mantenga pulsada la tecla **Control** o (⌘) y haga clic para seleccionar varias aplicaciones. Es mucho más sencillo agrupar aplicaciones similares en una página de esta manera; puede tener, digamos, una página de juegos y una página de periódicos en línea. Si prefiere agrupar las aplicaciones por carpetas temáticas, arrástrelas a la carpeta con el ratón. Puede incluso cambiar los cuatro iconos permanentes de la barra gris de la parte inferior de la pantalla del iPad (tanto aquí como en la propia tableta) con otras aplicaciones; e incluir otras dos para un total de seis aplicaciones en esa fila inferior.

4. Haga clic en **Aplicar** o **Sincronizar**. Espere unos instantes mientras iTunes instala, desinstala y organiza los iconos de su iPad para que copien la configuración de iTunes.

Figura 8.10. *Gestione sus aplicaciones desde iTunes.*

Pero, ¿qué pasa si tiene demasiadas aplicaciones para el límite de las 11 pantallas de inicio del iPad? Puede agrupar aplicaciones en carpetas o, incluso si una aplicación no cs visible e sus pantallas de inicio, puede encontrarla moviendo el dedo de izquierda a derecha en la primera pantalla de inicio e introduciendo el nombre de la aplicación en el cuadro de búsqueda que aparece.

Organizar sus aplicaciones en iTunes también hace que resulte más sencillo sincronizarlas cuando lo necesite. Por ejemplo, mantenga todos esos pesados mapas de viaje y guías dc ciudades en iTunes hasta que tenga que moverlos al iPad la noche antes de salir de viaje, y sáquelos de nuevo cuando regrese.

Figura 8.11. *Elimine los iconos que no necesite.*

Truco

Del mismo modo que puede hacerlo en el iPad, también puede eliminar una aplicación en iTunes haciendo clic para seleccionarla y, después, pulsando el aspa que aparece en la esquina superior izquierda del icono (véase la figura 8.11). Esto sólo borra la aplicación del iPad, no de su biblioteca de iTunes.

● ● ● AJUSTE LAS PREFERENCIAS CON SUS APLICACIONES

Muchas aplicaciones tienen sus funciones y controles dentro de cada programa; acceda a ellas pulsando Ajustes, Opciones (o algo parecido) mientras ejecuta su aplicación. No obstante, algunas aplicaciones tienen un grupo de preferencias aparte, localizado en el área de Ajustes del iPad, en Aplicaciones.

Por ejemplo, su ingenioso programa meteorológico puede incluir la opción de mostrar la temperatura en grados Fahrenheit o Celsius y la velocidad del viento en millas o kilómetros por hora, dependiendo de los estándares de su país. Ajuste estas preferencias seleccionando Inicio>Ajustes y desplazándose por la colección de aplicaciones. Pulse el nombre de la aplicación cuyos ajustes quiere cambiar.

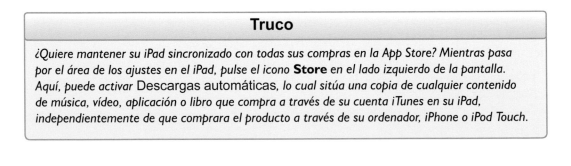

Figura 8.12. *Pantalla de Ajustes de la aplicación Skype.*

Truco

*¿Quiere mantener su iPad sincronizado con todas sus compras en la App Store? Mientras pasa por el área de los ajustes en el iPad, pulse el icono **Store** en el lado izquierdo de la pantalla. Aquí, puede activar Descargas automáticas, lo cual sitúa una copia de cualquier contenido de música, vídeo, aplicación o libro que compra a través de su cuenta iTunes en su iPad, independientemente de que comprara el producto a través de su ordenador, iPhone o iPod Touch.*

⬤ ⬤ ⬤ ACTUALICE APLICACIONES

Cuando observa un número en un círculo rojo sobre el icono de la App Store (véase la figura 8.13), sabrá que tiene que tiene actualizaciones pendientes. Las actualizaciones pueden añadir nuevas funciones, eliminar fallos o mejorar el rendimiento del programa. El número en el círculo rojo representa el número de aplicaciones que tienen actualizaciones esperando. Todas las actualizaciones de una versión concreta de una aplicación, son gratuitas.

Figura 8.13. *Puede comprobar que es necesario actualizar dos programas.*

Para ver una lista de las aplicaciones que esperan una actualización, pulse el icono **App Store**. En la siguiente pantalla, pulse el nombre del programa que quiera actualizar, pulse el botón con el precio y, después, pulse **Instalar**. Si tiene varios programas con actualizaciones preparadas, puede instalarlas de una vez pulsando el botón **Actualizar todas** en la esquina superior derecha. Las actualizaciones se descargan después de introducir la contraseña de la tienda. ¿Ya se encuentra en la App Store? El icono de actualizaciones en la parte inferior de la pantalla muestra el número de actualizaciones que esperan; púlselo para obtener todo el nuevo contenido a la vez.

También puede conseguir actualizaciones a través de iTunes. Compruebe el icono **Aplicaciones** en la lista fuente de iTunes. Si observa un círculo gris con un número junto a él, tiene actualizaciones (el número indica cuántas). Pulse el icono para obtener una lista de aplicaciones y pulse el vínculo de actualizaciones disponibles en la parte inferior de la pantalla. En la siguiente pantalla, un botón en la esquina superior derecha, que puede ver en la figura 8.14, le permite instalar todas las actualizaciones a la vez. También puede actualizar programas individualmente haciendo clic en el botón **Get Update** (Obtener actualización), junto al nombre de cada aplicación.

Si no recibe ninguna notificación en iTunes pero quiere buscar actualizaciones de todas formas, haga clic en el icono **Aplicaciones** para mostrar todas las aplicaciones descargadas y, después, haga clic en Buscar actualizaciones, en la parte inferior de la ventana. Una vez que descargue sus actualizaciones, sincronice su iPad para instalarlas en la tableta.

Figura 8.14. *Pulse el botón para descargar todas las actualizaciones a la vez.*

⬤ ⬤ ⬤ SOLUCIÓN DE PROBLEMAS CON LAS APLICACIONES

La mayoría de programas de la App Store funcionan bien pero, ocasionalmente, algo puede fallar. Puede que las pruebas de calidad no detectaran un error informático. O puede que una actualización de software del iPad cambiara el modo en el que sistema operativo interactúa con la aplicación.

Sea cual sea el motivo, puede dar algunos pasos para intentar que la aplicación vuelva a funcionar bien en su iPad:

- **Reiniciar el iPad:** Si acaba de instalar un juego grande como Star Wars: Trench Run u otra aplicación compleja, es buena idea reiniciar el iPad para detener el resto de aplicaciones y hacer que este nuevo software tenga un nuevo comienzo con el sistema operativo; del mismo modo que es una buena costumbre reiniciar su ordenador cuando instala nuevas programas.

- **Buscar actualizaciones:** Algunas aplicaciones pueden haber salido al mercado demasiado rápido. El desarrollador, expuesto a clientes molestos y malas críticas en la App Store, publica rápidamente una versión actualizada de la aplicación solucionando el problema. También es buena idea enchufar el iPad al ordenador cada cierto tiempo para buscar actualizaciones de software (véase la figura 8.15).

Figura 8.15. *Puede comprobar si existen actualizaciones disponibles.*

Nota

Algunas aplicaciones están diseñadas para funcionar solamente con ciertas funciones del iPad, como el GPS o la red móvil. Antes de que se arranque el pelo desesperado intentando averiguar por qué su nueva aplicación no hace lo que debería hacer, vuelva a la página de la App Store y compruebe los requerimientos del sistema para comprobar si, realmente, debería funcionar en su modelo de iPad.

- **Eliminar y reinstalar la aplicación:** Quizá algo salió mal durante el proceso de instalación, cuando compró la aplicación, o una pieza ha resultado dañada de alguna manera. Si una aplicación se vuelve loca, pruebe a desinstalarla, reiniciar el iPad y descargar de nuevo el programa desde la App Store. Si se trata de una aplicación de pago, puede descargar una nueva copia de la misma versión de forma gratuita. Para estar seguros, la App Store muestra una alerta pidiéndole que confirme que quiere descargar esta aplicación de nuevo. La instalación de una nueva copia del software servirá si, por ejemplo, su aplicación de Facebook se bloquea queda vez que sube una foto.

Biblioteca ≣ Comprar **Carla Montero Magiano**　　　　　**La tabla esmeralda** AᴀＡ 🔍 🔖

La carta de un nazi

Mientras Konrad se concentraba en la pantalla del iPhone para responder un e-mail, me incorporé sobre la mesa para admirar con auténtico deleite la obra de arte que acababan de exponerme frente a los ojos: el manejo de los colores y la texturas, los volúmenes, la proporción que reinaba en todo el conjunto y la forma en que la luz se reflejaba en cada una de las superficies en un juego aparentemente casual de mates y brillos.

Pero sobre todo, el olor... Mmm, ese increíble aroma a chocolate de la mejor calidad. Un olor que activaba la parte más sensual de mi cerebro. Yo soy de letras y ni remotamente sabría el nombre exacto de esa parte de la anatomía, sólo sé que la fragancia del chocolate me excita de una forma realmente poderosa. Fondant de ca-

cao de Java al setenta
damomo... Nada, a
mundo podría igual
portaba que Rafa, el
cada temporada la ca
te gastronómico más
pedía el mismo postr

—¿Es que no piens
Sin levantar la vista

—Ya estoy hacién
tual. El disfrute de e
estímulos visuales y
entenderlo —conclu

Efectivamente, Kc
maldición. La de po
hecho, acostumbraba a terminar las comidas con vino tinto. Se bebía pausadamente una copa de gran reserva mientras yo me manchaba las comisuras de los labios con cualquier cosa que fuera dulce.

—Pues sería deseable que hoy abreviases tu ritual. Quiero que veas algo y no me gustaría

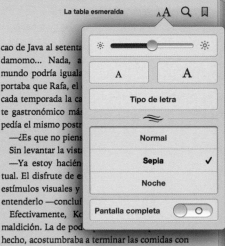

Leer iBooks y periódicos electrónicos

Los libros en un formato fácil de usar llevan entre nosotros más o menos desde el siglo II d. C. Pero, ahora, los libros electrónicos están atrayendo a muchos usuarios, que se alejan del mundo de la tinta, el papel y las pequeñas lamparitas con clip para el libro. El Kindle Fire de Amazon, el Nook de Barnes & Noble y el Sony Reader se encuentran entre los grandes nombres del patio de recreo del libro electrónico, pero el iPad también está armando revuelo.

Con su pantalla táctil en color de gran resolución, el iPad lleva la experiencia de la lectura electrónica a un nuevo nivel. Es cierto que el Kindle Fire y el Nook tienen pantallas a color, siendo el primero mucho más barato, pero la gran pantalla brillante del iPad hace que libros, periódicos y revistas tengan un aspecto sensacional.

Los propios libros (sobre todo los nuevos libros de texto de Apple) se han convertido en creaciones interactivas. Además del acceso al diccionario integrado del iPad, muchos títulos tienen textos que aceptan búsquedas, notas al pie hipervinculadas y notas al margen y marcadores integrados que hacen del proceso de leer algo más atractivo y eficiente. Así que, siga leyendo para comprobar lo divertido que puede ser leer libros, revistas y periódicos en su iPad.

DESCARGUE LA APLICACIÓN IBOOKS

Antes de poder comprar y leer un libro electrónico de Apple en su iPad, debe hacer dos cosas: volver a calibrar su cerebro, porque Apple denomina a los libros electrónicos iBooks y, después, entrar en iTunes App Store para descargar la aplicación gratuita iBooks. La puede obtener de dos maneras.

- **En el iPad:** Consiga la aplicación iBooks pulsando el icono de App Store en la pantalla de inicio. Si no aparece un mensaje de alerta de iOS con una invitación para descargar directamente la aplicación, siempre podrá encontrarla por su cuenta. Puede que vea un icono **iBooks** en la página principal de App Store, o puede pulsar el cuadro de búsqueda en la parte superior de la pantalla, introducir **iBooks** y esperar a que aparezca la aplicación. Después, pulse el botón para instalar el programa.

- **En el ordenador:** Si su iPad se encuentra fuera del rango de red o si prefiere obtener sus aplicaciones a través del ordenador, puede conseguir iBooks mediante iTunes. Abra el gestor de contenidos, haga clic en el vínculo de iTunes Store, pulse la ficha App Store y busque ahí la aplicación iBooks. Una vez que descargue la aplicación, deberá sincronizar su iPad con iTunes para instalarla en su tableta. Puede comprar libros a través de la aplicación, como veremos a continuación, o a través de iTunes Store, para que lleguen automáticamente a su iPad o para que se copien cuando sincronice con iTunes.

Nota

¿Saltó directamente a este capítulo porque estaba interesado en los mecanismos de Apple en relación al libro electrónico? Si se encuentra un poco perdido, diríjase al capítulo anterior, en el que obtendrá una visión general del mundo de las aplicaciones y verá cómo abrir una cuenta iTunes, la cual es necesaria para comprar los libros.

ACUDIR A LA TIENDA IBOOKSTORE

Para acceder a todos los libros electrónicos que Apple ofrece en su iBookstore, primero debe abrir la aplicación iBooks (Véase la figura 9.1). Búsquela en su pantalla de inicio y ábrala. Cuando la aplicación se despliegue en su pantalla, verá una estantería virtual como la que se observa en la figura 9.2. Aquí es donde irán a parar todos sus libros descargados.

Figura 9.1. *Pulse el icono de iBook para comenzar.*

Estas estanterías, que puede ver en la figura 9.2, son lo que se conoce como su biblioteca. Al igual que una biblioteca física, acude aquí cada vez que quiere un libro nuevo. Para regresar a su estantería desde un libro o desde la página de información de un libro de iBookstore, pulse el botón **Biblioteca** de la esquina superior izquierda.

Figura 9.2. *Encontrará sus estanterías listas para que las llene de libros.*

Figura 9.3. *Pulse el botón Tienda para comprar nuevos libros.*

Así que, ¿cómo compra libros para llenar sus estanterías vacías? Al igual que con otras aplicaciones del iPad, incluyendo Música y Vídeos, busque en la barra de menú un botón denominado **Tienda**. En la aplicación iBooks se encuentra en la esquina superior izquierda de la estantería (véase la figura 9.3). Por lo que respecta al botón **Colecciones**, cuando tenga unos cuantos libros, podrá ordenarlos por grupos. Pulse el botón **Tienda** y, siempre que tenga una conexión a Internet, aparecerá en iBookstore.

⬤ ⬤ ⬤ BUSCAR LIBROS

Una vez que pulse **Tienda** en e iBooks, su iPad le conduce a iBookstore, que se parece a las tiendas iTunes y App Store pero con libros en lugar de música, vídeos y programas de televisión. La navegación y la búsqueda funcionan también de forma parecida.

El escaparate principal muestra temas en rotación, como best-sellers, títulos populares y libros que el personal de iBookstore encuentra interesantes. Si busca libros de un tema concreto, pulse el botón de **Categorías** (véase la figura 9.4) y seleccione de la lista en pantalla.

Junto a **Categorías**, los otros cinco iconos de la parte inferior de la pantalla clasifican los libros en otros grupos:

- **Destacado:** Ésta es la pantalla principal de iBookstore. Muestra títulos nuevos y géneros destacados. Diríjase a la parte inferior de la pantalla para encontrar vínculos de libros en venta, libros sobre un tema, categorías especiales de libros, ejemplares gratuitos y libros tan tentadores que la gente los pide por anticipado. Los botones de la parte inferior de todas las pantallas de la tienda le permiten iniciar o cerrar sesión con su cuenta de Apple, enviar tarjetas de regalo de iTunes u obtener ayuda técnica.

- **Top charts:** Púlselo para ver una lista con los libros más populares que la gente compró con sus iPad, así como una lista de los libros gratuitos más populares que los lectores están descargando.

Figura 9.4. *Las categorías se presentan en listas de libros.*

- **Navegar:** Púlselo para obtener una lista de autores y categorías a examinar en orden alfabético. Encontrará listas de títulos de pago y gratuitos.

- **Comprados:** Pulse aquí para ver una lista de sus compras previas. Pulse el botón **Todo** para ver todas las compras o pulse **No en este iPad** para ver títulos comprados que no están en la tableta, por lo que no puede descargar una copia. Más adelante, en el libro, explicamos cómo descargar sus libros a todos sus dispositivos conectados con iTunes.

Para buscar por título o autor, pulse el cuadro de búsqueda en la parte superior de la pantalla de la tienda. Cuando aparece el teclado, comience a introducir el título o el nombre del autor. Según escribe, el iPad muestra una lista de libros y autores coincidentes (véase la figura 9.5). Pulse el botón **Cancelar** para detener la búsqueda.

Figura 9.5. *Los resultados de sus búsquedas se muestran en listas.*

Pulse sobre la cubierta de un libro para obtener más información; una descripción del libro, clasificaciones por estrellas, críticas de otros lectores, ejemplos de otros libros que han comprado esos lectores e incluso un botón para descargar una muestra gratuita del libro como puede ver en la figura 9.6). ¿No resulta esto más sencillo que apoyarse en estanterías de madera mientras le empujan otros clientes o le molestan niños sueltos mientras busca en una librería física? También puede pulsar el botón del precio para comprarlo directamente.

Después de leer un libro, puede volver a su página de información y ofrecer su granito de arena respecto a la historia. Pulse las estrellas para dar una valoración sin palabras o pulse Escribe una reseña para escribir una crítica más completa. Deberá iniciar sesión con su cuenta para clasificar y criticar libros; no se puede hacer de manera anónima.

Figura 9.6. *Puede comprobar que la ficha de los libros es muy completa.*

⬤ ⬤ ⬤ COMPRE Y DESCARGUE UN LIBRO

Cuando encuentra un libro que, sencillamente, tiene que tener en su biblioteca digital, pulse el botón del precio, que se transforma entonces en **CONSEGUIR LIBRO** (véase la figura 9.7). Púlselo, introduzca su nombre de usuario y contraseña para que Apple tenga una tarjeta en la que cargar la compra y deje que comience la descarga.

Figura 9.7. Pulse el botón para efectuar la compra.

En la biblioteca de su iPad, a la que siempre puede acceder pulsando el botón **Biblioteca** en la esquina superior izquierda de la pantalla de la tienda, aparecerá la cubierta del libro en la estantería, como puede ver en la figura 9.8. Una barra azul de progreso de la descarga va creciendo sobre la cubierta para indicar cuánto del archivo se ha descardado.

Figura 9.8. El nuevo libro se descarga en su biblioteca.

La mayoría de libros entran en su iPad en cuestión de un par de minutos, pero esto puede variar dependiendo de la congestión de la red. Cuando se completa la descarga, su libro aparece en la librería con una llamativa cinta azul con la palabra "Nuevo" en la cubierta (véase la

Figura 9.9. Observe los libros nuevos en la biblioteca.

figura 9.9). Los capítulos de muestra gratuitos se muestran con una cinta roja que indica "Muestra".

⬤ ⬤ ⬤ ENCUENTRE IBOOKS GRATUITOS

La mayoría de iBooks cuestan entre 4 y 15 euros, bastante menos que los 25-30 euros que paga por los ejemplares nuevos de tapa dura. Pero en la tienda de iBook no todo es cuestión de dinero. También ofrece más de cien libros electrónicos completamente gratuitos en sus estanterías virtuales.

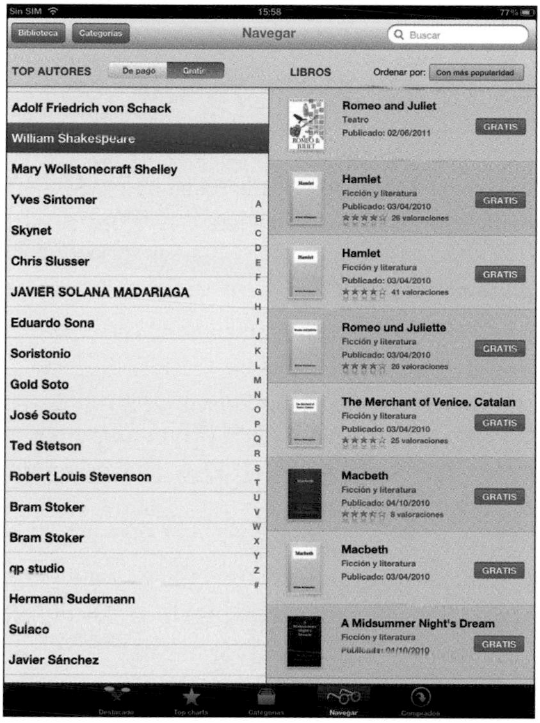

Para encontrar este tesoro de literatura gratuita, pulse Navegar en la parte inferior de la pantalla de iBooks. Aparecerá una lista alfabética de nombres. Pulse el botón **GRATIS**, que puede ver en la figura 9.10 y, después, pulse sobre un autor para ver si tiene alguna obra en el cajón definitivo de las rebajas. Una pista: los autores anteriores a 1923 suelen aparecer aquí.

Si quiere estrechar su campo dentro de las obras gratuitas, pulse **Categorías** en la parte superior de la pantalla y elija un

Figura 9.10. *Pulse el botón GRATIS para buscar obras sin coste.*

tema. Pulse sobre una cubierta para leer una sinopsis y descubrir lo que piensa del libro otra gente. Pulse el botón **CONSEGUIR LIBRO** para descargarlo; también puede obtener una muestra del libro pero, ya que es gratis, vaya a por él directamente.

La mayoría de títulos gratuitos son obras clásicas de la literatura que ya no tienen derechos de autor y, por tanto, son de dominio público. De hecho, puede que haya leído algunas de ellas en el colegio. Entre ellas puede encontrar "El arte de la guerra", de Sun Tzu, "Las aventuras de Sherlock Holmes", de Arthur Conan Doyle y las obras completas de Shakespeare.

También puede descargar "Ulises" de James Joyce. Aunque el iPad pesa algo más de medio kilo, seguramente sea más ligero que las copias de bolsillo de esta épica novela irlandesa de más de 700 páginas.

Los libros gratuitos no serán los más lujosos de su biblioteca, al menos en el exterior. Pero, aunque las versiones gratuitas no suelen tener colores llamativos de cubierta, seguro que no consigue un precio mejor.

SINCRONIZAR LOS LIBROS UTILIZANDO ITUNES

Como se explica más adelante en el libro, iTunes es la vía tradicional para mover archivos entre su ordenador y su iPad. Es cierto, siempre puede obtener una nueva copia de iCloud si la necesita o hacer que el libro se descargue automáticamente del aire. Pero, ¿qué sucede si no tiene una conexión a Internet en el momento o no quiere utilizar iCloud por el motivo que sea?

Aún así, puede guardar copias de seguridad en su ordenador sincronizando su iPad con iTunes. Y no importa cómo copie sus contenidos, las copias de seguridad le provocarán menos quebraderos de cabeza si tiene que restaurar el software de la tableta o si accidentalmente borra un libro que no había terminado de leer.

Para sincronizar su iPad con iTunes, conecte la tableta a su ordenador a través de iTunes con Wi-Fi o el cable USB. Si ha comprado iBooks anteriormente, seleccione Archivo>Transferir compras de iPad para copiarlas en iTunes por seguridad.

Ya que seguramente su ordenador tenga más espacio de disco que su iPad, también puede utilizar iTunes para sincronizar libros, sacándolos y metiéndolos en la tableta cuando los necesite, conservando así espacio de disco en su iPad. Haga clic en el icono del iPad en la lista fuente del iTunes, después haga clic en la ficha Libros. Active la casilla junto a Sincronizar libros. Si quiere seleccionar libros de forma selectiva, pulse Libros seleccionados (véase la figura 9.11) y active las casillas junto a los libros que desea. Haga clic en **Aplicar** y, después, en el botón **Sincronizar** para que se lleve a cabo. De esta forma también puede sincronizar audiolibros.

Además de los libros electrónicos, la aplicación iBooks también gestiona archivos PDF como los que llegan adjuntos a mensajes de correo electrónico (pulse sobre el adjunto y seleccione Abrir con iBooks en la parte superior de la pantalla) o aquellos que sincroniza a su iPad arrastrándolos a su biblioteca iTunes. Para encontrarlos en su iPad, inicie la aplicación iBooks, pulse el botón **Colecciones** en la esquina superior izquierda y seleccione PDF del menú.

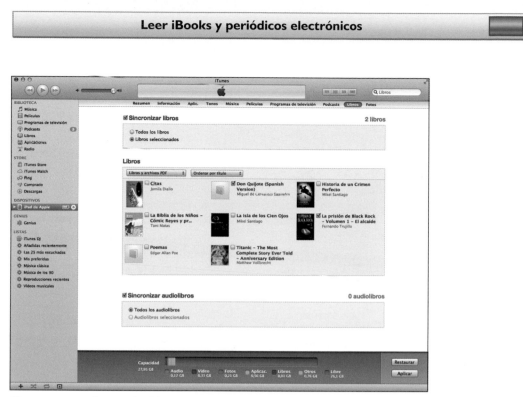

Figura 9.11. *Seleccione los libros que quiere sincronizar.*

LEA OTROS LIBROS ELECTRÓNICOS EN EL IPAD

iBookstore no es el único sitio en el que puede conseguir libros electrónicos. Los gigantes Amazon y Barnes & Noble tienen sus propias aplicaciones para iPad que le permiten leer el catálogo de sus propias librerías en línea.

Sólo necesita la aplicación de lectura oficial, Kindle para Amazon y Nook para Barnes & Noble (véase la figura 9.12) y una cuenta con la empresa para que puedan cargar sus compras; su anterior cuenta Amazon o B&N (con su información de pago) servirá. Si no tiene un historial de compra con la empresa, dirija su Safari a Amazon.es o Bn.com y regístrese.

Figura 9.12.
Iconos de las aplicaciones Kindle y Nook.

Lance Safari para buscar y comprar libros en los sitios Web de estas empresas. Cuando lo haga, abra la aplicación de lectura correspondiente para sincronizar sus nuevas compras. Después, pulse el título del libro para empezar a leer. Por seguridad se guarda una copia de sus compras en su cuenta en línea.

Puede descargar libros electrónicos de muchos sitios diferentes. Introduzca **libros electrónicos** en su buscador favorito para encontrarlos. Los libros electrónicos utilizan el popular formato ePub, así que puede leer cualquier libro digital que tenga la extensión `.epub`; asegúrese de que el archivo no contiene DRM (Gestión digital de derechos) que solicite una contraseña antes de leer. La mayoría de sitios de libros electrónicos identifican el formato del libro.

Un sitio donde conseguir archivos ePub no protegidos es en el sitio de Project Gutenberg. Fundado en 1971, Project Gutenberg es un trabajo de voluntariado que recopila y distribuye gratuitamente grandes obras de la literatura universal. Para buscar y descargar libros de la colección, visite Gutenberg.org.

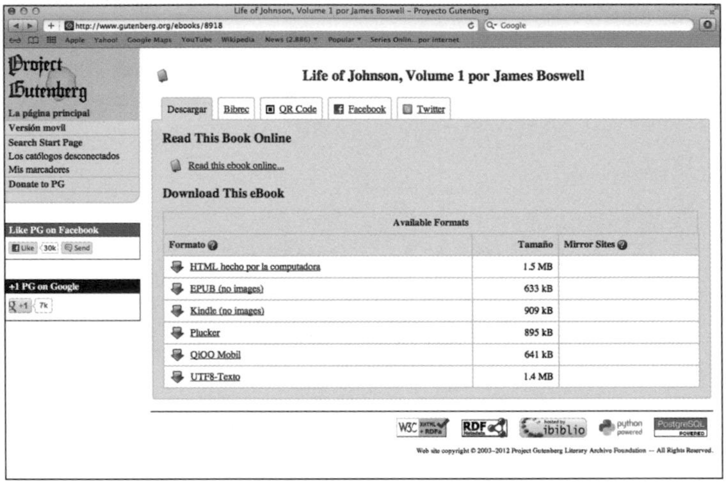

Figura 9.13. *Busque los archivos ePub.*

Puede buscar libros específicos, que suelen estar disponibles en varios formatos. Encuentre un libro en formato ePub, como el que puede ver en la figura 9.13, y descárguelo en su ordenador. Para incluir el libro en su iPad, seleccione Archivo>Agregar archivo a la biblioteca. Una vez que el archivo se encuentra en iTunes, sincronícelo con el iPad, como se ha descrito previamente. En su iPad, el archivo tendrá el aspecto de un iBook normal.

LEER UN IBOOK

Por supuesto, leer un iBook no es lo mismo que abrir un volumen forrado en cuero mientras se relaja en un sillón. Pero, en realidad ¿quién lee libros de esa manera, aparte de los personajes de Downton Abbey?

Leer libros en el siglo XXI puede suponer desde hojear "La vida de Samuel Johnson" de Boswell en un teléfono móvil a engullir la última obra épica de Danielle Steel en el gran lector Kindle DX.

Y después está el método iPad. Abra un libro de su biblioteca y pulse sobre una de sus páginas para ver estos controles (véase la figura 9.14):

1. **Biblioteca:** Pulse aquí para dejar el libro actual y volver a las estanterías de iBooks.

2. **Contenidos:** Pulse este botón (≣) para ver un índice del libro; pulse un capítulo para saltar a ese punto del libro. Pulse **Favoritos** para ver su lista de favoritos.

3. **Comprar:** ¿Está leyendo un capítulo de muestra? Si le gusta lo que lee, pulse **Comprar** para su adquisición casi instantánea.

4. **Navegador de páginas:** Arrastre el pequeño deslizador marrón de la parte inferior de la página para avanzar o retroceder rápidamente por las páginas del libro. Cuando mueve el cuadrado en cualquier dirección, aparecen palabras clave y números de páginas en pantalla.

El iPad muestra los libros en modo vertical o apaisado. Pulse la pantalla en cualquiera de las dos vistas para que aparezcan los controles del iBook. Leer los iBook es probablemente la razón por la que la mayoría de la gente utiliza el bloqueo de orientación del iPad. Activar el bloqueo evita que la pantalla gire cuando intenta leer en la cama, por ejemplo.

Para pasar página en un iBook, pulse el margen derecho para ir hacia delante y el izquierdo para ir hacia atrás. Puede arrastrar la esquina de la página con el dedo para conseguir el efecto de una página real pasando (véase la figura 9.15), aunque puede que esto ralentice la acción en medio de un thriller fascinante.

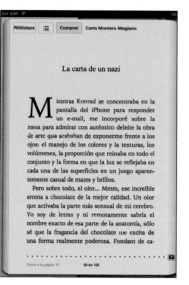

Figura 9.14. *En cada página de su iBook dispondrá de los controles para gestionar su lectura.*

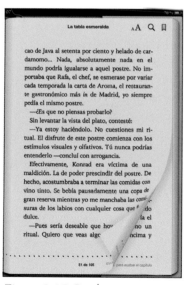

Figura 9.15. *Puede pasar página como en un libro real.*

5. **Formato del libro:** Este botón (ₐA) ofrece un menú de controles para el brillo de la pantalla, tamaño y tipo de fuente, el color del fondo de la página y la vista a pantalla completa. Enseguida explicamos algunos inconvenientes.

6. **Búsqueda:** Pulse la lupa para obtener un cuadro de búsqueda en el que podrá introducir palabras clave para ver dónde se mencionan en el libro. También puede buscar en la Web y en Wikipedia.

7. **Marcapáginas:** Pulse aquí el icono del marcapáginas para guardar su lugar en el libro.

CAMBIAR LA FUENTE DE UN IBOOK

Algo que no puede hacer con un libro impreso es aumentar o disminuir su fuente para que se ajuste a las necesidades de sus ojos y no a las del diseñador del libro.

Esto en el iPad no sucede. Gracias al software de iBooks, puede aumentar o disminuir la fuente de un libro o cambiar su aspecto. Pulse el icono (ₐA) en la parte superior de la página. Aparecerá un cuadro como el que se observa en la figura 9.16. Pulse la

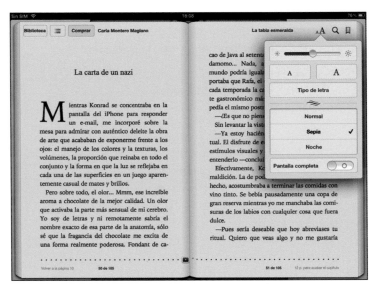

Figura 9.16. *En el cuadro encontrará varias opciones para personalizar el libro.*

A en versalita para disminuir el texto en pantalla o pulse la **A** mayúscula para aumentarlo. El tamaño cambio cuando pulsa, por lo que verá de inmediato lo que le gusta más.

Para cambiar el tipo de fuente del texto, pulse el botón **Tipo de letra** del cuadro y pulse el nombre del tipo en la lista que se despliega. El nombre aparecerá en su propio estilo de fuente, para que pueda ver su aspecto en pantalla. Pulse en la página cuando termine.

¿Odia leer en brillantes páginas blancas? Ajuste la luminosidad de la página moviendo el deslizador, que sólo afecta a la pantalla del iBook. Para cambiar el tono de la página, pulse el botón **Tema** (no mostrado en la figura) para que se despliegue un menú con los posibles fondos. Pulse **Sepia** para darle a la página un tono beige o pulse **Noche** para cambiar el fondo a negro con el texto en blanco; una buena opción para leer en la cama sin tener que encender la luz de la habitación.

Y si quiere descartar todo el aspecto del libro virtual, active la opción Pantalla completa para llenar la pantalla del iPad con texto puro sin adornos.

● ● ● BUSCAR EN UN IBOOK

¿Necesita marcar una palabra o frase del libro para encontrar un pasaje concreto o ver cuántas veces aparece esa palabra en el texto? El iPad le ayuda a hacerlo. Puede comenzar de dos maneras.

1. Pulse el icono de la lupa en la parte superior del libro. Cuando aparezca el teclado (véase la figura 9.17), introduzca las palabras clave y pulse la tecla **Buscar**. Sus resultados llegarán enseguida.

2. Si se encuentra en medio de una página, mantenga pulsada la palabra que quiere buscar. Aparecerá un cuadro sobre la palabra con cuatro opciones: Definir/Resaltar/Nota/ Buscar. Pulse Buscar y deje que el iPad le ofrezca una lista de resultados en contexto (véase la figura 9.18).

Y si quiere más información sobre la palabra buscada, la tableta ofrece botones

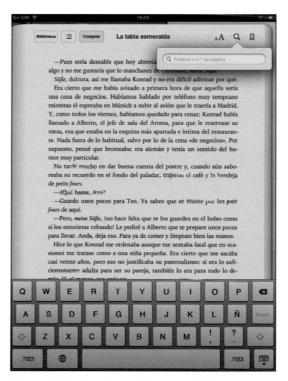

Figura 9.17. *Introduzca el texto y pulse Buscar en el teclado.*

para buscar en Google y Wikipedia. A ver cómo hace eso una copia impresa en tapa dura de "El Lazarillo de Tormes".

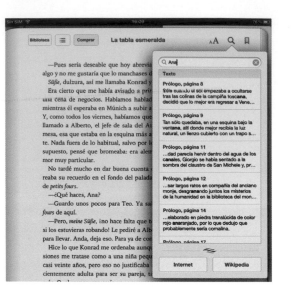

Figura 9.18. *Marque una palabra y obtendrá una lista de resultados.*

CREAR MARCAPÁGINAS Y NOTAS AL MARGEN

Incluso aunque salga abruptamente de la aplicación iBooks y salte a otro programa, el iPad recuerda qué libro estaba leyendo y por qué página iba. Si estaba leyendo un libro denso y complicado y quiere recordar exactamente dónde lo dejó (o quiere marcar un pasaje para futura referencia), puede colocar un marcapáginas digital o resaltar el texto en la página.

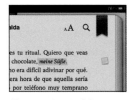

Para guardar el sitio, pulse el icono del marcapáginas (▮) en la esquina superior derecha. Para marcar un punto concreto del texto, haga doble clic sobre una palabra para seleccionarla (o arrastre los puntos azules de selección para marcar más palabras). Cuando aparezca el cuadro Definir/Resaltar/Nota/Buscar, pulse Resaltar para subrayar el texto seleccionado, como se observa en la figura 9.19. Elija Nota para crear una nota digital que puede dejar en el margen. También puede copiar y pegar texto en las notas al margen cuando las abre.

Figura 9.19. *Marque el texto que quiere seleccionar.*

Para ver las notas que ha creado, pulse el icono **Contenido** (☰) en la esquina superior izquierda de la página del libro y, después, el botón **Notas**, que puede ver en la figura 9.20. Verá una lista de sus notas que le indica cuándo las creó. Pulse **Marcadores** en la página de contenidos para saltar a ese punto o pulse **Seguir** para volver a la página en la que estaba. Pulse un marcapáginas o una nota y pulse **Borrar** para eliminarla. Pulse el icono (📧) para imprimir o enviar notas por correo electrónico.

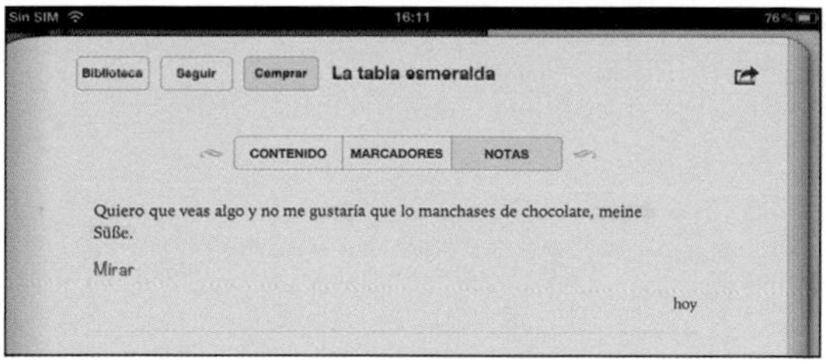

Figura 9.20. *Pulse Notas para ver una lista ordenada de sus anotaciones.*

¿Odia el color del texto, el subrayado rojo o quiere eliminar la marca de un texto? Pulse el texto para seleccionarlo y, en el cuadro que aparece, elija un color diferente pulsando uno de los puntos (véase la figura 9.21). Pulse el círculo con la franja roja para eliminar un subrayado o nota. Al final de la barra de menú, pulse el icono de la nota para crear una nueva nota o pulse el icono (▶) para que aparezcan las opciones Definir y Buscar.

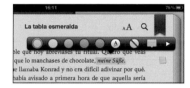

Figura 9.21. *Dispone de varias opciones para marcar el texto.*

Nota

¿Su iBook incluye algunas palabras en azul? Son hipervínculos que saltan a la sección de notas finales para que pueda ver la fuente de referencia del contenido vinculado; un vínculo en la nota regresa a la posición original. Verá que esto suele ocurrir más a menudo en los libros de no ficción.

BORRAR U ORGANIZAR LIBROS

Los bibliófilos saben lo fácil que resulta amasar pilas de libros y revistas. Normalmente, es más sencillo deshacerse de las revistas ya que no tienen ese sentimiento de permanencia que sí tiene un libro. El iPad habitualmente borra viejos números desde la aplicación de la propia revista o desde Quiosco, como veremos enseguida. Pero con los libros puede ser diferente. Veamos cómo devolver algo de espacio de disco al iPad.

Si tiene que deshacerse de un libro (o enviarlo a otra parte), aquí tiene algunas formas de hacerlo:

1. En la pantalla de la estantería, pulse **Editar** en la esquina superior derecha. Pulse el libro que quiere eliminar, pulse el botón rojo **Eliminar** (véase la figura 9.22) y, después, confirme la acción.

Figura 9.22. *Eliminar un libro de la estantería.*

2. Otra forma de borrar libros es a través de iTunes. Conecte el iPad a su ordenador, pulse la ficha **Libros**, desactive la casilla junto a **Títulos no deseados** y, después, haga clic en **Aplicar** o **Sincronizar**. iTunes elimina los libros del iPad pero conserva una copia para futura referencia.

3. ¿Quiere eliminar varios libros a la vez? La pantalla **Vista de lista** del iPad es genial para la gestión de la biblioteca. Para abrirla, pulse el icono (≣), después **Estante** y, luego, el botón **Editar**. Pulse el botón junto a cada libro que quiera eliminar y, por último, el botón **Eliminar** en la parte superior de la pantalla.

4. Ahora que ha recortado sus propiedades literarias, puede continuar la limpieza en la **Vista Lista**. Por ejemplo, utilice el icono (≣) para arrastrar los títulos a un nuevo orden.

5. También puede organizar sus libros por colecciones; digamos, todos los libros de misterio juntos. Seleccione los libros relevantes y pulse el botón **Mover**. Aparece un cuadro que le permite crear nuevos grupos para los títulos seleccionados. Más tarde, puede acceder a la colección pulsando el botón **Colecciones** (véase la figura 9.23) de la parte superior de la pantalla de la biblioteca.

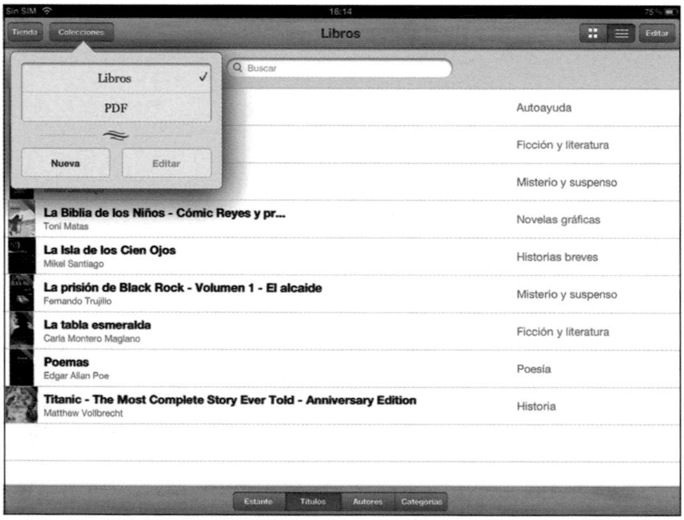

Figura 9.23. *Gestione sus colecciones desde este cuadro.*

UTILICE EL QUIOSCO PARA SUS PERIÓDICOS Y REVISTAS

Como habrá visto en este capítulo, el iPad es un gran medio para almacenar cientos de libros en un conveniente formato electrónico. Pero, ¿qué sucede si le gustan más las lecturas cortas, como las revistas o los periódicos? El iPad hace que resulte sencillo hacerlo. Esto se debe a que cuenta con una aplicación denominada Quisco en su pantalla de inicio.

Cuando abre la aplicación Quiosco, verá unas estanterías que le resultarán familiares. Pero si pulsa el botón **Store** en esta estantería (véase la figura 9.24), el iPad le conduce a una parte específica de App Store, la que contiene periódicos y revistas que puede comprar, descargar o a los que puede suscribirse.

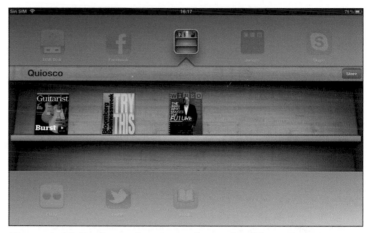

Figura 9.24. *Puede acceder a la tienda si pulsa el botón Store.*

La tienda muestra cada publicación electrónica como si fuera una aplicación, ofreciendo el precio, las valoraciones y otros datos. Pulse sobre el título para saber más, comprar un número o suscribirse. La factura por sus compras se dirigirá a la tarjeta de crédito vinculada a su ID de Apple.

Si se suscribe a una publicación electrónica, la aplicación obtiene automáticamente cada nuevo número y le envía una notificación (si configuró los ajustes para que lo haga). La aplicación también le muestra los números que le esperan, con un círculo rojo en el icono **Quiosco**. Ábralo para ver lo que le espera en las estanterías digitales.

Capítulo 10

JUEGOS

Con los libros, la música y los vídeos digitales dentro de su iPad de cristal y metal, tiene muchas opciones para el entretenimiento. Pero si quiere jugar, en lugar de sentarse y darle al Play, su tableta también hace la función de una estupenda consola de alta definición. Podrá liquidar zombies, derrocar gobiernos y dar salida a su Fernando Alonso interno. También podrá rememorar sus días gloriosos con el arcade, pero en lugar de colocarse delante de una máquina del tamaño de una cabina telefónica, su destino estará en sus manos, literalmente.

Los juegos del iPad no son simplemente juegos del iPhone agrandados a las proporciones de la tableta. Los espabilados creadores de juegos han devuelto a las tiendas los títulos más populares en el tamaño de pantalla de 9,7 pulgadas del iPad. Como resultado, disfruta de mejores gráficos (sobre todo en el caso de la última pantalla Retina) y modos de juego, con mucho espacio para moverse. Esa pantalla grande hace que sea más sencillo que jueguen dos personas a la vez. Y gracias a la red Game Center de Apple, ni siquiera necesita encontrarse en la misma habitación que su compañero de juegos.

El iPad soporta todo tipo de juegos, desde los básicos de cartas como el póquer, hasta los de disparos de alta velocidad con avatares en 3D y bandas sonoras palpitantes. Este capítulo le muestra cómo encontrar los juegos que desea y cómo incluirlos en su iPad. Sin embargo, no le explica cómo ganar; tendrá que descubrirlo por su cuenta.

ENCONTRAR JUEGOS PARA EL IPAD

Para comenzar su caza de juegos, diríjase a App Store o compruebe las recomendaciones de la aplicación Game Center integrada. Puede comprar y descargar juegos en App Store, en su iPad o en iTunes, desde donde podrá sincronizarlos a su iPad.

Para navegar por la
iTunes Store en su PC
o Mac, seleccione App
Store>Juegos o App
Store>Game Center. Para
encontrar juegos en su iPad:

*   Diríjase a App Store>
    Categorías>Juegos
    para ver una muestra de
    títulos, como se observa en
    la figura 10.1. Para buscar
    por tipo de juego, como
    Aventura, pulse el botón
    Juegos de la parte superior
    de la pantalla.

Figura 10.1. *Busque juegos en Game Center.*

*   Navegue por la sección Lo
    último para ver los títulos recién llegados.

*   Pulse la opción Top charts en la parte inferior de la pantalla y, después, el botón
    Categorías en la barra de menú; elija **Juegos** para ver los títulos más vendidos y
    los juegos gratuitos más populares (los juegos son un pasatiempo popular y suelen
    encontrarse entre los productos más vendidos de App Store).

*   Pulse el cuadro de búsqueda en la esquina superior derecha e introduzca palabras clave
    para encontrar un tipo de juego concreto (**cartas**) o un título específico (**Texas poker**).

Pulse cualquier juego para ver su página de la tienda, que incluye requisitos del sistema,
clasificación por edad, pantallas de muestra y críticas. Cuando comprueba un juego,
asegúrese de que está diseñado para el iPad y no para el iPhone y el iPod Touch (a no ser que
le gusten los gráficos pixelados). Muchos juegos del iPad incluyen una etiqueta HD o títulos
autoexplicativos, como "Pac-Man para iPad".

Cuando encuentre un juego que le guste, pulse el botón del precio y, después, **COMPRAR
APP**.

● ● ● JUEGUE

Una vez que descargue un juego, aparecerá en la pantalla de inicio de su iPad, como cualquier otra aplicación. Ábrala cuando quiera jugar. ¿No sabe cómo? Busque una opción en la pantalla de inicio para consultar sus instrucciones (véase la figura 10.2). Algunos juegos incluso contienen un vínculo a demos o tráileres en YouTube que explican las reglas y la trama.

Figura 10.2.
Busque las instrucciones en el menú de inicio del juego.

Su iPad no incluye un controlador al estilo de la Xbox o la PlayStation y desde luego que carece de los controles sensibles al movimiento de la Xbox 360 + Kinect o la Nintendo Wii. Pero con su acelerómetro, su pantalla táctil sensible y su alta resolución, el iPad ofrece a los jugadores muchas formas de control sobre el juego.

Por ejemplo, en algunos juegos de coches, como Real Racing HD 2 (véase la figura 10.3), puede moverse por el circuito sosteniendo su iPad como un volante (tenga cuidado para que no se le caiga en mitad de una carrera). Otros juegos también ofrecen soluciones creativas. Por ejemplo, el juego de pesca Flick Fishing HD le permite lanzar una caña virtual al agua con un movimiento de muñeca.

Figura 10.3. *Utilice su iPad como el volante de un coche en este juego de carreras de coches.*

Los juegos de la vieja escuela que se jugaban con joystick, como Pac-Man, sitúan una versión virtual del conocido mando de color rojo en la esquina de la pantalla, como puede ver en la figura 10.4, si bien también podrá dirigir el disco amarillo con los dedos. En Flight Control HD, guiará los aviones hacia las zonas de aterrizaje arrastrando el dedo.

Truco

¿Se ha quedado estancado en un nivel del juego o tiene dificultades con él? Con una rápida búsqueda por Internet encontrará trucos, consejos y pistas para avanzar. Puede que los que hacen trampa nunca ganen, pero pueden intentar avanzar.

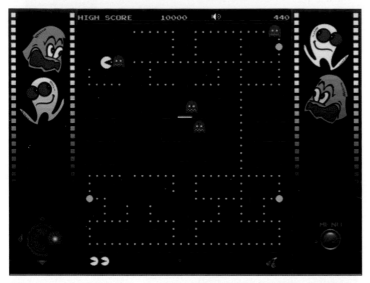

Figura 10.4. *El clásico Pac-Man también tiene su versión para iPad.*

⬤ ⬤ ⬤ REGISTRARSE EN GAME CENTER

A no ser que esté jugando al solitario, los juegos son más divertidos cuando los practica con más gente. La red Game Center de Apple le permite competir con miles de jugadores con dispositivos iOS alrededor del mundo. Puede añadir personas a su lista de amigos para competiciones rápidas, jugar con desconocidos en juegos multijugador y competir por el puesto más alto de la tabla. Así es como inicia su andadura en Game Center:

Figura 10.5. *Encontrará el icono de Game Center entre las aplicaciones de su iPad.*

1. Pulse el icono de Game Center en la pantalla de inicio del iPad y registre una cuenta (o utilice su ID de Apple, como se explica anteriormente en el libro). Apple factura los juegos que compre a esa cuenta. Después, como puede ver en la figura 10.6, elija un nombre de usuario; puede que tenga que probar varios hasta encontrar uno disponible.

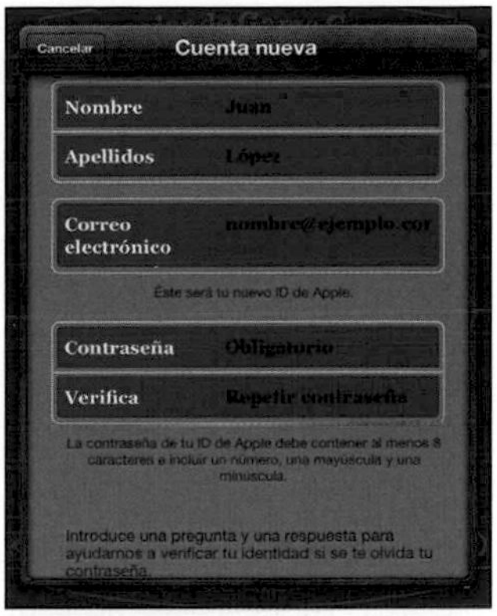

2. Incluya una foto para su perfil en Game Center, pulsando el marco Polaroid en pantalla. Elija **Hacer foto** (para tomarla en el momento) o **Seleccionar foto** (para escoger una buena foto de su aplicación Fotos).

3. Configure sus ajustes para obtener invitaciones a juegos y actualizar notificaciones y para que los miembros de Game Center puedan encontrarlo en relación con su dirección de correo electrónico. Si ya cs miembro de Game Center y no activó las notificaciones cuando se registró, puede hacerlo ahora desde la pantalla de inicio de Game Center, pulsando sobre su nombre de cuenta y, después, en **Ver cuenta**.

Figura 10.6. *Elija un nombre de usuario válido para su cuenta.*

4. Inicie una lista de amigos pulsando el icono (✚); enviará una invitación a una dirección de correo electrónico o un nombre de usuario de Game Center. Cuando sus amigos acepten, Game Center incluye sus nombres en su lista de amigos. Pulse la opción de **Solicitudes** para ver solicitudes pendientes de amistad de otros jugadores.

5. Una vez que configure su cuenta, es el momento de divertirse. Puede comprar juegos directamente en Game Center. Pulse el icono del programa y, después, **Buscar juegos de Game Center.** No todos los juegos de App Store se encuentran en Game Center, así que deberá acudir a la aplicación para más diversión.

6. Juegue. Pulse la opción **Amigos** para elegir a un compañero, pulse el nombre del juego y, luego, pulse **Jugar**. Su amigo recibirá una invitación y una vez que acepte el reto, pueden empezar.

Si su invitación resulta ignorada, envíe otra solicitud a otro amigo. El programa busca los marcadores más altos de los jugadores, incluso cuando compite en juegos multijugador. Para ver la tabla de marcadores, acuda a la pantalla de inicio de Game Center y siga **Juegos>[nombre del juego]>Tabla**.

Muchos juegos de App Store también pueden conectarse a OpenFeint, una red social de juegos que utilizan tanto usuarios de iPad como del sistema operativo Android de Google. Si un juego de App Store es compatible con OpenFeint, el iPad le ofrece la posibilidad de registrase o iniciar sesión en esa red. A partir de ahí, cuando inicie un juego compatible con ambas redes, el iPad le mostrará un cuadro para que elija su patio de juego favorito, como puede observar en la figura 10.7.

Figura 10.7. *Elija la red en la que desea jugar.*

● ● ● SOCIALICE CON GAME CENTER

La introducción del Game Center por parte de Apple en septiembre de 2010 fue el primer intento de la empresa por crear una comunidad exclusiva para jugadores de juegos iOS. Game Center se hizo popular rápidamente, con más de 50 millones de usuarios registrados en menos de un año. Y, aunque supuestamente Game Center fue ideado para hacer del juego una actividad más social (con listas de amigos, invitaciones para jugar y tablas de clasificación para avivar la competitividad), algunos pensaron que no era lo suficientemente social. En el segundo año de vida de Game Center, las actualizaciones del iOS 5 de Apple para iPad, iPhone e iPod Touch ofrecen nuevas funciones para la fiesta de los videojuegos:

- **Juegos por turno:** No todos los juegos son una batalla simultánea de estrategia e ingenio contra dos o más jugadores. Algunos juegos, como el ajedrez, se basan en turnos. Un jugador espera a que el otro realice un movimiento antes de decidir su curso de acción. Y, como se veía en los tiempos en los que la gente alrededor del mundo jugaba al ajedrez enviando por correo los movimientos escritos en postales, puede pasar bastante tiempo entre los movimientos. En lugar del servicio postal, Game Center se encarga de gestionar los turnos de los jugadores, manteniendo un registro de sus acciones y enviando notificaciones al otro jugador cuando le toca mover. Las alertas de estos juegos saltan en la pantalla de su iPad en tiempo real y también aparecen en la lista de Notificaciones. Game Center puede mantener fichas de varios juegos en los que puede estar participando a la vez.

- **Recomendaciones de juegos:** Al igual que el Genius de iTunes observa su colección de música para recomendarle canciones y discos de iTunes Store, Game Center también le seduce para que gaste más dinero. Basándose en el tipo de juegos que posee (juegos casuales con animales voladores, intensas simulaciones de combate, juegos de carreras, etc.), Game Center busca en su catálogo y le presenta algunas sugerencias. Para verlas, siga Juegos>Recomendaciones de juegos.

- **Recomendaciones de amigos:** Si le gustan ciertos tipos de juegos, es probable que haya gente ahí fuera con los mismos gustos y, quizá, puedan jugar juntos. Una vez iniciado, Game Center le ofrece actualizar su lista de contactos y relacionar miembros y juegos favoritos. Si prefiere que sus contactos sigan siendo privados, Game Center sigue teniendo en cuenta los juegos en los que participan sus miembros, analiza sus preferencias y le ofrece una lista de jugadores cuyos intereses coinciden con los suyos. Para verla, pulse el icono Amigos y, después, el panel de Recomendaciones de amigos, en la parte superior de la pantalla (debe tener, al menos, un amigo registrado para utilizar esta función). Game Center también le permite ver los amigos de sus amigos, en caso de que quiera convertirlos en amigos suyos también. Pulse Amigos en la parte inferior de la pantalla y escoja a un compañero. En la página de perfil de Game Center de esa persona, pulse el vínculo Amigos en la barra de herramientas horizontal para ver sus compañeros de juegos.

- **Logros:** Una vez que empiece a jugar con un grupo de amigos, puede que le interese ver cómo les ha ido en los juegos en los que han participado. Para comprobar la competición, pulse Amigos>[nombre del amigo]>Logros para ver una lista de los puntos de esa persona (véase la figura 10.8), así como sus propios marcadores en los juegos en los que participan ambos.

Figura 10.8. *Compruebe las puntuaciones de sus compañeros de juegos.*

> ## Truco
>
> *Aunque puede ser más un lucimiento que una actividad social, si tiene un Apple TV conectado a su televisión de alta definición y una veloz conexión inalámbrica (funcionando en el estándar 802.11n), puede impresionar a sus amigos transmitiendo el juego en su televisión con el video-mirroring de iOS 5. Como alternativa, si el juego soporta AirPlay, pulse su icono (*◄*) en la pantalla del juego y seleccione Apple TV del menú, para ver sus movimientos en la gran pantalla.*

PARTICIPE EN PERSONA EN JUEGOS MULTIJUGADOR

Game Center es estupendo si se encuentra en una habitación distinta que su oponente pero ¿qué pasa con las personas que no quieren registrarse en Game Center o quieren jugar esos juegos clásicos multijugador cara a cara con otra persona en la misma habitación? Ya sabe, esas personas que jugaban alrededor de un tablero, con refrescos y palomitas, cuando el juego era inherentemente social porque su retador estaba sentado justo en frente.

Muchos juegos del iPad son así todavía pero con un matiz: el tamaño y el potente procesador de la tableta animó a los desarrolladores a crear juegos a los que pudieran jugar dos personas en dos iPad diferentes a través de una conexión Wi-Fi o Bluetooth, así como juegos que puedan jugar dos en el mismo iPad, cara a cara, como cuando jugaba al Scrabble en la mesa de la cocina.

Hablando del Scrabble, es uno de los juegos que trae al mundo moderno los juegos multijugador, con nuevos niveles de creatividad. La versión para iPad, que puede ver en la figura 10.9, tiene muchos modos de juego, incluyendo uno en el que los amigos pueden competir entre ellos pasándose la tableta. Y si todos los jugadores son fans de Apple, existe una aplicación gratuita que convierte su iPhone o iPod Touch en un carísimo

Figura 10.9. *El Scrabble es un de los juegos clásicos que podrá disfrutar en su iPad.*

portafichas, mientras que el iPad funciona como tablero. Mantiene las fichas con las letras en su mano dispositivo hasta que es el momento mágico de pasarlas al iPad a través de la conexión inalámbrica.

Muchos de los juegos multijugador de App Store son versiones electrónicas de juegos populares como el póker o el hockey; básicamente, convierten su iPad en un tablero de diseño exquisito. Profundice un poco y encontrará todo tipo de juegos para grupos, incluyendo Monster Ball HD y el valorado Call of Duty: World at War: Zombies para iPad. Entonces, ¿cómo encontrar estos juegos? Busque **multijugador** en App Store.

Truco

Algunos juegos multijugador muestran un logo de Wi-Fi o Bluetooth que le hace saber que puede jugar con otra persona a través de una conexión inalámbrica.

● ● ● SOLUCIONAR PROBLEMAS CON LOS JUEGOS

Algunos juegos funcionan como la seda, mientras que otros pueden ser un poco más inestables, actuar de forma errática, frustrándole (sobre todo, si pagó un buen dinero por ellos). Si le ocurre, apague y reinicie su iPad. Si esto no ayuda, vuelva a App Store para comprobar si existen actualizaciones del juego; muchos desarrolladores suben arreglos si se queja la gente suficiente (quejarse a Apple no suele servir de mucho, porque ellos sólo venden los juegos).

En general, si un juego empieza a fallar, desinstálelo. Pulse su pantalla de inicio hasta que aparezca un aspa, púlsela también y, después, pulse el botón **Inicio**. Vuelva a App Store y recargue el juego. No se preocupe, no tendrá que pagar de nuevo por él.

Si continúa teniendo problemas, acuda al sitio Web del creador del juego. La mayoría de desarrolladores importantes ofrecen información de ayuda y servicio de soporte, y la página del juego en App Store suele incluir vínculos al sitio del desarrollador o a un botón de soporte (véase la figura 10.10) donde encontrará ayuda.

Y si realmente le gusta cierto juego y quiere ver más títulos de la misma empresa, vuelva a la página de App Store; en ocasiones, incluye una lista de otros juegos que esa empresa ofrece para el iPad.

Truco

Si compra un juego universal, diseñado para funcionar en el iPhone y en el iPod Touch, además del iPad, y quiere descargarlo a otro dispositivo iOS, pulse el botón **Comprado** en la parte inferior de la pantalla de App Store. De la lista de juegos comprados, pulse aquel que quiere instalar en su nuevo aparato.

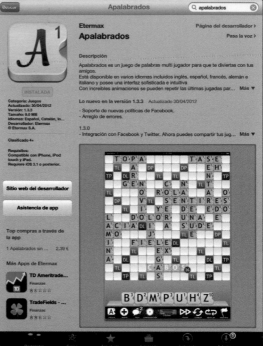

Figura 10.10. *Puede encontrar ayuda en la página de App Store.*

⬤ ⬤ ⬤ UNA GALERÍA DE JUEGOS PARA EL IPAD

App Store contiene cualquier tipo de pasatiempo que pueda imaginar: juegos informales, de acción, de disparos, juegos tontos, juegos soporíferos y repetitivos pero que son mejor que trabajar y los clásicos de siempre. Apple añade nuevos juegos cada semana, por lo que si está interesado, merece la pena que visite la tienda a menudo para estar al día con los nuevos lanzamientos. Si quiere algunos juegos con los que empezar, aquí tiene varios de los más populares entre los propietarios de iPad:

- **Angry Birds HD:** En la superficie, este juego empieza como un cuento sencillo de un grupo de pájaros kamikazes que intentan vengarse de unos cerditos que han asaltado sus nidos. Pero esta historia de jamones y huevos le enseña algunas lecciones sobre física; debe calcular la velocidad y trayectoria adecuadas con la que catapultar a los vengadores voladores para que desmonten una serie de estructuras cada vez más complejas en las que se esconden los cerdos (véase la figura 10.11).

Figura 10.11. *Debe lanzar los pájaros con precisión para que alcancen su objetivo.*

- **Infinite Blade:** Llena de armas afiladas y majestuosos castillos 3D que asaltar, en este juego de rol representa a un noble caballero (véase la figura 10.12) que blande la espada familiar contra el malvado rey y sus peligrosos guerreros. Según avanza por las batallas crece en el juego, obteniendo objetos poderosos y logros que harán un poco más llevadera su misión. Muy llamativo a nivel visual, utiliza la tecnología Unreal Engine 3, diseñada originalmente para representar estos mundos imaginarios en ordenadores y consolas.

Figura 10.12. *Infinity Blade es visualmente impactante.*

- **Midway Arcade:** Rememorando esas gloriosas y ruidosas tardes en el salón de juegos recreativos, este juego agrupa 10 títulos diferentes en una sóla aplicación y lleva su iPad de vuelta a los años 80. El paquete recrea los gráficos 2D que se empleaban en clásicos del joystick como Joust (en el que los caballeros pelean montados en avestruces gigantes; véase la figura 10.13), Defender (en el que los astronautas necesitan su protección frente a los extraterrestres) o Rampage (un juego de monstruos arrasadores).

Figura 10.13. *Joust es uno de los muchos clásicos arcade que puede disfrutar.*

- **Zombie Gunship:** Cuando se canse de los juegos que le enfrentan a los muertos vivientes en el suelo, despegue para liquidar zombies desde la cabina de mando de un avión de combate AC-130 (véase la figura 10.14). Como afirma una crítica en la página del juego en App Store: "Hace que matar zombies vuelva a ser divertido".

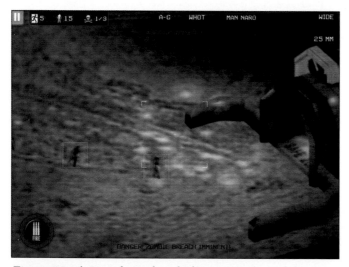

Figura 10.14. *Liquide zombies desde un avión de combate.*

- **El solitario:** ¿Busca algo gratis y familiar? No busque más. Esta versión del juego de cartas (véase la figura 10.15) añade finalmente manos automáticas de tres cartas y, bueno, el precio está muy bien. Como puede imaginar, hay más de una versión en App Store.

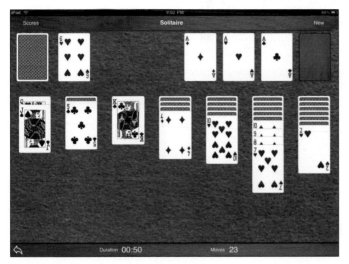

Figura 10.15. *El solitario, todo un clásico.*

En blanco

Carta moderna con foto

Carta clásica

Carta formal

Carta personal con foto

CV moderno con foto

CV clásico

Propuesta de proyecto

Informe botánico 101

Castillos y palacios:

INSTITUTO LOREM

Lorem Ipsum dolor

Capítulo 11

MEJORE SU PRODUCTIVIDAD CON iWORK

El procesamiento de textos, las hojas de cálculo y las presentaciones seguramente no son las primeras cosas que le vienen a la mente cuando piensa en el iPad; a no ser que sean las primeras cosas que le vienen a la mente en cualquier ocasión. Después de dos horas utilizando su iPad, se dará cuenta de que es un estupendo dispositivo para consumir contenido (vídeos, libros electrónicos, páginas Web) pero no tanto para crear contenido como, por ejemplo, documentos de texto, hojas de cálculo y presentaciones.

El iWork de Apple sirve para cambiar esa percepción. Durante muchos años, iWork (compuesto por el procesador de textos Pages, las hojas de cálculo Numbers y el programa para realizar presentaciones, Keynote), estuvo presente en algunos Mac, a la enorme sombra de Microsoft Office. Después de todo, desde las oficinas a los campus universitarios, Microsoft Word, Excel y PowerPoint son, en la práctica, los estándares para la creación de documentos, hojas de cálculo y presentaciones. Pero iWork trabaja bien con los formatos Office y, gracias a iCloud, puede sacar esos archivos desde cualquier parte de la Red.

Si está considerando comprar iWork, este es su capítulo. iWork no es una solución de escritorio universal, pero tampoco consume gigabytes de espacio de disco duro. Puede, sin embargo, aumentar su productividad; incluso aunque prefiera utilizar su iPad para ver películas en lugar de para trabajar.

⬤ ⬤ ⬤ CONOZCA IWORK

Si nunca ha oído hablar de iWork, no es el único. Su componente más antiguo, el programa de presentaciones Keynotes, sólo lleva en el mercado desde 2003, y Pages y Numbers debutaron aún más tarde. Todos los programas iWork son exclusivos para Mac, lo cual significa que más del 90 por 100 de la población informatizada nunca ha utilizado el paquete o no se preocupan por él porque, ¡vaya!, hay un nuevo software antivirus que instalar. Apple creó iWork para recorrer el mismo terreno que Microsoft Office, Corel WordPerfect Office, OpenOffice.org, StarOffice, Google Docs y muchos otros paquetes de software que ofrecen la sagrada trinidad de las herramientas de productividad empresarial: un procesador de textos, una aplicación de hojas de cálculo y un programa de presentaciones/diapositivas.

Con la versión para tableta de iWork, Apple transformó el paquete de ordenador a base de apuntar y hacer clic en un software para pulsar y arrastrar. Pero no se trata de una copia a medio hacer. ¿Quién quiere una pantalla atascada con barras de herramientas, menú y paletas flotantes cuando su pantalla es su espacio de trabajo? El nuevo diseño del iWorks tiene esto en cuenta y convierte sus controles de formato, función y diseño en ordenados botones que muestran las barras de herramientas sólo cuando las necesita, dejando la mayor parte de la pantalla limpia y despejada. Y esos movimientos de dedos del iPad también funcionan con iWork.

Las comodidades del dispositivo móvil no acaban aquí. Si dispone de iOS 5 y una cuenta iCloud, su iPad se sincroniza y guarda copias de sus documentos iWork en iCloud.com, donde puede verlos y descargarlos utilizando su navegador. Y si utiliza iWork en otro dispositivo, como un iPhone, iCloud sincroniza los cambios que realice en un aparato en todos los demás. Cada aplicación iWork le pregunta si quiere establecer la sincronización iCloud cuando lo ejecuta por primera vez. Pero no necesita iCloud para que iWork funcione. Si no tiene una cuenta, iWork almacena los archivos localmente.

Puede comprar cada uno de los programas iWork en App Store; pulse el botón **Categorías** y busque en el área Productividad (véase la figura 11.1). Apple vende cada programa a 8 euros; no ofrece un precio único, todo incluido, por el paquete iWork. Pero esto viene bien si sólo tiene que componer memorandos y no reconocería un logaritmo

Figura 11.1. *Encontrará los programas iWork en la sección de Productividad.*

base 10 aunque lo tuviese delante; no tiene que comprar todo el paquete. Y si lo hace, sólo le costará unos 24 euros; una ganga, comparada con los paquetes de escritorio de más de 80 euros. Aquí tiene la alineación de iWork:

- **Pages:** Abastecido con 16 plantillas para todo tipo de documentos (currículos, cartas, folletos; ¡incluso una página en blanco!), la versión para iPad de Pages (véase la figura 11.2) pretende que el procesamiento de textos sea lo más eficiente posible. Es cierto que no posee la funcionalidad de Microsoft Word aunque es lo suficientemente versátil para que pueda hacer algo más que introducir palabras. Puede añadir fotos, tablas y gráficos en los documentos y puede formatear el texto con funciones como viñetas y listas numeradas. Y aquí hay algo en lo que Pages supera a Word: como en todas las aplicaciones iWork, Pages guarda automáticamente su archivo, al menos dos veces por minuto.

Figura 11.2.
El icono de
Pages.

- **Numbers:** Una alternativa a Microsoft Excel para crear hojas de cálculo. Cuenta también con su propia colección de plantillas para que pueda elaborar presupuestos o planificaciones de viajes. Le permite convertir una tabla en un formulario para la introducción rápida de datos y crear fórmulas con más de 250 funciones (para los que les gusta darle caña a las hojas de cálculo). Sin embargo, Numbers (véase la figura 11.3) no consiste sólo en números; puede introducirse en la aplicación Fotos para que pueda animar sus hojas con fotografías.

Figura 11.3.
El icono de
Numbers.

- **Keynote:** Con 20 transiciones de diapositivas y 12 temas entre los que elegir, se diseñó para elaborar logradas presentaciones para todo tipo de audiencias. Aunque no es tan potente como Microsoft PowerPoint, Keynote (véase la figura 11.4) es una aplicación ágil, diseñada para crear proyectos sobre la marcha. Y una vez que diseñe su presentación en el iPad, también puede ejecutarlo ahí, conectándolo a un proyector con uno de los adaptadores de vídeo del conector Apple.

Figura 11.4.
El icono de
Keynote.

En este momento, se preguntará: "Está muy bien que iWork haga todo esto pero, ¿qué sentido tiene si sólo pueden abrir estos archivos los propietarios de iPad o Mac?". Aquí tiene la respuesta: iWork puede exportar archivos a formatos Microsoft Office y PDF (el lenguaje universal que todos pueden abrir con el programa gratuito Adobe Reader).

⬤ ⬤ ⬤ COMENZAR CON IWORK

Al igual que con cualquier otro programa de este tipo, el primer paso a la hora de utilizar una de las aplicaciones de iWork es crear o abrir un documento de forma que tenga un lugar donde procesar sus palabras, números o diapositivas. Comience abriendo una aplicación, digamos, Pages, en la pantalla de inicio del iPad. Si es su primera vez con el programa, aparecerá en la página principal de la aplicación, en la que cobrarán vida sus documentos, hojas y presentaciones (Apple organiza todas las aplicaciones iWork del mismo modo; aquí utilizamos Pages como ejemplo).

La página principal de Pages es bastante escasa en principio, a excepción de la guía introductoria para comenzar. Pero, según va creando nuevos documentos, la pantalla se llena con versiones en miniatura de sus archivos, como puede ver en la figura 11.5. Así es como crea y gestiona los documentos de su pantalla:

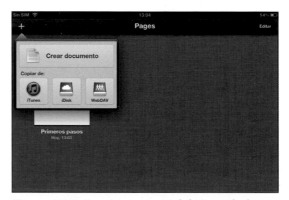

Figura 11.5. *La página principal de Pages desde que gestiona sus documentos.*

- **Crear un documento:** Pulse el icono (✚) en la parte superior izquierda de la pantalla (véase la figura 11.5) para crear un documento desde una hoja en blanco o en una plantilla iWork.

- **Importar un documento:** Pulse el icono (✚) y, después, en Copiar de:, pulse la fuente pertinente. Para copiar un archivo a través de iTunes, siga las instrucciones para importar y exportar del final de este capítulo. También puede copiar archivos desde un iDisk o un servidor WebDAV.

- **Duplicar un documento:** En la pantalla principal de la aplicación, pulse **Editar** o mantenga pulsado el documento que quiere duplicar hasta que la miniatura tiemble y aparezca un borde amarillo alrededor. Pulse entonces el icono (⬛) de la esquina superior izquierda.

- **Borrar un documento:** ¿Ya no necesita el archivo seleccionado? Mantenga pulsado su icono (o pulse **Editar**) en la pantalla principal de la aplicación hasta que tiemble y aparezca el borde amarillo. Pulse el icono (🗑) de la barra de menú para borrarlo.

- **Enviar un documento:** ¿Preparado para enviar un archivo por correo electrónico, una sincronización iTunes o un servidor en línea? Abra el archivo, pulse el icono de la llave inglesa para que aparezca el menú para compartir o imprimir y elija su opción.

Cuando esté listo para crear un nuevo archivo en cualquiera de las aplicaciones, pulse el icono (✚) de la esquina superior izquierda y seleccione **Crear documento**. Para empezar de cero, seleccione la opción de hoja en blanco. Para crear un tipo concreto de documento, como un currículo o un folleto, muévase por el catálogo de plantillas y pulse sobre el estilo que desee (véase la figura 11.6).

Figura 11.6. *Seleccione la plantilla que más le convenga.*

¿Quiere renombrar un archivo que lleva un tiempo utilizando? Pulse **Documentos** para acudir a la pantalla principal de Pages, pulse la miniatura del documento y, después, el nombre genérico, debajo de la vista previa, hasta que aparezca la pantalla para renombrar el documento, que puede ver en la figura 11.7. Ahora puede cambiar el nombre. Pulse sobre el documento para volver a la pantalla principal de Pages.

Figura 11.7. *Pantalla para renombrar el documento.*

¿Desea cambiar a otro archivo o empezar con uno nuevo mientras trabaja en otro documento? Pulse el botón **Documentos** de la esquina superior izquierda del archivo abierto. iWork guarda el archivo en el que estaba trabajando y vuelve a la pantalla principal de Pages, Numbers o Keynote, en la que se encuentran sus archivos creados previamente. Para abrir uno, localice su miniatura y púlsela. Repita las veces que sean necesarias durante el proceso.

También puede almacenar archivos en carpetas, como lo hace con las aplicaciones de la página de inicio del iPad. Mantenga pulsada una miniatura de la pantalla principal y arrástrela sobre otra miniatura para crear la carpeta, a la que podrá seguir arrastrando archivos.

⬤ ⬤ ⬤ CREAR DOCUMENTOS EN PAGES

A no ser que comience con una hoja en blanco, comprobará que todas las plantillas de Pages utilizan textos y fotos prototípicas para marcar la posición de sus propios textos y fotos. En su forma más simple, Pages le permite elaborar sus documentos pulsando el texto de muestra e introduciendo, después, sus propias palabras; el programa añade nuevas páginas cuando las va necesitando. Pulse la esquina de la foto preestablecida por la plantilla y sustitúyala por una del cuadro de Fotos que aparece.

Cuando pulsa en un campo de texto, Pages muestra una barra de herramientas de formato en la parte superior de la pantalla (véase la

Figura 11.8. *La barra de herramientas de Pages.*

figura 11.8). Incluye una regla para establecer los saltos de carro y los márgenes, además de botones para acciones como formatear encabezamientos, pasar el texto a negrita o cambiar su alineación. Pulse el aspa para esconder la barra de herramientas.

En sólo tres iconos de la esquina superior derecha de la pantalla se contiene el resto de herramientas de formato del programa. Con ellos, puede realizar varias acciones:

1. **Estilo de texto:** Seleccione un texto en pantalla y pulse el icono de la brocha para abrir un cuadro con las etiquetas Estilo, Lista y Disposición. El menú Estilo, que puede ver en la figura 11.9, contiene formatos de fuente preconfigurados para títulos, subtítulos, etc., junto a botones de negrita, cursiva, subrayado y tachado. Pulse la opción Lista para

Figura 11.9. *Opciones de formato de la ficha Estilo.*

convertir el texto seleccionado en una lista con viñetas o numerada. Pulse la opción Disposición para cambiar la alineación del texto (centrado, a la derecha, etc.), el número de columnas de la página o el espacio interlineal.

2. **Añada imágenes y gráficos:** Utilice el icono (**+**) para añadir elementos visuales a sus documentos. La ficha Contenido le permite insertar fotos desde la aplicación Fotos. Pulse la ficha Tablas para incluir una tabla ajustable y pulse Gráficos para insertar gráficos de barras, circulares u otros. Pulse la ficha Formas para añadir formas geométricas y flechas preestablecidas a su documento. ¿No le gusta el aspecto de un gráfico? ¡Cámbielo! Pulse para seleccionarlo, pulse el menú Gráficos y seleccione de entre sus seis páginas de opciones (los puntos al final de la página le indican dónde se encuentra).

3. **Herramientas:** Pulse el icono de la llave inglesa para acceder a la opción Encontrar (para buscar documentos), el comando de impresión y la pantalla de configuración de planos, en la que puede cambiar los encabezamientos, pies y márgenes de un archivo. El atajo Ayuda le conduce al manual en línea de Apple. El menú Ajustes le permite activar guías para alinear texto y fotos y puede iniciar el corrector ortográfico y el contador de palabras.

Puede utilizar Pages en modo vertical o apaisado. Si tiende a introducir mucho texto mientras lleva el iPad en las manos, puede utilizar el teclado dividido que explicamos previamente en el libro, para que sus pulgares tecleen en cada lado de la pantalla.

¿Quiere pasar a una página diferente del documento? Mantenga el dedo sobre el lado derecho de la pantalla para ver la herramienta de vista previa del navegador de Pages y muévalo arriba y abajo hasta que encuentre la página que desea.

Consejos para trabajar con texto y fotos

Puede que Pages tenga toneladas de plantillas, pero no tiene por qué limitarse a clonar documentos. Si lo desea, puede emplear herramientas de formateo de texto para cambiar el tamaño de fuente, el estilo o incluso el color de un documento (pulse la brocha para acceder a Estilo>Opciones de texto>Color) para que tenga el aspecto que quiera.

Y tampoco está limitado respecto a los tamaños y colocación de las fotos. Después de importar sus propias fotos o elegir gráficos, pulse sobre el elemento para que aparezca una barra deslizadora, con la que podrá variar el tamaño de la imagen (véase la figura 11.10), o utilice los controles azules que aparecen en la propia imagen.

Arrastre la foto seleccionada por la página para colocarla. También puede borrar las fotos que no desee.

¿Echa de menos esos atajos salvavidas **Control-Z** (**Deshacer**) y **Control-S** (**Guardar**)? Si estropea algo, no se preocupe. Pages, como el resto de programas de iWork, incluye el botón **Deshacer** en la esquina superior izquierda de cada pantalla. Además, iWork guarda automáticamente su documento cada 30 segundos.

Figura 11.10. *El programa le ofrece dos opciones para manipular las imágenes.*

● ● ● CREAR HOJAS DE CÁLCULO EN NUMBERS

Cuando piensa en el iPad, tiende a pensar en jugar o navegar por la Web, no en meterse de lleno en una hoja de cálculo. Pero si tiene que trabajar un poco en su fiel tableta, la aplicación Numbers puede plasmar sus datos y sus números y manejar muchas otras tareas.

Al igual que Pages, Numbers le ofrece una colección de 16 plantillas prefabricadas para los tipos más populares de hojas de cálculo: un calculador de hipotecas, un rastreador personal de presupuesto, un planificador de viajes, un logaritmo para perder peso, un informe

Figura 11.11. *Dispone de una ficha para añadir una hoja al proyecto abierto.*

de gastos, etc. También hay una plantilla en blanco con las celdas vacías esperándole. Pulse una plantilla para seleccionarla. Pulse el texto y los números de muestra para introducir sus propios datos. Para añadir nuevas hojas o formularios, pulse el botón (**+**) en la ficha de la parte superior de la pantalla, que puede ver en la figura 11.11.

Al igual que con Pages, los tres iconos de la esquina superior derecha contienen las herramientas de formato para las tablas y los gráficos. Podrá realizar varias acciones:

1. **Estilo de texto, filas y celdas:** En el icono de la brocha, obtiene diferentes opciones dependiendo de si ha seleccionado texto o tablas. Para el texto, obtiene un cuadro con fichas de Estilo, Texto y Disposición. Aquí podrá seleccionar tipos de fuente, colores y efectos (como opacidad y sombras), así como rotar objetos. Cuando tiene una tabla seleccionada, el menú de Estilo se convierte en un cuadro con cuatro fichas para cambiar el color y el estilo de la tabla. Las fichas de Encabezamientos y Celdas contienen los controles para manipular esos objetos, y la opción Formato le permite decidir cómo se representan ciertos datos, como las monedas o los porcentajes. Con un gráfico seleccionado, el menú Estilo le ofrece opciones de color y estilo para el formato y texto del gráfico. Resumiendo, si necesita dar formato a cualquier parte de la hoja, el menú Estilo es el lugar al que acudir.

2. **Añadir imágenes y gráficos:** Como en Pages, el menú del icono (✚) contiene las fichas (Media, Tablas, Gráficos y Formas) para las fotos, las tablas, los gráficos 2D y 3D (véase la figura 11.12) y formas geométricas que quiera añadir a su hoja de cálculo. Por ejemplo, puede mantener pulsado un gráfico circular y, después, arrastrar un gráfico de barras fuera del menú y en la hoja para reemplazarlo. Pulse o arrastre una tabla para añadir sus datos al gráfico.

Figura 11.12.
Opciones para dar formato a sus gráficos.

3. **Cambiar los ajustes:** Pulse el icono de la llave inglesa para abrir el menú de herramientas. Aquí podrá compartir su archivo por correo electrónico, a través de la sincronización iTunes o copiándolo en un servidor en línea. También puede imprimir su archivo. La opción Buscar de su menú le permite buscar palabras clave en el archivo, si bien es el último elemento del menú que debería responder a su dudas con Numbers; ése es el vínculo a la guía Ayuda en línea, donde se encuentra el detallado manual de Apple para Numbers (y todas sus formulas y funciones). El tercer elemento del menú Herramientas es Ajustes. Éste le conduce a los interruptores **On/Off** para guías que le ayudan a alinear elementos cuando los arrastra por pantalla y al corrector ortográfico del programa.

Puede manipular prácticamente cualquier elemento de una plantilla Numbers para acomodar sus datos. ¿Necesita algunas filas y columnas más de celdas? Pulse el gráfico y aparecerá una barra gris, pulse el control circular de la barra horizontal o vertical y arrástrela en la dirección que necesite. Si no le gusta la posición de una tabla o gráfico en una plantilla, púlsela para que aparezca la misma barra de ajuste. Presione el círculo con el punto de la esquina superior izquierda y arrastre la tabla a una nueva ubicación.

Para añadir números, fechas o texto a su hoja, pulse dos veces una celda para que aparezca el teclado. También puede cortar, copiar y pegar el contenido en una celda.

Numbers no sería un programa de hojas de cálculo si no realizara sumas y cálculos. Pulse dos veces sobre cualquier celda en la que quiera ejecutar un cálculo automático y aparecerá el teclado de Numbers para introducir datos (véase la figura 11.14). Ofrece más de 250 fórmulas y funciones en varias especialidades matemáticas, incluyendo ingeniería y estadística.

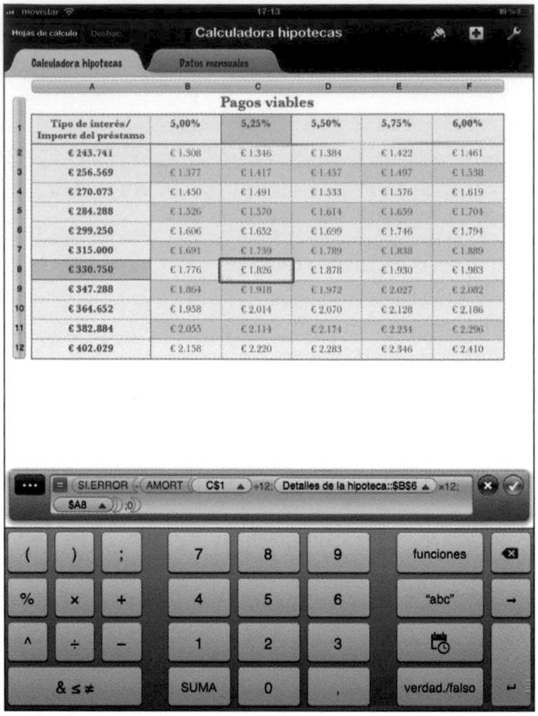

Figura 11.13. *Utilice el teclado de Numbers para hacer sus cálculos.*

CREAR PRESENTACIONES EN KEYNOTE

Si hay una aplicación en el trío de iWork que mejor luce el iPad es Keynote: brilla cuando sus diapositivas y transiciones animadas se reproducen en su pantalla de alta resolución. Diseñado para mostrar fotos, gráficos y texto en listas, Keynote es la más intuitiva de las tres aplicaciones iWork. Y, probablemente, la más divertida.

Viene con 12 plantillas, algunas de ellas extremadamente planas para sus reuniones más serias en la empresa sobre los objetivos no cumplidos del cuarto trimestre, y otras más llamativas para informes para el colegio o álbumes de fotos de las vacaciones. Una vez que elija una plantilla, rellénela con sus fotos y su texto. Tiene que mantener el iPad en horizontal, Keynote no funciona en vertical.

Durante su presentación, no tiene por qué progresar estáticamente de diapositiva a diapositiva. Keynote incluye varias transiciones animadas. Puede girar, torcer, saltar, deslizar, disolver o ampliar para pasar de una diapositiva a otra; y puede aplicar una transición diferente a cada diapositiva de la presentación. Además, con la pantalla Retina de alta resolución, las transiciones son muy llamativas. Keynote le ofrece control sobre el texto de sus diapositivas, permitiéndole añadir efectos animados para que, por ejemplo, sus títulos desaparezcan en una lluvia de flashes. Aquí tiene un tour por la barra de herramientas de Keynote:

Figura 11.14. *Barra de herramientas de Keynote.*

1. **Estilo de texto:** Pulse un bloque de texto para seleccionarlo y, después, pulse el icono de la brocha para obtener las fichas Estilo, Texto y Disposición. La ficha Estilo contiene opciones de color y bordes para sus diapositivas, mientras que la ficha Texto le permite dar formato a un estilo de fuente, color, etc. Con una foto seleccionada, puede emplear la opción Disposición para mover objetos y editar el marco de la imagen.

2. **Añadir imágenes y gráficos:** Pulse aquí (✛) para obtener los controles para añadir (y dar formato) a fotos y gráficos (tablas, gráficos o figuras) de su presentación.

3. **Ajustes:** Pulse el icono de la llave inglesa para obtener los menús Transición y Builds (el segundo le permite "construir" diapositivas en pantalla, capa a capa). Pulse cualquier miniatura de diapositiva y, después, pulse el botón **Ninguno** para abrir el cuadro de Transiciones. Desplácese por los efectos y elija una animación llamativa (o sobria) para ir de una diapositiva a otra. Las animaciones incluyen Arrastre, Caída, Barrido, Columpio y muchas más. Pulse el botón de **Opciones** para marcar la línea temporal de la transición o para provocar un cambio de diapositiva cuando pulse la pantalla del iPad.

El menú de Keynote tiene algunos trucos más. Como en Pages y Numbers, visite este menú para utilizar la función Buscar en su presentación. Pulse la opción Ayuda para obtener un manual de Keynote. El resto de las herramientas consiste en Presenter Notes (pequeñas fichas del iPad que puede consultar mientras proyecta su presentación en la gran pantalla), ajustes avanzados para las guías (que se emplean para alinear los elementos de una diapositiva), la representación de cada número de diapositiva y el corrector ortográfico que detecta errores en los títulos y el texto.

4. **Reproducir:** Pulse el familiar icono (▶) para comenzar su presentación. Si establece sus diapositivas para avanzar automáticamente, relájese y disfrute del espectáculo. Si optó por pasar cada diapositiva manualmente, pulse o barra la pantalla del iPad para recorrer la presentación. Si quiere detener el proceso para volver atrás y manipular imágenes, texto o transiciones, pellizque la pantalla para volver al espacio de trabajo de Keynote.

5. **Añadir diapositiva:** Pulse el botón (✚) del final de la columna vertical para solicitar un cuadro con estilos de diapositivas (véase la figura 11.16) para poder añadir nuevas. Algunas plantillas son sólo bloques de texto, algunas son sólo fotos y algunas contienen ambos elementos. Si no encuentra lo que desea, escoja la más parecida a su idea y utilice los controles para darle formato.

Figura 11.15. *Busque el estilo de diapositiva que más le convenga.*

Para animar texto o imágenes y que se muevan dentro y fuera de una diapositiva, pulse el elemento hasta que aparezca el menú Animar. Pulse Ninguno en el menú y, después, Build in (para que entre un elemento) o Build out (para sacarlo de la diapositiva). Seleccione un efecto del menú (véase la figura 11.17). Comprobará que es muy divertido.

Para un modo aún más sorprendente de llamar la atención de su audiencia, mantenga pulsada una diapositiva un par de segundos. Aparecerá un puntero láser rojo que seguirá su dedo cuando lo arrastre para señalar algo… importante.

Figura 11.16. *Seleccione un efecto del menú.*

● ● ● IMPORTAR, EXPORTAR Y COMPARTIR ARCHIVOS IWORK

¿Para que sirve todo este trabajo si no puede compartirlo con la gente a la que le interesa? Y ¿qué puede hacer usted, propietario de un iPad, con su paquete iWork si no puede ver, abrir y editar archivos que la gente le envía, sobre todo si sus remitentes están aferrados a Microsoft Office y no tienen iWork? No hay problema por estos motivos:

• Todos los programas del paquete iWork le permiten importar, abrir y editar archivos creados en Microsoft Word, Excel y PowerPoint.

- Todos los programas del paquete iWork le permiten exportar archivos en cualquier formato que necesite. Puede, por ejemplo, exportar archivos en sus formatos iWork nativos para que pueda editarlos en la versión de escritorio de iWork en su iMac o MacBook. También puede exportar archivos iWork al formato del programa Microsoft Office correspondiente: archivos Pages al formato `.doc`, hojas de cálculo de Numbers en archivos `.xls` y presentaciones Keynote como archivos `.ppt`. Y, por último, puede exportar archivos como documentos PDF de Adobe Acrobat.

Puede sacar y meter archivos de su iPad de varias formas; por correo electrónico, utilizando iTunes o a través de iCloud.

iWork por correo electrónico

¿Cómo obtiene la mayoría de archivos que la gente le envía? Si la respuesta es por correo electrónico, tiene suerte. Si recibe un Word, Excel, PowerPoint o archivo `.csv` o un archivo Numbers, Pages o Keynote, puede guardarlo en el programa iWork correspondiente. Mantenga pulsado el icono adjunto hasta que aparezca una opción del tipo **Abrir en Pages** (véase la figura 11.18); si tiene otra aplicación que puede abrir el archivo, seleccione **Abrir en…** y seleccione la aplicación. Simplemente pulsando el archivo una vez, se abre el adjunto en una vista previa Quick Look de lectura, aunque no para editarlo (Quick Look le ofrece un botón en la esquina superior derecha para abrir el archivo en la aplicación adecuada).

Figura 11.17 *Seleccione Abrir en Pages.*

Del mismo modo, puede exportar archivos iWork por correo electrónico. Seleccione el archivo y pulse el icono de la llave inglesa, pulse **Compartir e imprimir** y, después, **Enviar por correo**, como puede ver en la figura 11.19. Para Pages, Numbers y Keynote puede exportar archivos iWork en sus formatos nativos para ediciones de escritorio del programa. También puede enviar documentos como archivos `.doc`, `.xls` o `.ppt`. Y, por último, puede exportar un archivo iWork como un documento PDF. Pulse su opción para la conversión (si es necesaria) y adjunte el archivo iWork al mensaje saliente.

Figura 11.18. *Seleccione la opción para enviar por correo electrónico.*

SINCRONIZAR Y COMPARTIR ARCHIVOS CON ITUNES E ICLOUD

iTunes es un maestro en muchos campos: es un almacén para todos los archivos de audio, vídeo, libros electrónicos y podcasts de su biblioteca de contenidos. Convierte los temas de un CD en archivos digitales para que pueda reproducir sus canciones en el iPad, iPhone e iPod. Y cuenta con su propio centro comercial al que puede acceder en cualquier momento del día o la noche para comprar el último audiolibro de James Patterson, conseguir una copia del último álbum de Katy Perry o hacerse con una descarga digital de la película "Hugo".

¿Otra función estupenda de iTunes? Sincroniza todo el contenido a su iPad. La última versión de iTunes le permite incluso transferir a su tableta la música, las aplicaciones y los libros que compra en otros dispositivos iOS.

Este capítulo se centra en el uso de iTunes en combinación con su tableta: es decir, descargar compras de la tienda a su ordenador cuando lo desee y pasarlas a su iPad. Si está pensando en sincronizar, continúe leyendo.

● ● ● LA VENTANA ITUNES

iTunes es el mejor amigo de su iPad. El gestor de contenidos le permite hacer cualquier cosa con sus archivos digitales: convertir canciones de un CD en archivos aptos para el iPad; comprar música, películas y programas de televisión; añadir aplicaciones; escuchar sintonías de radio por Internet; distribuir compras de la tienda a todos sus dispositivos, y mucho más. Aquí tiene un rápido tour por la ventana de iTunes y todos sus botones, controles y deslizadores (véase la figura 12.1).

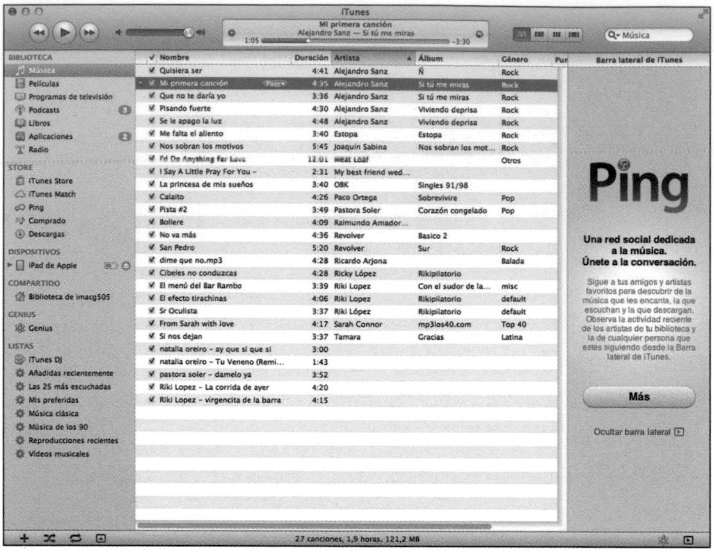

Figura 12.1. *La ventana de iTunes desde la que gestiona su contenido.*

El panel fuente de color gris en el lado izquierdo de la ventana muestra todas sus bibliotecas; para canciones, vídeos, libros y más.

1. Haga clic en cualquier icono de la biblioteca (música, películas, programas, podcasts, etc.) para ver los contenidos en la ventana principal de iTunes. Los programas que compra a través de iTunes (para sincronizarlos más tarde a su iPad) aparecen aquí en la ficha Aplic. ¿Desea establecer las bibliotecas que iTunes enumera? Pulse **Comando-coma**) para solicitar el menú de Preferencias de iTunes y, después, haga clic en la ficha General. En el área Mostrar, active (o desactive) las casillas de, por ejemplo, Podcast, iTunes U o lo que considere.

2. En la sección Store del panel fuente, haga clic en el icono de la bolsa de la compra para comprar. Otros iconos que puede ver son Comprado, que enumera todo lo que ha comprado a través de iTunes y una lista Comprado en el iPad. El icono Descargas muestra los elementos que están en proceso de descarga o los archivos a los que está suscrito (como series de televisión) que esperan su descarga. Aquí también encontrará vínculos a Ping, la red social de Apple y a iTunes Match, su servicio de almacenamiento en línea para su biblioteca musical.

3. Si tiene un CD de música en su ordenador, aparecerá en el área de Dispositivos, como lo haría un iPad conectado. Pulse el icono (⏏) junto al nombre para extraer un disco o desconectar su iPad.

4. En el área Compartido, navegue por las bibliotecas de contenido de miembros de su familia de su red. Puede reproducir archivos desde estas bibliotecas si encuentra el icono de una lista de reproducción y copiar canciones y vídeos entre dispositivos.

5. iTunes mantiene todas sus listas de canciones (ya sea porque el Genius de iTunes las ha generado automáticamente o porque las elaboró cuidadosamente a mano) en las secciones Genius y Listas. Aquí también encontrará un icono para la función iTunes DJ, que improvisa remezclas guardadas.

6. Cuando hace clic en un icono de la lista fuente (Música, por ejemplo), la ventana principal de iTunes muestra todos los elementos de esa biblioteca. Sobre la lista principal de canciones, encontrará tres columnas que le permiten navegar por su colección por género, artista y álbum (si no ve las columnas, pulse **Comando-B**]). Naturalmente, iTunes denomina a esta parte de la ventana el navegador por columnas. Las columnas también pueden aparecer completas en la izquierda seleccionando Vista>Navegador por columnas>A la izquierda.

Los extremos exteriores de la ventana de iTunes están llenos de controles y botones:

7. Reproduzca y detenga su canción o vídeo, o salte a la canción posterior o previa. El deslizador de volumen ajusta el nivel de sonido (véase la figura 12.2).

Figura 12.2. *Control de preproducción y volumen para canciones y vídeos.*

8. El centro del panel superior muestra el título de la canción en reproducción. A la derecha, encontrará algunos botones útiles para cambiar la vista de la ventana principal y un cuadro de búsqueda para encontrar una canción rápidamente.

Figura 12.3. *Con estos controles puede ejecutar varios atajos útiles.*

9. En la esquina inferior izquierda de la pantalla, encontrará controles para atajos (de izquierda a derecha, como se ve en la figura 12.3) para crear una nueva lista de reproducción, reproducir aleatoriamente o repetir la lista y mostrar la carátula del álbum.

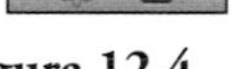

Figura 12.4. *Estos son los tres iconos que encontrará en la parte inferior derecha.*

10. En la esquina inferior derecha de la ventana de iTunes encontrará varios botones característicos, que puede ver en la figura 12.4. Si tiene una Apple TV o unos altavoces conectados, el primer icono que verá es el cuadro de AirPlay. Después tiene el Genius de iTunes; con una canción seleccionada, pulse (✤) para crear una lista de reproducción elaborada por Genius en base a esa canción. Y el icono de la flecha dentro de un cuadro del final, activa el panel lateral de iTunes para sugerir música y vídeos que pueden interesarle en base a su biblioteca, o para mostrar entradas en Ping, la red social de Apple para amantes de la música. Con este icono también desactiva la barra lateral.

CÓMO ORGANIZA SU CONTENIDO ITUNES

La música, los vídeos, las aplicaciones y el resto de contenido que descarga de iTunes Store llega a sus respectivas bibliotecas; las canciones a la biblioteca Música, los episodios de "Perdidos" a Series de televisión, etc. Encontrará con un sólo clic copias de todas las canciones y vídeos que compró en la lista Comprado del panel fuente, y comprobar así en qué se ha gastado el dinero.

Pero, digamos que ha añadido archivos que no provienen de iTunes Store, como vídeos que ha descargado del Internet Archive (una gran fuente de material gratuito de dominio público, que incluye libros electrónicos, viejas películas y años de grabaciones de conciertos de Grateful Dead; diríjase a http://www.archive.org). Si uno de estos archivos acaba en el lugar equivocado de la biblioteca iTunes, puede arreglarlo para que se sitúe en el lugar correcto; las películas en Películas, los podcasts en Podcasts, etc.

En la ventana de iTunes, haga clic en el archivo que quiere reubicar y seleccione Archivo>Obtener información (o pulse **Comando-I**) para solicitar el cuadro de información. Haga clic en la ficha Opciones y, junto a la sección Tipo de soporte, seleccione la categoría apropiada del menú emergente y haga clic en **Aceptar** (véase la figura 12.5).

Figura 12.5. *Despliegue el menú del Tipo de soporte para reubicar su contenido.*

DÓNDE ALMACENA ITUNES SUS ARCHIVOS

Detrás de su ventana plateada, iTunes almacena su música, sus películas y todo lo que añada a la carpeta en su disco duro (que, a no ser que la haya movido, se encuentra en Música>iTunes [Inicio>Música>iTunes]). Si está utilizando Windows 7 o Vista, su carpeta iTunes se encuentra en User>[nombre de usuario]>Música>iTunes y los usuarios de Windows XP la encontrarán en Mis documentos>Mi música>iTunes.

En la carpeta iTunes, encontrará el archivo de la biblioteca iTunes denominado iTunes Library.itl (o iTunes Library en ordenadores Mac con versiones antiguas de iTunes), una base de datos que contiene los nombres de todas las canciones, listas de reproducción, vídeos y otro contenido que haya añadido a iTunes. Tenga cuidado en no mover o borrar este archivo si está trabajando en la carpeta. Si iTunes no encuentra el archivo, crea una nueva lista; una que no contendrá un registro de todas sus canciones y otros contenidos valiosos.

Si borra accidentalmente el archivo de la biblioteca, su contenido sigue en su ordenador; aunque iTunes no lo sepa o no lo muestre. Esto se debe a que iTunes almacena su contenido en la carpeta Música de iTunes (o la carpeta Contenido, como se explica enseguida), que también se encuentra en la carpeta principal de iTunes. Puede perder su lista de reproducción personalizada si el archivo de la biblioteca se pierde, pero siempre podrá añadir sus archivos a iTunes (Archivo>Añadir a biblioteca) para rehacer la biblioteca.

Truco

Las versiones más antiguas de iTunes (de los tiempos en los que sólo gestionaba música) almacenan su material en la carpeta Música de iTunes; las versiones más modernas utilizan la carpeta Media. Si tiene una carpeta Media, iTunes agrupa ordenadamente el material en subcarpetas como Juegos, Música o Series, haciendo que sea sencillo encontrar sus capítulos descargados de Mad Men entre los archivos de música. Para reorganizar sus archivos, seleccione Archivo>Biblioteca>Organizar biblioteca y Actualizar a la organización de iTunes Media.

ITUNES STORE

Haga clic en el icono de iTunes Store en el panel fuente y aterrizará en los pasillos de la tienda virtual de iTunes (véase la figura 12.6). Están abarrotados de mercancía digital, ordenada por categorías en la ventana principal: Música, Películas, Podcasts, iBooks, etc. Pulse una ficha para acudir a la sección correspondiente.

Figura 12.6. *Encontrará el contenido de la iTunes Store ordenado en categorías.*

También puede pasar sobre una ficha y hacer clic en el triángulo que aparece; un menú emergente le permite pasar directamente a una subcategoría en esa sección (Blues o Pop, en Música, por ejemplo).

La parte principal de la ventana de iTunes Store destaca los últimos lanzamientos de audio y vídeo. Aquí tiene algunos consejos para comprar en iTunes Store:

- En la página principal aparecen descargas de canciones gratuitas; desplácese hacia abajo para ver películas, series, aplicaciones y material gratuito.

- Si está buscando un producto concreto, como viejos episodios de "Anatomía de Grey" o el nuevo álbum de U2, utilice el cuadro de búsqueda de la esquina superior derecha para cazar su presa; introduzca títulos, nombres de artistas o palabras clave.

- Escuche una canción antes de comprarla haciendo doble clic en el título del tema. El botón **Comprar** estará esperando, haciendo que sea muy fácil acabar con la capacidad de su tarjeta de crédito. Sus compras pasan directamente a su biblioteca iTunes.

- Desplácese a la parte derecha de la ventana de la tienda para ver el área de vínculos rápidos (ENLACES), en el que puede comprar tarjetas regalo, gestionar su cuenta, obtener soporte técnico, ver lo último de iTunes, etc.

Si su iPad está en el rango de una red inalámbrica tiene, como se explica a continuación, otra forma de acceder a la tienda: a través de las ondas.

ITUNES STORE INALÁMBRICA

Con un iPad, ni siquiera necesita su pesado ordenador para comprar en iTunes Store; puede acceder a ella a través de una conexión a Internet inalámbrica o 4G/3G.

Para comprar en su iPad cuando está fuera:

1. Pulse el icono de iTunes en la pantalla de inicio del iPad. Asegúrese de tener una conexión a Internet.

2. La tienda aparece en pantalla. Se abrirá en la página Música la primera vez, aunque recuerda su última página abierta si ya ha estado antes aquí. Si quiere comprar música, navegue por categorías como Estrenos (véase la figura 12.7) hasta que encuentre un álbum o canción que le guste (pulse un álbum para ver todas las canciones).

3. Pulse sobre el título de una canción para una escucha previa de 90 segundos.

4. Para otras compras, pulse un icono (vídeo, series, etc.) en la parte inferior de la ventana o utilice el cuadro de búsqueda para introducir palabras clave (¿Busca programas? Pulse el icono App Store de la pantalla de inicio).

5. Para comprar y descargar música, vídeos y audiolibros, pulse el botón con el precio y, después, pulse **Comprar**. Para productos gratuitos, pulse **Gratis**.

6. Introduzca su contraseña de iTunes Store y ¡que comiencen las descargas! Puede consultar el estado de sus compras pulsando el icono de descargas, que también le permite detener una descarga si lo necesita. Si no tiene un ID de Apple, pulse el botón **Crear cuenta nueva** y siga los pasos. Puede iniciar y cerrar sesión con un vínculo en la parte inferior de la pantalla de la tienda.

Figura 12.7. *Busque contenido entre las últimas novedades.*

Pulse el icono Comprado en la pantalla de iTunes para ver toda la música que ha comprado a través de su cuenta iTunes, y para recargar las canciones en su iPad.

Para llevar las nuevas canciones y vídeos comprados con su iPad, a la biblioteca iTunes (que se encuentra en su ordenador), sincronice su iPad cuando llegue a casa. Los temas aparecen en la lista de reproducción de Comprados. O, simplemente, active las descargas automáticas.

● ● ● AUTORIZAR ORDENADORES PARA COMPARTIR EN CASA Y CON ITUNES

Las condiciones de uso de Apple le permiten ejecutar las compras de la tienda hasta en cinco ordenadores: PC de Windows, Mac o cualquier otra combinación. Aunque las canciones de iTunes Plus (que contienen material adicional) y las canciones vendidas después de abril de 2009 no tienen restricciones de copia que soliciten contraseña, los temas comprados antes de 2009 y la mayoría de vídeos aún las tienen. Para el contenido protegido, deberá introducir su nombre de usuario y contraseña de Apple en cada ordenador para autorizarlo a reproducir la música, los vídeos y los audiolibros comprados con esa cuenta. Cada ordenador debe contar con una conexión a Internet para transmitir la información al cuartel general de la tienda. No tiene que autorizar cada compra; sólo autoriza el propio ordenador.

Autorizó su primer ordenador cuando se registró para un ID de Apple. Para autorizar otro, seleccione Store>Autorizar ordenador en ese ordenador.

También puede compartir contenido entre los ordenadores en su red local utilizando la función Compartir en casa integrada en iTunes 9 y posteriores.

1. En la lista fuente de iTunes, haga clic en el icono de la casita, que corresponde a Compartir en casa. Si no encuentra el icono, seleccione Avanzado>Activar "Compartir en casa", como puede ver en la figura 12.8. En la pantalla que aparece, introduzca un nombre y contraseña de cuenta iTunes.

2. Haga clic en Crear botón Compartir en casa.

3. Repita estos pasos para cada ordenador de la red con los que quiera compartir archivos (hasta un total de cuatro).

Figura 12.8. *Acceda al menú Avanzado para activar la opción.*

Una vez que configure todos los ordenadores, sus bibliotecas iTunes aparecerán en la lista fuente de todos los demás. Haga clic en el triángulo junto al icono de la casa para acceder a la biblioteca que desee explorar. Haga clic en un archivo para pasarlo a su ordenador a través de la red. Si quiere tener este archivo en su ordenador, selecciónelo y haga clic en el botón **Importar** de la esquina inferior derecha de la ventana de iTunes. Haga clic en el botón **Ajustes** junto a **Importar** si desea copiar automáticamente ciertos tipos de archivos, como Música, entre esos ordenadores o a su iPad.

● ● ● DESAUTORIZAR SU ORDENADOR

Apple le permite que reproduzca sus compras en iTunes Store hasta en cinco ordenadores. No podrá reproducir música, libros o vídeos en un sexto ordenador si intenta autorizarlo. Esto es debido a que el sistema de autorización de Apple verá que ya hay cinco ordenadores en la lista y negará la petición.

Para reproducir archivos protegidos en el que sería el sexto ordenador, tendrá que desautorizar uno previo. Seleccione Store>Retirar autorización a este ordenador… en el ordenador que quiere expulsar (véase la figura 12.9) y, después, introduzca su nombre de usuario y contraseña de Apple. La información actualizada llega enseguida a Apple.

Figura 12.9. *Busque la opción para desautorizar el ordenador.*

¿Está pensando en poner a la venta ese viejo ordenador? Antes de limpiar el disco, asegúrese de desautorizarlo para que su nuevo ordenador pueda ejecutar los archivos protegidos. Borrar un disco duro no desautoriza un ordenador por defecto.

Si olvida desautorizar un ordenador antes de deshacerse de él, todavía puede eliminarlo de su lista de cinco pero, primero, deberá volver a autorizar cada ordenador en su arsenal iTunes. Para hacerlo:

1. En la ventana de iTunes, haga clic en el triángulo junto al nombre de cuenta y seleccione Cuenta.

2. Introduzca su contraseña y haga clic en el botón de información de cuenta del cuadro.

3. En la página de información de cuenta en la que se enumeran todos los ordenadores autorizados, haga clic en Desautorizar todo.

Observe que sólo verá este botón si ha alcanzado el límite de cinco ordenadores; y sólo podrá utilizarlo una vez al año. Una vez que desautorice todos sus ordenadores, vuelva a cada uno en su red y autorícelos de nuevo.

SINCRONIZAR EL IPAD AUTOMÁTICAMENTE

Igual que con todos los modelos de iPod, el iPad ofrece la sencilla y efectiva función de sincronización automática para transferir una copia de cada canción, vídeo y otros archivos de su biblioteca iTunes a su iPad. De hecho, la primera vez que conecta su iPad con su ordenador con el cable USB, iTunes le ofrece copiar todos los archivos de contenido de su biblioteca a la tableta. Si decide hacerlo, activa la sincronización automática.

Si añadió más música a iTunes desde su primer encuentro con el iPad, los pasos para cargar el nuevo contenido no pueden ser más fáciles. Si estableció la sincronización Wi-Fi, el iPad se sincroniza automáticamente, pero si prefiere (o debe) sincronizar a través de USB, esto es lo que debe hacer:

1. Enchufe el extremo pequeño del cable USB en su ordenador.

2. Enchufe el conector ancho del cable en la parte inferior del iPad.

3. Siéntese y deje que iTunes entre en acción, haciendo todo el trabajo duro.

Sabrá que la sincronización está funcionando porque iTunes le ofrece un informe del progreso con un mensaje en la parte superior de la ventana que dice: "Sincronizando iPad…". Cuando iTunes le indique que ha terminado de actualizar el iPad, podrá desenchufar el cable. La sincronización automática está muy bien, pero no sirve para todo el mundo; sobre todo, si tiene más de 16, 32, 64 gigabytes de material en su biblioteca iTunes (aunque pueda parecer bastante espacio, cuando empiece a añadir material verá que se reduce rápidamente). En ese caso, iTunes introduce lo que pueda en su iPad. Si la sincronización automática no es lo suyo, siga leyendo para ver otras formas más selectivas de cargar su iPad.

SINCRONIZAR MANUALMENTE SU IPAD

Si ha rechazado la sincronización automática, deberá elegir canciones y vídeos para la tableta. Hasta entonces, el iPad estará ahí, vacío y triste, en la ventana de iTunes, esperando que le dé algo con lo que jugar. Puede sincronizar manualmente utilizando el cable USB o con las ondas Wi-Fi.

Método manual n° 1

1. Haga clic en el icono del iPad en la ventana iTunes. Esto abrirá un mundo de preferencias de sincronización.

2. Haga clic en la ficha Música y, después, active la casilla Sincronizar música.

3. Haga clic en el botón junto a Listas, artistas y géneros seleccionados y marque los elementos que quiera copiar al iPad.

4. Haga clic en el botón **Aplicar** en la parte inferior de la ventana de iTunes. Los pasos son similares para películas, series, podcasts, etc.

Método manual nº 2

Éste está pensado para personas muy selectivas: haga clic en la ficha Resumen y active Gestionar la música y los vídeos manualmente, como puede ver en la figura 12.10. Haga clic en las canciones, los álbumes y los vídeos que quiere y arrástrelos al icono del iPad en el panel fuente de iTunes.

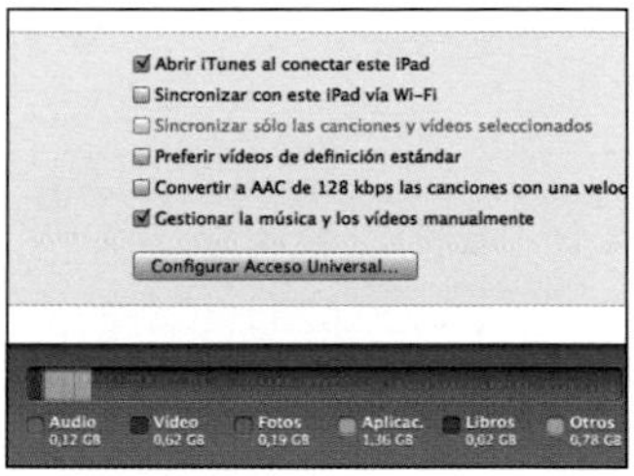

Método manual nº 3

Figura 12.10. *Active la opción para gestionar a mano su contenido.*

1. Todos los elementos de su biblioteca iTunes tienen una marca de verificación al lado la primera vez que los importa. Elimine la marca de aquello que no quiera en su iPad. Si tiene una gran biblioteca y sólo quiere una pequeña parte de su contenido, mantenga pulsada la tecla **Control** [(⌘)] mientras hace clic en un título; eso realiza el truco de eliminar todas las marcas. Vuelva y marque sólo lo que desea.

2. Haga clic en el icono **iPad** en Dispositivos en la lista fuente y, después, haga clic en la ficha Resumen.

3. En la parte inferior de la pantalla Resumen, active la casilla Sincronizar sólo las canciones y vídeos seleccionados y, a continuación, haga clic en **Sincronizar**.

● ● ● UTILICE ITUNES EN LA NUBE

Es sencillo comprar material digital en la iTunes Store pero, ¿cómo lleva todo el material que compra en un dispositivo a todos sus ordenadores y dispositivos iOS? Aquí es donde entra en juego el servicio Nube de iTunes. Actúa como un servicio para copias de seguridad en línea para toda la música, las aplicaciones, los vídeos y los libros que compra. Una vez que compra algo de la tienda, la Nube lo sabe y puede descargar copias a todos los ordenadores y dispositivos que utilicen el mismo ID de Apple. Como con muchos elementos del universo Apple, tiene dos formas de copiar archivos entre dispositivos: automática y manual. Así es como se hace:

• **Descarga automática de las compras:** Para que iTunes descargue automáticamente a su iPad una copia de la música, las aplicaciones y los libros que compra en otros dispositivos, seleccione Editar [iTunes]>Preferencias>Store. En Descargas automáticas (véase la figura 12.11), active las casillas junto a Música, Aplicaciones y/o Libros (los vídeos tendrá que descargarlos manualmente). Haga clic sobre el botón **Aceptar**.

Figura 12.11. *Establezca la descarga automática.*

- Para hacer que el iPad busque el material que compró en iTunes, diríjase a la pantalla de inicio del iPad y pulse Ajustes>Store. Inicie sesión con su cuenta iTunes y active el botón junto a Música, Aplicaciones y/ Libros.

- **Descarga manual de las compras:** Si sólo desea algunos productos concretos de sus compras en la tienda, puede descargar lo que quiera y cuando lo desee. En el ordenador, haga clic en el vínculo a la tienda de la lista fuente de iTunes e inicie sesión en su cuenta. En el panel Enlaces, haga clic en el vínculo Comprado. En la siguiente pantalla, que puede ver en la figura 12.12, verá música, películas, aplicaciones, libros que ha comprado; haga clic en el botón **Todo** para ver todo el contenido, o en **No está en este ordenador** para ver los elementos que no están en el ordenador. Haga clic en el nombre de un elemento y, después, en el icono de la Nube para descargarlo.

Figura 12.12. *Elija la opción para ver el contenido que desea.*

- Para ser selectivo con su iPad, abra iTunes desde la pantalla de inicio y pulse el icono Comprado en la parte inferior de la pantalla de la tienda. Pulse **Todo** para ver todo lo que ha comprado o **No está en este iPad** para ver una lista de los elementos que no están en la tableta. Pulse el icono de la Nube e introduzca su nombre de usuario y contraseña de iTunes Store para descargar el material a su iPad.

UTILICE LA OPCIÓN PARA COMPARTIR EN CASA DE ITUNES EN SU IPAD

Como mencionamos previamente, puede utilizar la útil función de Compartir en casa para pasar contenido de un ordenador a su iPad a través de una red local inalámbrica. Al entrar en bibliotecas de contenido compartido, aumenta sus opciones de archivos de audio y vídeo, y compartir es especialmente útil si posee, digamos, una combinación de 500 gigabytes de contenido entre los dispositivos de su red y un iPad de solamente 16 GB.

Para aprovechar la función Compartir en casa en su iPad, debe activarlo en iTunes y en el iPad y en los dispositivos participantes de su red local. También necesita un ID de Apple. Así activa esta función en su iPad:

1. Si aún no lo ha hecho, abra iTunes y seleccione Avanzado>Activar "Compartir en casa". Introduzca su ID de Apple y haga clic en Crear botón de Compartir en casa.

2. En el iPad, pulse Inicio>Ajustes>Música. En el área Compartir en casa (véase la figura 12.13) introduzca el mismo ID de Apple.

Figura 12.13. *Introduzca los datos de su cuenta Apple.*

Truco

¿Quiere seguir compartiendo la biblioteca iTunes del Mac, aunque ese Mac decida echarse una siesta durante una película? En el Mac, seleccione Menú Apple>Preferencias del sistema>Ahorro de energía *y active la casilla junto a* Despertar para acceso de red.

Ahora es el momento de decidir lo que quiere pasar a su iPad. Para la música, diríjase a la pantalla de inicio del iPad y pulse el icono Música. En la pantalla Música, pulse el botón **Más** en la parte inferior de la pantalla. En el cuadro que aparece, que puede ver en la figura 12.14, pulse Compartido y, después, pulse el nombre de la biblioteca que quiera copiar (véase la figura 12.15). Todas las canciones y listas de reproducción de esa biblioteca aparecerán en la lista iTunes de su iPad, preparadas para sonar.

Figura 12.14. *Seleccione la opción de material compartido.*

Figura 12.15. *Elija la biblioteca que desea compartir.*

Para copiar vídeo, pulse Inicio>Vídeos>Compartidos. Pulse el icono cuadrado de la biblioteca para ver todas las películas, las series, los vídeos musicales y otro contenido visual. Pulse la miniatura de un vídeo para pasar el archivo a su iPad.

Compartir fotos con iTunes

No puede pasar fotos al iPad con la función Compartir en casa, pero iTunes puede transmitirlas a una Apple TV de segunda generación (o posterior). En iTunes, pulse Avanzado>Elegir fotos para compartir. En el cuadro que aparece (véase la figura 12.16), elija los álbumes o carpetas de fotos que quiere mostrar. Utilice el mando de la Apple TV, acuda a su menú de fotos, busque sus fotos compartidas recientemente y las tendrá en la pantalla de su televisión.

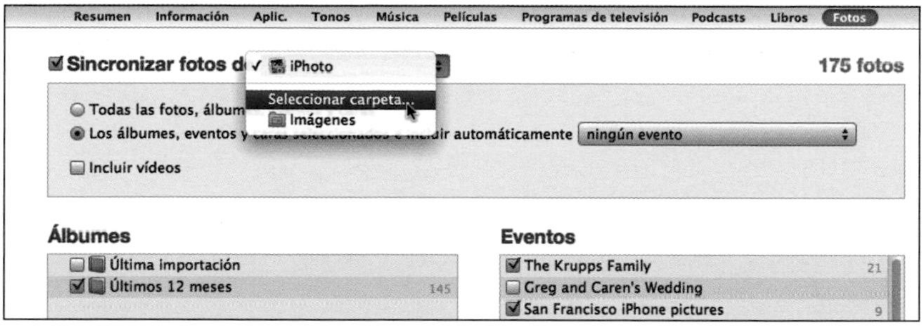

Figura 12.16. *Seleccione la carpeta con las fotos que quiere compartir.*

Puede incluso configurar su Apple TV para que utilice sus fotos compartidas como salvapantallas. En la pantalla principal de Apple TV, diríjase a **Ajustes>Salvapantallas>Fotos**. Seleccione su ordenador de la lista y, después, seleccione la carpeta de fotos, el evento iPhoto u otra colección para que lo utilice el salvapantallas en esos momentos de reposo.

DOMINAR ITUNES EN EL ORDENADOR

Como puede adivinar, por el capítulo anterior, iTunes es una parte importante en su experiencia con el iPad. Incluso aunque utilice el servicio aéreo de iCloud para realizar copias de seguridad, ajustar o recargar su música, iTunes convierte los temas de sus propios CD en archivos digitales listos para el iPad. También le permite organizar su biblioteca de contenidos localmente en su ordenador, sin necesidad de una conexión a Internet. Y si no utiliza iCloud, iTunes gestiona la transferencia de canciones, música, vídeos, libros, información personal y aplicaciones entre su ordenador y su tableta.

Si no ha tenido un iPod o un iPhone antes de tener su iPad, puede que no conozca la potencia de iTunes como gestor de contenido. Como se explica en este capítulo, puede personalizar su aspecto, elaborar listas de reproducción de muchas maneras, cambiar el formato de una canción, ajustar la ecualización de cada canción e incluso mantener su biblioteca iTunes en un disco externo por seguridad.

Así que, cuando llegue el momento de cargar su iPad durante unas horas, dése una vuelta por iTunes.

⬤ ⬤ ⬤ CAMBIE EL ASPECTO DE LA VENTANA DE ITUNES

No se deje engañar por el aspecto elegante y sólido de iTunes. Puede mover sus partes como si fueran de plastilina:

- Si establece el navegador por columnas para que aparezca sobre la ventana de iTunes, puede ajustar el tamaño de los paneles arrastrando el pequeño punto sobre la lista de canciones, que puede ver en al figura 13.1. Por defecto, el navegador en columnas aparece a la izquierda, pero puede cambiarlo seleccionando

Visualización>Navegador de columnas>Arriba. En cualquier posición, pulse **Comando-B** para esconder o mostrar las columnas.

- iTunes divide su lista de canciones en columnas para que pueda organizarlas. Haga clic en el nombre de una columna (como Nombre o Álbum) para ordenar la lista alfabéticamente. Haga clic de nuevo para invertir el orden. Cambie el orden de las columnas arrastrándolas con el cursor, como puede ver en la figura 13.1.

Figura 13.1. *Utilice el pequeño punto para mover las columnas.*

- Ajuste el ancho de las columnas arrastrando el divisor vertical que se observa en la figura 13.2. Es más fácil seleccionarlo en la barra de título de la columna.

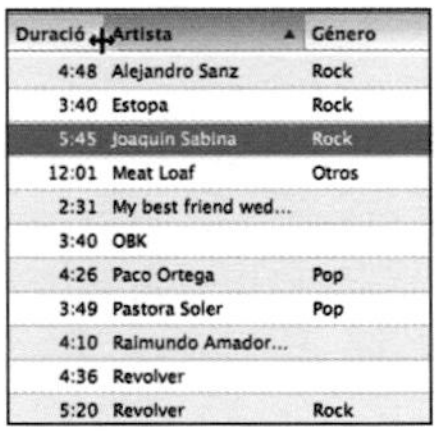

- Para cambiar el tamaño de todas las columnas para que se expandan y se ajusten a su contenido con precisión, haga clic con el botón derecho sobre el encabezamiento de cualquier columna y seleccione Tamaño automático de todas las columnas (véase la figura 13.3).

Figura 13.2. *Arrastre para cambiar el ancho de la columna.*

Figura 13.3. *Utilice esta opción para ajustar las columnas automáticamente.*

- Para añadir (o borrar) columnas, haga clic con el botón derecho en cualquier título de columna. De la lista emergente de categorías de columnas, seleccione el nombre de la columna que quiere añadir o eliminar. Las marcas de verificación indican las columnas visibles actualmente.

⬤ ⬤ ⬤ CAMBIAR EL TAMAÑO DE LA VENTANA ITUNES

Aunque iTunes es encantador, ocupa gran parte de la pantalla. Así que, si está trabajando en otras cosas, puede reducirla. De hecho, iTunes ofrece tres tamaños: grande, mediano y pequeño:

1. **Grande:** Es el tamaño predeterminado la primera vez que abre iTunes. Si no le gusta el apartado de venta de música de la barra lateral de la derecha de la ventana, ciérrela haciendo clic en el botón del cuadrado de la esquina inferior derecha que puede ver en la figura 13.4.

Figura 13.4. *Utilice el icono del cuadrado para cerrar la barra lateral.*

2. **Mediano:** Cambie de grande a mediano (véase la figura 13.5) pulsando **Mayúsculas-Comando-M** o seleccionando Visualización>Activar minirreproductor.

Figura 13.5. *Éste es el aspecto de la vista mediana de iTunes.*

3. **Pequeño:** Para comprimir realmente la ventana, comience con el tamaño mediano y arrastre su esquina inferior derecha hacia la izquierda (véase la figura 13.6). Para expandir el panel, invierta el proceso.

Figura 13.6. *La ventana iTunes en la vista pequeña.*

¿Cansado de perder de vista la pequeña ventana de iTunes entre la gran pila de ventanas abiertas en su pantalla? Haga que esté siempre visible por encima de otros documentos, ventanas y otros elementos de la ventana. Abra la ventana de preferencias de iTunes (**Comando-coma**), haga clic en la ficha Avanzado y active la casilla Mantener el minirreproductor encima del resto de ventanas. Ya no tendrá que buscar iTunes como un loco por toda la pantalla.

CAMBIAR LOS AJUSTES DE LA IMPORTACIÓN PARA MEJORAR LA CALIDAD DEL AUDIO

Los iPad pueden reproducir música en varios formatos digitales: AAC, MP3, WAV, AIFF y uno denominado Apple Lossless. Si observa que a sus canciones les falta calidad, puede cambiar el modo en que iTunes las codifica o convierte cuando copia temas de sus CD.

iTunes le ofrece dos opciones en su cuadro de Ajustes de importación. Diríjase a Edición (iTunes)>Preferencias>General y haga clic en el botón **Configuración de importación** para acceder. Sus opciones son:

- **Formato de audio (utilice el menú desplegable junto a Importar usando) (véase la figura 13.7):** Algunos formatos comprimen los archivos de audio para ahorrar espacio. El inconveniente es la pérdida de calidad de sonido. Entre los formatos más comprimidos están AAC (el predeterminado de iTunes) y MP3. Los formatos que no utilizan compresión o que comprimen muy poco son WAV y AIFF, que suenan mejor pero ocupan más espacio.

Figura 13.7. Utilice el menú desplegable de Importar usando.

Apple Lossless se sitúa en un punto intermedio: tiene mejor calidad de sonido que AAC y MP3 pero no tan nítido como WAV o AIFF.

- **Velocidad de bit (junto a Ajuste):** Cuanto mayor sea el número de bits, mayor es la cantidad de información que iTunes utiliza para recrear sus canciones (y, por supuesto, más espacio utilizan sus temas). ¿La ventaja? Mejor calidad de sonido.

Para comprobar el formato de una canción y otros datos técnicos, haga clic en su título en iTunes, pulse **Comando-I** y, después, haga clic en el ficha Resumen, que puede ver en la figura 13.8.

Figura 13.8. Aquí encontrará la información técnica de las canciones.

⬤ ⬤ ⬤ CUATRO MANERAS DE NAVEGAR POR SU COLECCIÓN

En lugar de limitarse a presentar aburridas listas, iTunes le ofrece cuatro opciones para navegar por su colección; algunas más visuales que otras. Pulse los botones de **Vista**, junto al cuadro de búsqueda en la parte superior de iTunes, para cambiar entre ellas.

- **Lista:** Es la vista con todo el texto. Pulse **Comando-B** para moverse por los paneles verticales (u horizontales) que agrupan su música por género, artista y álbum. Pulse **Opción-Comando-3** para volver a esta vista desde cualquier otra.

- **Vista de álbum:** Muestra la portada de un álbum en la primera columna si tiene cinco o más temas de ese álbum (véase la figura 13.9).

- **Vista de parrilla:** Esta vista presenta su colección en una vistosa presentación de carátulas de álbumes (véase la figura 13.10). Ajuste el tamaño de las carátulas con el deslizador de la parte superior de la ventana. Pulse **Control-Alt-5 (Opción-Comando-5)** para cambiar a esta vista.

- **Pase de portadas:** Ésta es su vista si realmente le gustan las portadas de discos. Su colección aparece como un flujo de portadas de álbumes. **Control-Alt-6 (Opción-Comando-6)** es el atajo. Para navegar por ellas, pulse las flechas del teclado o arrastre la barra de debajo los álbumes (véase la figura 13.11). Pulse el icono (■) junto a la barra para que la portada ocupe toda la pantalla, junto con unos controles de reproducción.

Figura 13.9. *Vista de álbum.*

Figura 13.10. *Vista de parrilla.*

Figura 13.11. Ésta es su vista si le gustan las portadas de los álbumes.

⚫ ⚫ ⚫ BUSCAR CANCIONES EN ITUNES

Puede solicitar una lista de canciones con una palabra concreta en el título, nombre de álbum o nombre de artista, simplemente haciendo clic en el icono **Música** (🎵) del panel **Fuente** , en **Biblioteca**), y escribiendo en el cuadro de búsqueda de iTunes, en la esquina superior derecha. Con cada letra que introduce, iTunes estrecha la lista que muestra.

Por ejemplo, introducir **Alejandro** da como resultado una lista de todos los elementos de su colección que contengan el nombre Alejandro en su información (véase la figura 13.12). Haga clic en el resto de iconos de la biblioteca, como **Películas** , para peinar esas colecciones con títulos que coincidan con un término de búsqueda.

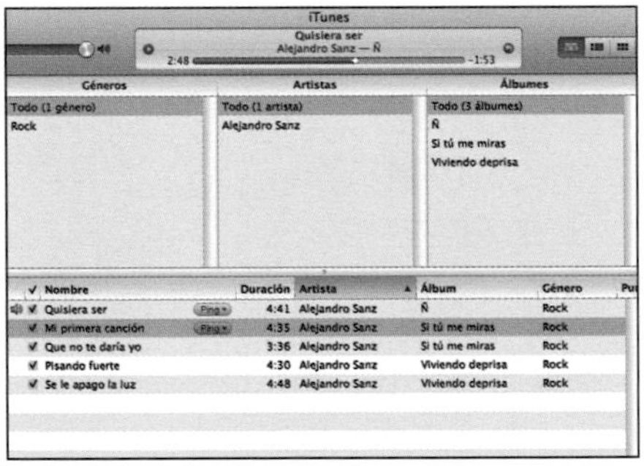

Figura 13.12. Observe la lista de resultados al término de búsqueda.

También puede buscar títulos específicos utilizando el navegador de iTunes mencionado previamente en este capítulo. Si no puede ver el panel del navegador, pulse **Control-B** ((⌘)-B) para solicitarlo. El navegador revela su colección de música agrupada por categorías como género, artista y álbum (seleccione las categorías en Visualización>Navegador de columnas). Pulse las mismas teclas (**Control-B** [(⌘)-**B**]) para cerrar el navegador.

Truco

Si está buscando música en general, ¿Por qué no echar un vistazo a lo que están escuchando sus amigos? Ping, la red social de Apple, le permite crear perfiles, seguir los gustos musicales de sus amigos y más; haga clic en el icono **Ping** *en Store en la lista fuente o diríjase a* http://www. apple.com/es/itunes/ping/.

CAMBIAR EL FORMATO DE ARCHIVO DE UNA CANCIÓN

En ocasiones, querrá cambiar el formato de una canción que tiene en iTunes; puede que tenga que convertir un archivo AIFF antes de cargarlo en su iPad, por ejemplo. Primero, diríjase a Edición>Preferencias, haga clic en la ficha General y, después, en el botón **Configuración de importación**. En el menú Importar utilizando, seleccione el formato al que quiere convertir y haga clic en **Aceptar**.

Ahora, en su biblioteca iTunes, seleccione la canción que quiera convertir y elija Avanzado>Crear versión MP3 (o AIFF, o el formato que quiera).

Si tiene toda una carpeta o un disco entero de conversiones por hacer, mantenga pulsada la tecla **Mayúsculas** (**Opción**) mientras selecciona Avanzado>Crear versión AAC (o su formato elegido). Aparecerá una ventana para que pueda navegar a la carpeta o disco con los archivos que quiere convertir. iTunes no convertirá contenido protegido; temas de Audible.com o temas antiguos de iTunes Store que contengan protección de copia. No obstante, si compró una canción después de abril de 2009, es probable que esté libre de estas restricciones, ya que fue el momento en que Apple dejó de proteger su música.

iTunes deposita sus temas recién convertidos en su biblioteca, junto a las canciones en su formato original.

Truco

Aunque en este caso ha creado intencionadamente un duplicado de una canción, puede que tenga duplicados no intencionados como resultado de compartirlos en casa, descargar dos veces el mismo álbum u otras copias accidentales. Para encontrar estos duplicados (y recuperar algo de espacio en el disco duro), seleccione Archivo>Mostrar duplicados. *Muy obediente, iTunes muestra todos los duplicados en una ventana para que los inspeccione y borre los que considere. Asegúrese de que realmente se trata de duplicados y no de una versión de estudio y otra en directo de la misma canción, por ejemplo. Para encontrar duplicados exactos, mantenga pulsada la tecla* **Mayúsculas (Opción)** *y seleccione* Archivo>Mostrar>Duplicados exactos. *Haga clic en el botón* **Mostrar todo** *para volver a su colección completa de música.*

MEJORAR SUS CANCIONES CON EL ECUALIZADOR GRÁFICO

Si quiere mejorar el sonido de sus canciones, utilice el ecualizador gráfico de iTunes para ajustar el audio al tipo de música que esté reproduciendi. Puede que quiera subir los bajos en los temas dance para enfatizar el ritmo, por ejemplo. Para situar el ecualizador en el centro de su pantalla, seleccione Visualización>Mostrar ecualizador y dé rienda suelta a sus nuevos poderes:

1. Arrastre los deslizadores (bajos a la izquierda, agudos a la derecha, como puede ver en la figura 13.13) para acomodar sus gustos de escucha (o las fortalezas o debilidades de sus altavoces o auriculares). Puede mover el deslizador Preamplificador para compensar las canciones que suenan demasiado fuerte o demasiado débil. Para crear sus propios ajustes predeterminados, haga clic en el menú desplegable de la parte superior del ecualizador y seleccione Crear preajuste.

Figura 13.13. *Ajustes del ecualizador.*

2. Utilice el menú emergente para elegir uno de los programas predeterminados para cada tipo de música (clásica, dance, jazz, etc.). Puede aplicar los ajustes del ecualizador a todo un álbum o a canciones individuales.

3. Para aplicar los ajustes a un álbum completo, seleccione el nombre del álbum en la vista en parrilla o en el navegador de iTunes. Después, pulse **Comando-I** y haga clic en **Sí**, si iTunes le pregunta si está seguro de querer editar varios elementos. En el cuadro que aparece, que puede ver en la figura 13.14, haga clic en la ficha Opciones y seleccione su ajuste preferido del menú Preajuste de ecualización.

Nota

La ecualización es el arte de ajustar la respuesta de frecuencia de una señal de audio. Un ecualizador enfatiza la señal de algunas frecuencias mientras que reduce otras. En el rango del sonido audible, los bajos son el ruido sordo; los agudos son el extremo opuesto, con notas altas, incluso estridentes; y los tonos medios son, por supuesto, los que se encuentran en un punto intermedio, los más audibles para el oído humano.

4. También puede aplicar preajustes de ecualización a canciones individuales. En lugar de seleccionar el nombre del álbum en la ventana de iTunes, haga clic sobre el nombre de la canción y, después, pulse **Comando-I**. Haga clic en la ficha Opciones y seleccione un ajuste del menú Preajuste de ecualización (véase la figura 13.15). Cuando aplica un ajuste predeterminado de esta forma, iTunes transfiere los ajustes a la canción en la aplicación Música de su iPad la próxima vez que sincronice, siempre que el ecualizador de su iPad esté activado.

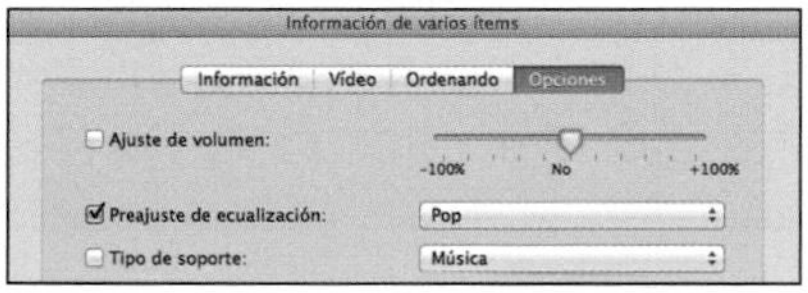

Figura 13.14. Seleccione el programa que quiere aplicar a su álbum

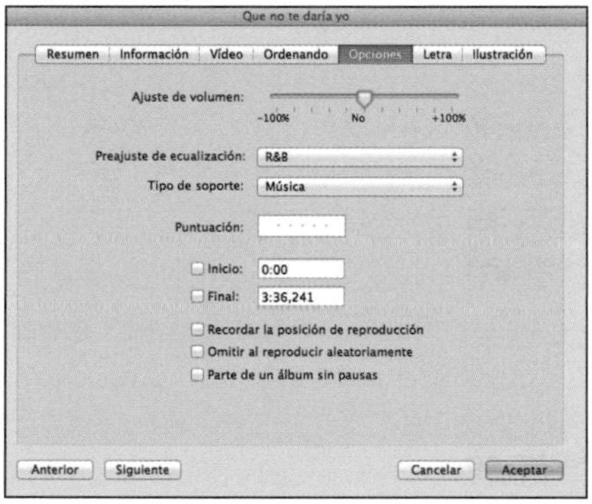

5. Por último, puede cambiar los ajustes de ecualización desde sus listas de canciones añadiendo una columna de ecualización. Seleccione Visualización>Opciones de visualización y, después, active la casilla Ecualizador. Como puede ver en la figura 13.16, aparecerá una nueva columna en sus listas de canciones, en la que podrá seleccionar ajustes de ecualización.

Figura 13.15. Aplique la ecualización a una canción determinada.

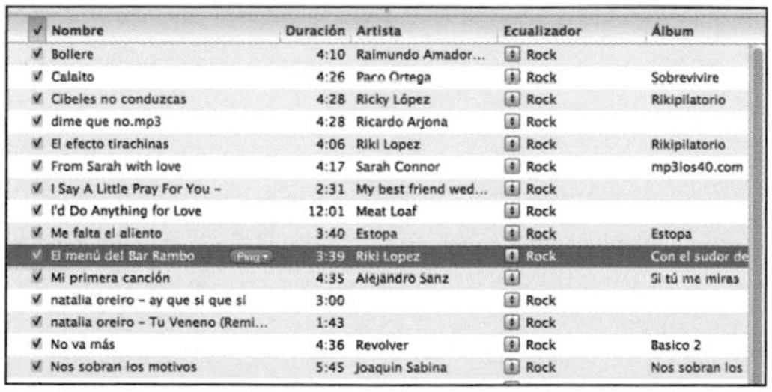

Figura 13.16. Observe la nueva columna de ecualización.

Truco

El iPad ofrece más de 20 programas de ecualización predeterminados. Para establecer el ecualizador de su iPad de forma uniforme para cada tipo de música, pulse Ajustes>Música>Ecualizador. *Desplácese por la lista de programas hasta que encuentre el que coincide con su estilo de música y selecciónelo. Ahora, su iPad enumera el nombre de programa junto a* Ecualizador *en el menú* Ajustes *y su música, seguramente, sonará mejor.*

EDITAR LA INFORMACIÓN DE UNA CANCIÓN

¿Cansado de ver tantas canciones denominadas "Sin título" en su biblioteca? Puede cambiar los títulos de las canciones en iTunes de dos formas; para introducir su nombre real, por ejemplo, o para arreglar un error. En la lista de canciones, haga clic en el texto que desea cambiar, espere un momento y, después, haga clic de nuevo. Ahora el título aparece marcado y puede editar el texto, del mismo modo que si cambiara el nombre a un documento de Word en un ordenador.

Otra forma de cambiar el título de una canción, el nombre del artista u otro dato, es hacer clic en la canción en la ventana de iTunes y pulsar **Comando-I** para solicitar el cuadro Obtener información. Seleccione Archivo>Obtener información si olvida el atajo de teclado. Haga clic en la ficha Información e introduzca la nueva información (véase la figura 13.17).

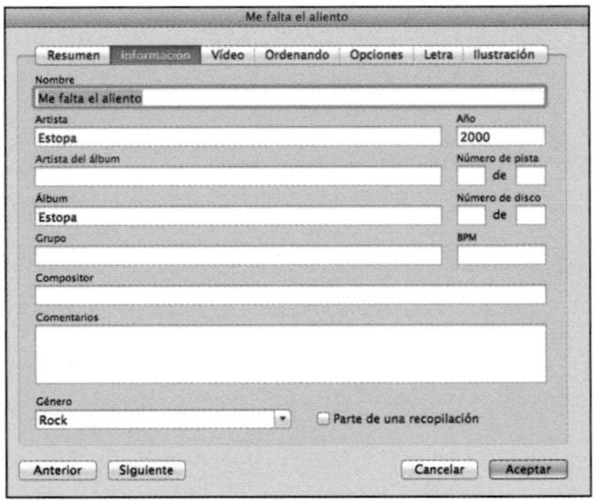

Figura 13.17. *Introduzca la nueva información en la ficha.*

¿Demasiado trabajo? Siempre puede probar Avanzado>Obtener nombres de pista y ver qué obtiene, aunque si se trata de algo desconocido o hecho en casa, es probable que la base de datos Gracenote que utiliza iTunes no sepa los títulos.

Truco

Una vez que tenga el cuadro Obtener información *de una canción en pantalla, utilice los botones* **Anterior** *y* **Siguiente** *para navegar por otros temas agrupados en la misma lista de canciones. De este modo, podrá editar rápidamente toda la información de la misma lista de reproducción sin tener que abrir y cerrar cuadros todo el rato.*

EDITAR LA INFORMACIÓN DEL ÁLBUM Y EL ESPACIO ENTRE CANCIONES

No tiene que ajustar la información de los temas canción a canción. Puede editar un álbum completo haciendo clic en el nombre del álbum en la navegación por columnas de iTunes (o haciendo clic en su portada en la vista de parrilla) y pulsando **Comando-I** para solicitar el cuadro Obtener información.

Siempre cauteloso, iTunes muestra un cuadro de alerta preguntando si realmente quiere cambiar la información de varios elementos (ítems) a la vez, como puede observar en la figura 13.18. Haga clic en **Sí**.

Puede realizar todo tipo de cambios en un álbum en el cuadro de cuatro fichas que aparece (véase la figura 13.19). Aquí tiene algunos ejemplos:

1. Arreglar un error en un nombre o título.

2. Añadir manualmente una portada o foto de su elección para el álbum arrastrándola al cuadro Ilustración.

3. Haciendo clic en la ficha Opciones y cambiando el programa de ecualización para todas las canciones (véase la figura 13.20).

4. Desactivando la casilla Recordar posición (perfecto para evitar los temas invernales en sus barbacoas veraniegas) de la ficha Opciones, haciendo que iTunes se salte el álbum cuando se reproduce de forma aleatoria.

5. Seleccionando la opción Álbum sin pausas (perfecto para la ópera o sesiones de DJ) también en la ficha Opciones, haciendo que iTunes reproduzca el álbum sin el espacio de 2 segundos entre canciones.

Figura 13.18. *iTunes se asegura de que quiere realizar cambios en varios elementos.*

Figura 13.19. *En la ficha Información puede corregir errores o cambiar nombres.*

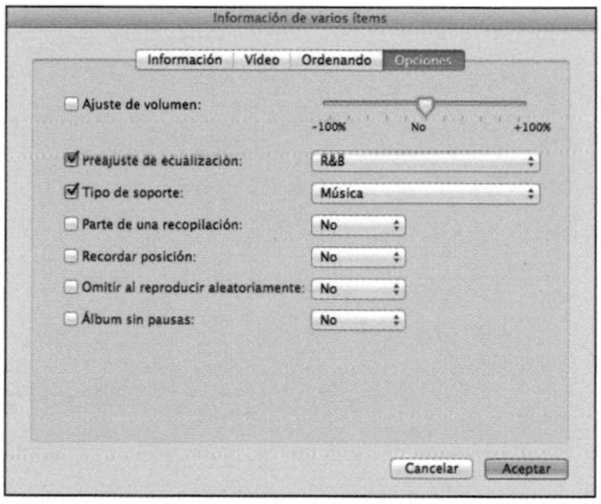

Figura 13.20. *En la ficha Opciones tiene varias posibilidades más avanzadas.*

ELABORE LA NUEVA LISTA DE REPRODUCCIÓN EN ITUNES

Para crear una lista, pulse **Comando-N**. También puede seleccionar Archivo>Nueva lista de reproducción, como puede ver en la figura 13.21, o pulsar el botón (+) en la esquina inferior izquierda de la ventana de iTunes.

Todas las listas recién creadas empiezan con el impersonal nombre "lista sin título". Por suerte, iTunes marca este nombre genérico para que lo edite (véase la figura 13.22). Introduzca un nombre más apropiado. Según añada canciones a la lista, iTunes las ordenará alfabéticamente en el área Listas de la lista fuente.

Figura 13.21.
Seleccione Nueva lista de reproducción en el menú Archivo.

Una vez que cree y nombre una nueva lista, estará listo para añadir sus canciones y vídeos. Puede hacerlo de tres maneras, elija la que más le guste.

Método 1 para crear listas

1. Si es su primera lista de reproducción, haga doble clic en el icono **Nueva lista** en la lista fuente. Obtendrá su biblioteca musical completa en una ventana y su lista vacía en otra. Puede que iTunes muestre una pantalla de introducción. Ignórela y vaya al paso 2.

2. Vuelva a la ventana principal de iTunes y arrastre los títulos de las canciones de su biblioteca a la ventana de su nueva lista. Asegúrese de pulsar el icono **Música** (🎵) de la lista fuente para ver todas las canciones. Arrastre las canciones de una en una o seleccione unas cuantas con la tecla Comando pulsada.

Figura 13.22.
Introduzca el nombre de la nueva lista.

Método 2 para crear listas

1. A algunas personas no les gustan las ventanas múltiples. No hay problema. Puede añadir canciones a una lista marcándolas en la ventana principal de iTunes y arrastrándolas al icono de la lista, como puede ver en la figura 13.23.

2. Si ha creado muchas listas, desplácese hacia abajo para llegar a la nueva.

Figura 13.23. *Arrastre las canciones al icono de la nueva lista.*

Método 3 para crear listas

1. También puede seleccionar canciones en su biblioteca y, después, crear la lista a partir de las canciones marcadas. Seleccione los temas haciendo clic con la tecla **Comando** pulsada.

2. Después seleccione Archivo>Nueva lista a partir de la selección (véase la figura 13.24), o **Comando-Mayúsculas-N**. Las canciones que seleccionó aparecen en una lista nueva. Si todas provienen del mismo álbum, iTunes nombra la lista como el álbum (pero también marca el título por si quiere cambiarlo).

No se preocupe por saturar su disco duro. Cuando arrastra el título de una canción en una lista, no realiza una copia, sólo le dice a iTunes dónde puede encontrar la canción. Básicamente, está creando un atajo a la canción. Esto significa que puede tener la misma canción en varias listas pero sólo habrá una copia en su ordenador.

Figura 13.24. Elija esta opción del menú Archivo para crear la lista con las canciones marcadas.

iTunes incluso crea sus propias listas, como "Los 25 más reproducidos" o "Comprado", para encontrar todo su contenido de iTunes Store.

CAMBIAR O BORRAR UNA LISTA EXISTENTE

Si ha cambiado de opinión respecto al orden de canciones de una lista, arrastre los títulos en la ventana de la lista. Asegúrese de que está ordenando la lista por nombre (haga clic en la parte superior de la primera columna, la que tiene los números junto a los títulos de los temas).

Siempre puede añadir más canciones a una lista y borrar títulos si lo cree conveniente. Haga clic en las canciones en la ventana de reproducción y, después, pulse la tecla **Suprimir** o **Borrar**. Cuando iTunes le pide que confirme su decisión, haga clic en **Sí**. Recuerde, borrar una canción de una lista no la borra de su biblioteca musical; sólo elimina el título de esa lista concreta. Puede deshacerse de una canción de forma definitiva pulsando **Suprimir** o **Borrar** en la biblioteca de iTunes; seleccione (🎵) en Biblioteca para acceder.

Puede añadir rápidamente una canción a una lista existente desde la ventana principal de iTunes, independientemente de la vista que esté utilizando: seleccione una canción, haga clic con el botón derecho (**Control-clic**) y, en el menú emergente, seleccione Añadir a lista de reproducción. Desplácese a la lista que quiere completar y pulse el botón del ratón para añadir el tema. Para ver cuántas listas incluyen cierta canción, seleccione el tema, haga clic con el botón derecho (**Control-clic**) y seleccione Mostrar en lista de reproducción en el menú emergente.

Cuando acaba la fiesta y es el momento de deshacerse de una lista para siempre, seleccione el icono de la lista en iTunes y pulse la tecla **Suprimir** (Delete), que puede ver en la figura 13.25. Verá un cuadro con un mensaje de iTunes pidiéndole que confirme la decisión. Si su iPad está sincronizado automáticamente, la lista también desaparece de la tableta.

Figura 13.25. *Pulse la tecla Delete (Suprimir) para eliminar una lista.*

CREAR UNA LISTA GENIUS EN ITUNES

Crear listas de reproducción es divertido pero, en ocasiones, no tendrá tiempo o energía para hacerlo. En estos casos, acuda a un experto: Genius de iTunes. Con la función Genius, puede hacer clic en cualquier canción que le apetezca e iTunes elabora una lista de entre 25 y 100 canciones que considera que van bien con la que ha elegido.

La primera vez que lo utiliza, Genius le pide permiso para recorrer su colección de música y reunir información de canciones y, de forma anónima, sube esos datos a Apple. El software de Apple analiza su información y la añade a una base de datos gigante con información sobre las canciones de todo el mundo para mejorar sus sugerencias. Después, Genius está listo para trabajar. Éste es el procedimiento:

1. Haga clic en el título de una canción en su biblioteca.

2. Haga clic en el icono de Genius (✳) en la parte inferior derecha de iTunes. Si está reproduciendo la canción, pulse el icono de Genius en la ventana de visualización de iTunes.

3. iTunes le presenta una nueva lista al instante.

4. Utilice los botones de la parte superior de la ventana de Genius para ajustar el número de canciones de la lista, añadir nuevas canciones si quiere una combinación diferente y, lo mejor de todo, para guardar la lista de forma permanente.

Genius no funciona si no tiene la información suficiente sobre una canción; o si no hay las suficientes canciones parecidas que coincidan con ella. En este caso, elija otra canción. Si añade música nueva frecuentemente a su biblioteca y quiere que se incluya en las listas, informe a Genius en Store>Actualizar Genius.

Y si tiene la barra de Genius abierta mientras escucha música, le ofrece una lista de canciones complementarias que puede comprar en el momento para redondear la experiencia musical.

Nota

Si declinó la oferta inicial de iTunes para activar Genius, puede recuperarla seleccionando Store>Activar Genius. *Y, si se arrepiente de su decisión de invitar a Genius a su hogar, échelo de su vida visitando el mismo menú y desactivando la opción.*

MEZCLAS DE GENIUS EN ITUNES

Sí, la función Genius elimina todo el esfuerzo que supone crear listas; sólo tiene que hacer clic en su botón. Pero si incluso un clic es demasiado esfuerzo, iTunes hace que la creación de listas sea aún más sencilla. Bienvenido a las mezclas de Genius.

La función de las mezclas de Genius funciona así: iTunes se encarga de buscar en su biblioteca musical y compone automáticamente (dependiendo del tamaño de su biblioteca) colecciones de hasta 12 canciones. Las mezclas de Genius no piensan en canciones que vayan bien juntas, sino que sean parecidas a una sintonía de radio o un canal musical de televisión basado en el género. Dependiendo de lo que tenga en su biblioteca de iTunes, Genius le ofrecerá una mezcla hip hop, country, clásica, etc. Además, la mezcla Genius crea hasta 12 listas a la vez, todas guardadas y listas para su reproducción, al contrario que la lista individual de Genius, que debe guardar para conservarla.

Si no ve el icono de las mezclas de Genius (⊞) en su lista fuente de iTunes, seleccione Store>Actualizar Genius. Una vez activado, el Genius sirve sus mejunjes sonoros desde su biblioteca de música. Para reproducir una mezcla de Genius, haga clic en el icono de la lista fuente. La ventana de iTunes pasa a vista de parrilla y muestra las mezclas creadas, cada una representada por cuatro portadas de álbumes de temas incluidos en la mezcla. Pase el cursor del ratón por encima de las portadas para ver el nombre de la mezcla o pulse los cuadrados para comenzar a reproducir la música.

Como la mayoría de emisoras de radio tradicionales, no verá una lista de lo que contiene una mezcla de Genius; es una sorpresa. Si no le interesa una de las canciones, pulse el botón para pasar al siguiente tema o pulse la tecla de la flecha a la derecha de su ordenador.

Las mezclas de Genius también pueden ser un buen método para poner música de fondo sin esfuerzo en una fiesta y puede que escuche temas que no oye hace tiempo.

PUNTÚE SU MÚSICA

En iTunes puede calificar su música (por álbumes o canciones) otorgándole entre una y cinco estrellas. Después, puede utilizar estas puntuaciones para crear listas con los grandes éxitos de su disco duro.

Si asigna a un álbum una puntuación, todas las canciones de ese álbum obtienen la misma. Si puntúa algunas canciones de un álbum pero no todas, la puntuación del álbum será un promedio de las puntuaciones de sus canciones (sin contar las no puntuadas).

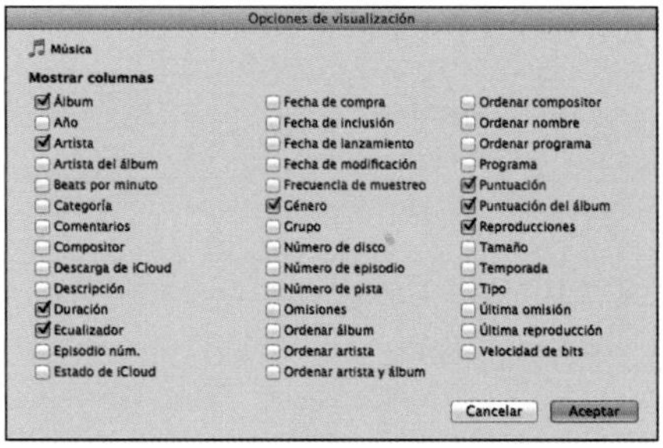

1. Para añadir puntuaciones, primero asegúrese de activar la **Puntuación del álbum** y/o las columnas de puntuación en el cuadro de opciones de iTunes, que puede ver en la figura 13.26. **Comando-J**.

2. Haga clic sobre la canción que quiere puntuar para marcarla. iTunes muestra cinco puntos en la columna **Puntuación** de la ventana principal. Cuando hace clic sobre un punto, iTunes lo convierte en una estrella. Puede arrastrar el ratón por la comuna para crear estrellas o hacer clic en uno de los puntos para

Figura 13.26. *Active las casillas relacionadas con la puntuación de álbumes y canciones.*

aplicar un calificación (haga clic en el tercer ratón e iTunes otorgará tres estrellas).

3. Una vez que puntúe, puede ordenar su lista de canciones por número de estrellas (haga clic en la columna **Puntuación del álbum** o **Puntuación**).

Puede incluso calificar una canción en su iPad e iTunes guardará la puntuación para la próxima vez que sincronice.

Para puntuar una canción en su iPad, comience a reproducirla y pulse la pequeña portada en la esquina para pasar a la pantalla completa. Pulse la pantalla para que aparezcan los controles de reproducción y después pulse el icono (≔) en la esquina inferior derecha. La portada del álbum gira para mostrar la lista de canciones. Pase el dedo por la fila de puntos sobre la lista de canciones para transformarlos en estrellas en relación a la canción que está sonando.

Aunque puntuar todas sus canciones puede suponer cierto esfuerzo, obtiene su recompensa cuando sólo quiere lo mejor en sus listas inteligentes. "Pero, ¿qué es una lista inteligente?", se preguntará. Me alegro que me haga esa pregunta. Siga leyendo.

● ● ● LISTAS INTELIGENTES: OTRO MODO DE ITUNES PARA AGRUPAR CANCIONES

Aunque Genius está muy bien, puede que en ocasiones prefiera tener más control sobre sus mezclas. Aquí entran en juego las listas inteligentes.

Una vez que le da ciertas pautas, una lista inteligente busca en su biblioteca y produce mezclas en base a esas pautas. Una lista de este tipo incluso marca la música que entra y sale de su biblioteca y se ajusta en base a ella.

Puede decirle a una lista inteligente que reúna 45 minutos de canciones que haya puntuado con más de cuatro estrellas pero que no suele escuchar, y a otra que reproduzca las canciones de los años 80 que más escucha. Las listas inteligentes que cree no tienen límite.

1. Para iniciar una lista inteligente, pulse **Comando-Opción-N** o seleccione Archivo>Nueva lista de reproducción inteligente (véase la figura 13.27). Se abre un cuadro con un icono (F) junto a su nombre en la lista fuente (una lista normal incluye un icono azul con una nota musical).

2. **Déle a iTunes instrucciones detalladas de lo que quiere escuchar:** Puede seleccionar algunos artistas que le gusten y hacer que iTunes descarte aquellos que no le apetecen en ese momento, escoger temas que sólo encajan en cierto género o año, etc. Para añadir varios criterios acumulativos, pulse el botón (+), que puede ver en la figura 13.28.

Figura 13.27.
Seleccione Nueva lista de reproducción inteligente en el menú Archivo.

3. **Active la casilla** Actualizar en tiempo real: Esta opción le indica a iTunes que mantenga la lista actualizada cuando haya cambios en sus colecciones, puntuaciones y el recuento de reproducciones (el recuento de reproducciones le indica a iTunes cuántas veces ha reproducido un tema, un buen indicador de lo mucho que le gusta un tema).

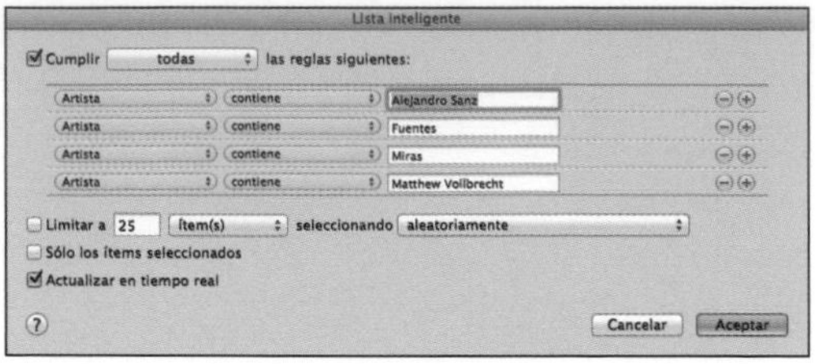

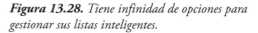

Figura 13.28. *Tiene infinidad de opciones para gestionar sus listas inteligentes.*

4. **Para editar una lista inteligente existente, haga clic con el botón derecho (Control-clic) en el nombre de la lista:** Después, seleccione **Editar lista de reproducción inteligente**.

Una lista inteligente es un diálogo entre usted e iTunes: le dice lo que desea con todo el detalle que quiera y el programa elabora una lista de acuerdo con sus instrucciones.

Puede incluso crear una lista inteligente que extraiga temas de su lista Genius actual. Haga clic en el botón (+) para añadir una preferencia, seleccione **Lista de reproducción** como otro criterio y seleccione Genius de entre las listas disponibles.

Truco

Cuando pulsa **Mayúsculas (Opción)**, *el botón* **(+)** *en la parte inferior de la ventana de iTunes se convierte en el icono (✿). Pulse este botón para abrir el cuadro de creación de listas inteligentes.*

Capítulo 14

GESTIONAR Y REPRODUCIR MÚSICA Y OTROS CONTENIDOS DE AUDIO

Cuando Apple anunció el primer iPad, allá por enero de 2010, muchos críticos lo etiquetaron como un "iPod Touch gigante" y se quejaron de sus características antes incluso de probarlo. Aunque la afirmación era sarcástica, también era correcta. En parte, al menos. Entre muchas otras cosas, el iPad es un iPod Touch gigante. Y uno realmente atractivo, además.

Gracias a su gran tamaño, reproducir música, audiolibros, podcasts y clases de iTunes U es pan comido; es fácil encontrar los temas que quiere, crear sus propias listas de reproducción, controlar la música y admirar grandes portadas en su pantalla.

Es cierto, el iPad es un poco grande para llevarlo al gimnasio o arrastrarlo mientras sale a correr, pero es una gran máquina musical para otras situaciones; como cuando tiene una buena pila de mensajes de correo electrónico y quiere evadirse con un poco de música clásica.

Tanto si busca un poco de música de fondo, como si desea controlar directamente la reproducción, este capítulo le muestra cómo hacer cantar a su iPad. Y si se gasta los 5 euros de la aplicación GarageBand para iPad, puede que acabe cantando sus propias canciones. ¡Empecemos!

● ● ● CONSIGA MÚSICA Y AUDIO PARA SU IPAD

¿No tiene música o archivos de audio en su ordenador para pasar a su iPad? Aquí tiene algunas formas para conseguirlo. Si tiene un iPod desde hace años y se sabe al dedillo el proceso de transferir música, puede saltar al siguiente punto para ver cómo organiza el iPad su música.

Importar temas de un CD a iTunes

Puede utilizar iTunes para convertir temas de sus CD de audio en archivos digitales listos para el iPad. Inicie iTunes e introduzca un CD en el ordenador. El programa le preguntará si desea importar el CD en iTunes. Si no lo hace, haga clic en el botón **Importar CD** en la esquina inferior derecha de la ventana iTunes, que puede ver en la figura 14.1. Si está conectado a Internet, iTunes descarga automáticamente

Figura 14.1. Puede pulsar el botón para importar el CD.

títulos de canciones e información de artistas para el CD. Sí, por extraño que parezca, los gestores de música como iTunes no obtienen la información de un álbum del propio álbum, sino que buscan en una base de datos gigante en la Red.

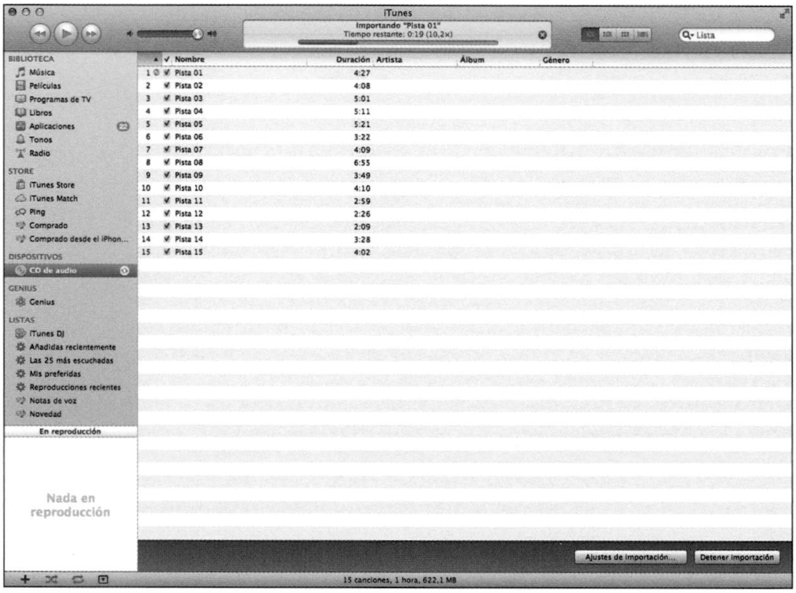

Una vez que le dice a iTunes que importe el CD, comenzará a incluir las canciones en su biblioteca, como se ve en la figura 14.2. Puede incluir todos los temas o descartar algunos desactivando las casillas junto a los títulos. Extraiga el CD cuando iTunes termine. Una vez que tenga las canciones en la biblioteca iTunes, sincronice su iPad con iTunes para copiar los temas en su tableta.

Figura 14.2. Las canciones se van copiando en su biblioteca.

Compre música en la iTunes Store

Otra forma de introducir música en su iPad es comprándola en iTunes Store. Una vez que tenga una cuenta iTunes, podrá comprar y descargar audio directamente desde su iPad o a través de iTunes en su ordenador. Para comprar desde su ordenador, haga clic en el icono **iTunes Store** en el lado izquierdo de la ventana iTunes, navegue y compre. Después, sincronice su iPad con iTunes.

Si compró música desde su ordenador o a través de otro dispositivo iOS, también podrá utilizar iTunes en iCloud para copiar esos temas al iPad. Pulse Inicio>iTunes> Comprado. En la parte superior de la pantalla, que puede ver en la figura 14.3, pulse **Todo** o **No en este iPad** para ver todo lo que ha comprado en iTunes o sólo las canciones que todavía no alberga su tableta.

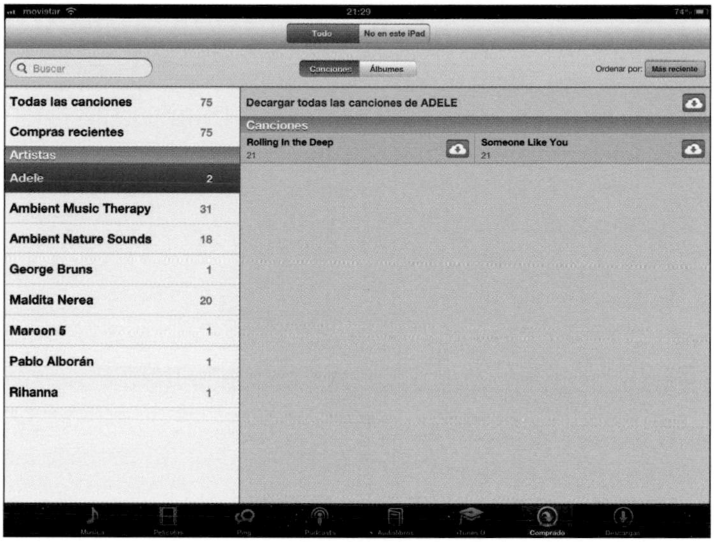

Figura 14.3. *Puede ver los temas que aún no están en su iPad.*

Muévase por la lista de artistas de la izquierda y pulse sobre uno. En el lado derecho de la pantalla, pulse el icono (☁) junto a cada canción que quiera descargar. Puede descargar todos los temas de un artista pulsando (☁) en la parte superior de la lista.

Consiga música en otras tiendas en línea

Aunque suele ser la más conveniente, iTunes Store no es el único lugar en el que puede comprar música para su iPad. Si está en busca de nuevos manjares para sus oídos, considere estas opciones baratas (y a veces gratuitas):

- **Amazon:** La tienda que lo vende todo tiene al menos 18 millones de canciones que puede descargar a su ordenador, añadir a iTunes y sincronizar al iPad. Dé una vuelta por la sección de música de http://www.amazon.es.

- **eMusic:** Puede encontrar 13 millones de temas en http://www.emusic.com, además de software de apoyo a la descarga para introducirlo todo en iTunes.

- **Internet Archive:** Puede encontrar más de un millón de grabaciones gratuitas en http://www.archive.org, incluyendo miles de conciertos de Grateful Dead, programas de radio antiguos y podcasts.

⚫ ⚫ ⚫ SINCRONIZAR MÚSICA, AUDIOLIBROS Y PODCASTS

Una vez que conecte su iPad (con Wi-Fi o USB) y aparezca en iTunes, puede modificar todos los ajustes que controlan lo que entra (y sale) de su tableta. Gracias a la pantalla desplazable de iTunes, llena de casillas y listas, es más fácil que nunca conseguir exactamente lo que quiere para su iPad.

Si quiere sincronizar toda su música o sólo parte de ella, haga clic en la ficha Música de la ventana iTunes. Además de sincronizar todas sus canciones y listas por título, puede sincronizarlas por artista y género también. Active las casillas junto a los elementos que quiere transferir al iPad (véase la figura 14.4), haga clic en el botón **Aplicar** y, después, haga clic en **Sincronizar** para mover su música.

Figura 14.4. *Active las casillas del material que desea transferir.*

Haga clic en la ficha Libros para acceder a las opciones para sincronizar audiolibros del directorio de podcast de iTunes.

Truco

¿Quiere evitar que iTunes intente sincronizar su iPad cada vez que conecta el cable USB; sobre todo si se está conectando al ordenador de otra persona? Para evitar la sincronización una vez, mantenga pulsada las teclas **Mayúscula-Control** *del PC (* **Comando-Opción** *en el Mac) después de enchufar el cable USB y espere a que aparezca el iPad en iTunes. Para cortar la actividad de iTunes definitivamente, seleccione* Editar>Preferencias>Dispositivos (iTunes> Preferencias>Dispositivos) *y active la casilla junto a* Evitar que los iPod, iPhone e iPad se sincronicen automáticamente.

⬤ ⬤ ⬤ EXPLORAR EL MENÚ MÚSICA

El iPad tiene un icono para las fotos, un icono para los vídeos y, por fin, en iOS 5, un icono para la música (véase la figura 14.5), que sustituye el anticuado icono del iPod en la pantalla de inicio del iPad.

El iPad divide la pantalla **Música** en tres áreas diferentes (véase la figura 14.6):

Figura 14.5. El icono Música.

1. **Barra de control y volumen:** Todos los controles de audio del iPad (como el volumen o los botones para desplazarse al tema anterior o siguiente) se encuentran en la parte superior de la pantalla, junto a la portada del álbum y el control de tiempo del tema que se está reproduciendo. La barra de control también contiene los iconos para la reproducción en bucle (Loop; (🔁)), la reproducción aleatoria (Shuffle; (🔀)) y la función Genius (✳) que genera automáticamente listas de reproducción basadas en la canción que suena actualmente. El deslizador del volumen se encuentra en la esquina superior derecha.

2. **Barra inferior:** La parte inferior de la ventana **Música** está dedicada a la organización de la música; o a obtener más música que organizar. Pulse el botón **Store** en la esquina inferior izquierda para conectarse a la Web y comprar nuevos temas. Los botones a su derecha le permiten ordenar sus canciones por listas, título, nombre de artista o nombre del álbum. Pulse **Más** para ver otras opciones, como Géneros y Compositores. Si tiene audiolibros, podcasts o conferencias de iTunes U en su iPad, también los verá en el menú **Más**. ¿No encuentra lo que busca? Introduzca algunas palabras clave en el cuadro de búsqueda de la esquina inferior derecha.

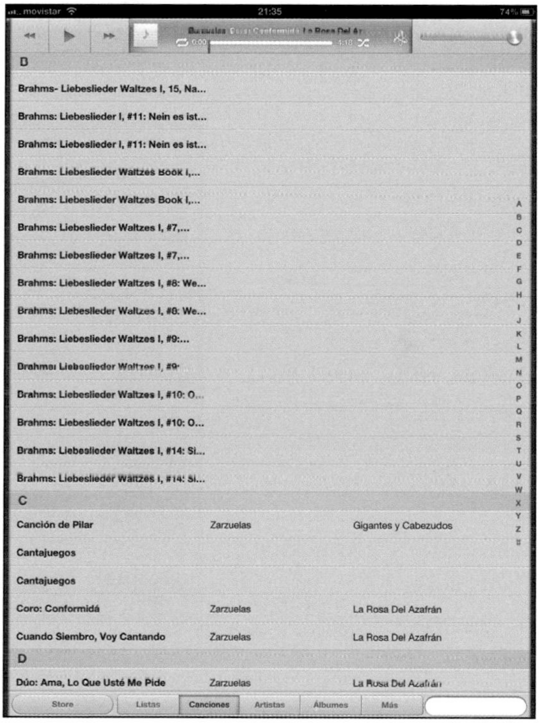

Figura 14.6. La pantalla Música.

3. **Ventana principal:** No importa el tipo de archivo de audio que elija, el iPad muestra los nombres de los temas en la parte superior de la pantalla. La mayoría de vistas muestran las portadas en uno u otro tamaño, excepto Canciones, que muestra sus temas como una lista de texto, y Género, que utiliza imágenes temáticas para representar estilos musicales como Folk o Jazz. En la pantalla Listas, haga clic en el botón **Nueva** para crear una nueva lista de reproducción y después pulse las canciones que quiere añadir.

REPRODUZCA MÚSICA

Para reproducir una canción, pulse sobre su título en la pantalla. Si ordenó su colección de música por álbumes, pulse una portada para que dé la vuelta y muestre la lista de canciones y, a continuación, pulse sobre el título que quiera escuchar. Utilice los controladores de sonido de la parte superior de la pantalla para ajustar el volumen, reproducir y detener canciones y saltar entre temas.

Para llenar la pantalla del iPad con la portada del álbum o canción que está escuchando, pulse la miniatura de la parte superior de la pantalla. Esto le conducirá a la pantalla Ahora suena.

Para escuchar una lista de reproducción, pulse el botón **Listas** en la parte inferior de la pantalla, pulse el icono de la lista de reproducción y, en la lista de canciones, pulse el título del primer tema para que empiece la música. Si la pantalla del iPad entre en reposo mientras escucha música, la portada de la canción aparecerá en su pantalla de bloqueo cuando lo reactiva.

Figura 14.7. *Observe los botones disponibles en la parte superior de la pantalla.*

En iOS 5, puede borrar canciones directamente de su iPad para que pueda recuperar espacio de almacenamiento sobre la marcha. Cuando ve un tema en una lista de reproducción o lista de álbum de la que se quiera deshacer, barra el nombre de la canción con el dedo y pulse el botón **Eliminar**.

Truco

El iPad le permite que siga reproduciendo música incluso mientras se dedica a otras tareas, como navegar con Safari o escribir notas. Si necesita solicitar los controles de reproducción, haga doble clic en el botón **Inicio**. *También puede realizar movimientos específicos con los dedos, como se explica al principio del libro.*

REPRODUCIR AUDIOLIBROS Y PODCASTS

Los temas hablados, como los audiolibros, podcasts y conferencias de iTunes U, también se encuentran en la aplicación Música, aunque no siempre es fácil encontrarlos. Para ver su colección, pulse **Más** en la barra inferior de la aplicación Música (véase la figura 14.8) y, después, seleccione un tipo de archivo de audio. Si no ha cargado audiolibros, podcasts o conferencias en su iPad, no verá estas categorías en el menú. Esto es lo que puede hacer durante la reproducción:

1. Pulse el icono (📩) para enviar por correo un vínculo del podcast a un amigo.

2. Acelere o ralentice la voz del narrador. Pase de (1X) para la velocidad normal, a (2X) para doblar la velocidad, o a (½X) para ralentizar la velocidad a la mitad, si la persona habla demasiado deprisa.

Figura 14.8. *Pantalla de reproducción de podcast con todas las opciones disponibles.*

3. Pulse (🔄) para volver a reproducir los últimos 30 segundos de la grabación, en caso de que se haya perdido algo.

Si no le gustan los controles para podcast de la aplicación Música, visite App Store para encontrar otras opciones de pago.

Truco

Una última nota sobre el menú Más: en iOS 5.1 o posterior, los aficionados tienen una opción para organizar toda su música por nombre de artista.

● ● ● CONTROLE LA PANTALLA AHORA SUENA

Para mantener limpia la pantalla Ahora suena, el iPad sólo muestra los controladores de audio cuando pulsa la pantalla (véase la figura 14.9). Aquí tiene la clave para comprender sus iconos:

Figura 14.9. *Dispone de los controles en la parte superior de la pantalla.*

*   **Botón de Play/Pausa (▶/❚❚):** Si está sonando música, tiene el botón **Pausa (❚❚)** disponible. Si lo pulsa para detener una canción, se convierte en el botón **Play (▶)**. Púlselo para que vuelva a sonar el tema.

- **Anterior, siguiente ((◀◀), (▶▶)):** Estos botones son la evolución de los botones de rebobinar y pasar rápido hacia delante de los antiguos reproductores de casetes, realizan esa misma función pero de forma más eficaz. Pulse (◀◀) para regresar al inicio de la canción (o, si se encuentra en el principio, para pasar a la anterior). Pulse (▶▶) para pasar a la canción siguiente. También puede pasar el dedo por la portada del disco para saltar a la canción anterior o siguiente del álbum.

- Si mantiene pulsado uno de estos botones, rebobinará o pasará hacia delante una canción como en los tiempos de las cintas. Cuando pulsa el icono, el tema pasa hacia delante haciendo un sonido característico.

- **Volumen:** Arrastre el gran punto de la esquina superior derecha para aumentar o reducir el volumen. También puede utilizar el control físico del lateral del iPad.

Con los controles visibles, los botones para las listas de reproducción y otras opciones aparecen en la parte inferior de la pantalla. Pulse uno para salir de la vista completa del álbum y pasar al destino elegido. Pulse la flecha de la esquina inferior izquierda para regresar a la lista completa de canciones. Pulse (☰) en la parte inferior de la pantalla para ver una lista de canciones, como la que puede ver en la figura 14.10.

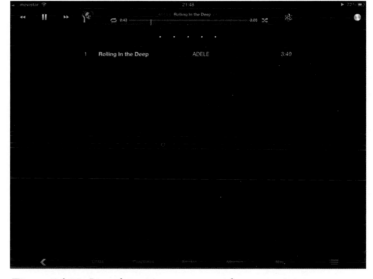

Figura 14.10. *Lista de canciones con controles característicos en la parte superior de la pantalla.*

Bien. Ésos son los controles típicos. Después están los que parecen jeroglíficos del iPad. Aquí se los explicamos.

1. **Botón Loop (reproducción en bucle):** ¿Tiene un álbum, una lista o una canción de la que nunca se cansa? Mientras suena, pulse el botón **Loop** (⟳) para que se convierta en un sólido (⟳). Esto le indica al iPad que repita la música hasta que pulse el botón de nuevo.

2. **Deslizador:** Colocado en la parte superior de la pantalla, este deslizador muestra su progreso a través de un tema. También muestra, en minutos y segundos, cuánto ha escuchado de una canción y cuánto le queda por escuchar. Puede saltar en una canción arrastrando la pequeña barra naranja. Sobre el deslizador, verá la ubicación de la canción en la lista o álbum.

3. **Botón Shuffle (reproducción aleatoria):** Si no quiere escuchar las canciones de un álbum o lista en su orden habitual, pulse **Shuffle** (⋈) para que los temas se reproduzcan aleatoriamente.

4. **Lista de reproducción de Genius:** Pulse el icono (❀) para elaborar una lista Genius en base a la canción que está sonando.

Para asignarle una puntuación a la canción, pulse dos veces sobre la portada para obtener la lista de canciones y, después, barra los puntos (● ● ● ● ●) sobre la lista para convertirlos en estrellas (★ ★ ★ ★ ★). Ya que las estrellas también se sincronizan con iTunes cuando conecta su iPad, sus puntuaciones pueden utilizarse para elaborar listas de reproducción inteligentes a partir de su música favorita.

ELABORAR LISTAS DE REPRODUCCIÓN

Tiene varias maneras de elaborar listas de reproducción (esos grupos de canciones que considera que van bien juntas). Puede crearlas en iTunes y sincronizarlas a su iPad, puede elaborarlas en el propio iPad o hacer que el iPad las elabore por usted. En iTunes, una forma de crear una nueva lista es seleccionar Archivo>Nueva lista de reproducción. Cuando aparece el icono de la lista sin título en la lista fuente de iTunes, podrá introducir un nombre directamente. Después, arrastre canciones desde su biblioteca a la lista. Puede seleccionar un grupo de temas de golpe (mantenga pulsada la tecla **Control** mientras las selecciona) para pasarlas a la lista en masa o para crear una nueva lista con ese grupo (seleccionando Archivo>Nueva lista a partir de la selección). Después, sincronice la nueva lista a su iPad.

También puede crear una nueva lista a partir de temas de la colección del iPad:

1. En la pantalla principal de Música, pulse el botón **Listas de reproducción** de la parte inferior. En la pantalla Listas de reproducción, pulse el botón **Nueva** (arriba a la derecha). En el cuadro que aparece, que puede ver en la figura 14.11, introduzca un nombre memorable y pulse **Guardar**.

Figura 14.11.
Introduzca un nombre para su nueva lista.

2. Aparecerá una lista de todas las canciones de su iPad. Cada vez que vea una que merezca la pena añadir, pulse su nombre o el signo **+**. También puede pulsar uno de los botones de la parte inferior de la pantalla, como **Artistas** o **Álbumes**, para ordenar sus canciones o añadir temas de otros tipos de listas de audio, como audiolibros o podcasts. El botón **Todas** hace que sea fácil conseguir una pantalla completa de canciones.

3. Cuando acabe, pulse **Hecho**. Su lista de reproducción estará preparada para que la escuche.

Para rehacer una lista de reproducción, pulse su nombre y, después, pulse el botón gris **Editar**. Podrá añadir temas a la mezcla pulsando el botón **Añadir canciones**, que puede ver en la figura 14.12.

También puede reordenar las canciones de una lista. Observe el icono (≡) en el lado derecho de cada canción. Con su dedo, arrástrelo arriba y abajo para reordenar los temas. Cuando finalice, pulse **Hecho**. Para eliminar una canción de una lista, pulse el símbolo oficial para borrar del iPad (⊖) y, a continuación, el botón de confirmación en el lado derecho. Recuerde que, aunque la canción ya no esté en la lista de reproducción, seguirá estando en su biblioteca. Para liquidar una lista completa, pulse el botón **Listas**, pulse la lista correspondiente y, después, el icono (⊗) de la esquina para borrarla.

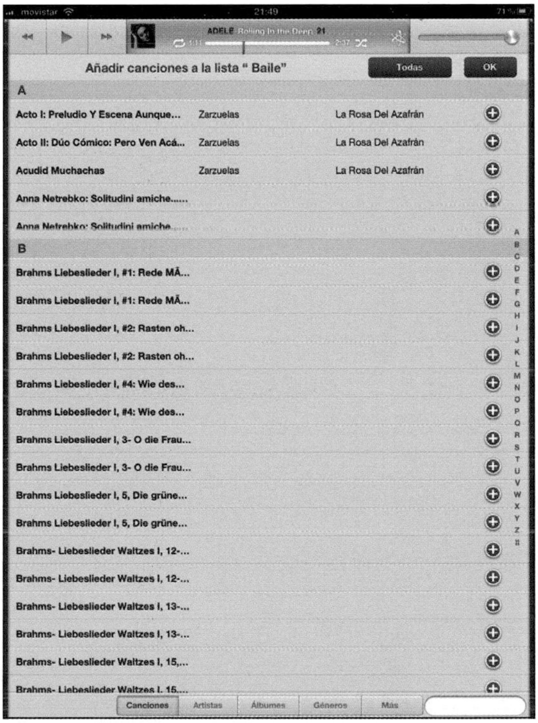

Figura 14.12. *Cuenta con varias opciones para rehacer sus listas.*

Capítulo 15

Rᴇᴘʀᴏᴅᴜᴢᴄᴀ, ᴄʀᴇᴇ ʏ ᴇᴅɪᴛᴇ ᴠíᴅᴇᴏs

Apple agregó poderes de reproducción audiovisual a sus dispositivos portátiles en 2005, cuando introdujo el primer iPod con vídeo. A los largo de los últimos siete años, las pantallas de los aparatos de Apple han ido aumentando de tamaño, desde las 2,5 pulgadas de ese innovador iPod, a las 9,7 pulgadas de la pantalla del iPad. La tableta es perfecta para sumergirse en una película; o para verla en un avión, mientras se encuentra incrustado en el estrecho asiento.

Y ahora, con un nuevo iPad 2012 y iOS 5, puede disfrutar de vídeos de alta definición en resolución de gran calidad de 1080p (en lugar de la resolución mínima de alta resolución de 720p que tienen los iPad anteriores). Y si tiene el nuevo iPad 2012 con su pantalla Retina, las películas HD se ven realmente bien.

Encontrar vídeos es sencillo. Puede comprar, alquilar o ver en streaming, películas, series, vídeos musicales y podcasts de vídeo desde iTunes; descargar aplicaciones para el streaming de vídeos de la App Store; utilizar las aplicaciones integradas en el iPad, YouTube o Safari; e incluso grabar sus propios vídeos con la cámara del iPad. También podrá hacer llamadas con vídeo a amigos con dispositivos iOS y Macs que utilicen FaceTime.

Y si toda la familia quiere ver un vídeo, puede conectar su iPad a su televisión (con o sin cables) para verlo en una pantalla más grande. Desde introducir vídeos a su iPad, hasta compartirlos, este capítulo le guía a través de una de las partes más divertidas de la experiencia iPad.

INCLUYA VÍDEOS EN SU IPAD

Dependiendo de lo que quiera ver y dónde quiera verlo, puede mover películas a su iPad de varias formas. Aquí tiene los métodos habituales:

- **La iTunes Store:** Puede comprar en iTunes Store desde su ordenador, navegando por los cientos de películas, series, vídeos musicales, podcasts de vídeo y conferencias iTunes U a la venta o en alquiler. Cuando compra o alquila un vídeo, iTunes lo descarga en su ordenador. Enchufe o, si tiene una conexión inalámbrica, vincule su iPad y transfiera los vídeos con una sincronización rápida. También puede comprar vídeos directamente en su iPad. Pulse el icono iTunes de la pantalla de inicio, navegue hasta que encuentre lo que desea y haga clic para comprar o alquilar un vídeo (los podcasts de vídeo y los contenidos iTunes U son gratuitos). iTunes descarga el archivo a su iPad, donde podrá encontrarlo pulsando el icono Vídeos de la pantalla de inicio. Los vídeos que compra en el iPad se copian en la biblioteca iTunes la próxima vez que sincronice; los vídeos que alquila no se sincronizan.

- **Sitios Web de streaming:** Muchos sitios Web utilizan Flash para reproducir vídeos, pero el navegador Safari no trabaja con esa tecnología. Otros sitios utilizan QuickTime de Apple y los vídeos se reproducen correctamente. Además, los sitios Web están cambiando lentamente a una tecnología Web más versátil denominada HTML5, que ofrece un nuevo sistema de reproducción de vídeo por lo que pronto podrá reproducir los vídeos de prácticamente todos los sitios Web.

TRANSFERIR VÍDEO DE ITUNES AL IPAD

¿Tiene vídeos en iTunes que quiere mover a si iPad? Aquí tiene algunas maneras de llevar esas películas, series y extraños vídeos de mascotas a su tableta:

- **Sincronización:** Conecte su iPad a su ordenador de forma inalámbrica o con un cable USB y haga clic en el icono de iPad en Dispositivos, en la lista fuente de iTunes. Pulse la pestaña Películas en la ventana principal de iTunes y active la casilla Sincronizar películas; también puede sincronizar películas individuales. Si tiene programas de televisión en su biblioteca iTunes, pulse la pestaña Programas de TV y seleccione los programas (o episodios) que quiere transferir. Ídem para los podcast de vídeo en la pestaña Podcasts. Pulse **Aplicar** en la parte inferior de la ventana iTunes y haga clic en **Sincronizar**.

- **Gestión manual:** Si prefiere el viejo sistema de arrastrar y tiene la tableta conectada y configurada para la gestión manual, haga clic en la categoría deseada de la biblioteca (películas, series, podcasts, etc.) en el lado izquierdo de la ventana iTunes. En el centro de la ventana, seleccione los archivos que desea y arrástrelos al icono del iPad.

Incluir vídeos en iTunes

Aunque la iTunes Store está abarrotada de opciones de vídeo, en ocasiones querrá añadir sus propios vídeos a la biblioteca iTunes. No hay problema, simplemente arrastre el archivo desde su ordenador y déjelo en algún lugar de la ventana principal de iTunes o seleccione Archivo>Añadir a la biblioteca para localizar e importar sus archivos. Una vez que incluya vídeos en iTunes, puede reproducirlos ahí o copiarlos a su iPad.

Otro modo de añadir vídeos a iTunes es arrastrarlos a la carpeta "Añadir automáticamente a iTunes". Esta inteligente carpeta analiza cada nombre de archivo y, en base a su extensión, lo coloca en su ubicación correcta. No encontrará la auto-carpeta a través de iTunes, sino navegando por los archivos de su sistema. En Windows, normalmente se encuentra en C:/Música>iTunes>iTunes Media>Añadir automáticamente a iTunes. Si iTunes no puede categorizar un archivo, lo sitúa en una subcarpeta denominada No añadido.

● ● ● ENCUENTRE Y REPRODUZCA VÍDEOS EN SU IPAD

Para reproducir un vídeo en su iPad, abra el icono Vídeos en la pantalla de inicio. En la siguiente pantalla, pulse la pestaña para el tipo de vídeo que quiere ver: películas, series, podcasts o vídeos musicales. Encuentre lo que quiere ver y pulse su título o el botón de **Play** para empezar el espectáculo. Tiene un botón **Store** en la esquina inferior izquierda por si quiere comprar más productos en cualquier momento. Pero, ¿cómo maneja el vídeo si su aparato no tiene controles físicos? Fácil; los botones están en pantalla. Cuando ve un vídeo, el resto de elementos de la pantalla lo distraen, así que Apple esconde los controles. Pulse una vez la pantalla para que aparezcan y una vez más para que desaparezcan. Esto es lo que hacen los controles:

- **Hecho:** Cuando acabe el vídeo (o cuando se canse de él), pulse el botón **Hecho** de la esquina superior izquierda para detener el vídeo y volver a su biblioteca.

- **Deslizador lateral:** La barra en la parte alta de la pantalla muestra el tiempo transcurrido y el tiempo restante del vídeo (véase la figura 15.1). Para saltar de un punto a otro, arrastre el pequeño punto blanco al punto deseado.

Figura 15.1. *Utilice el deslizador para desplazarse por el vídeo.*

- **Apaisado/Pantalla completa:** ¿Ve el icono (▣) o (▭) en la esquina superior derecha de la pantalla? Púlselo para ajustar el nivel de zoom del vídeo, como explicamos enseguida.

- **Play/Detener (►/II):** Al igual que con los archivos musicales, estos botones inician y detienen la reproducción.

- **Anterior, siguiente ((I◄◄),(►►I)):** Si quiere revivir los días gloriosos de las cintas VHS, mantenga pulsado uno de estos botones para ver cómo el vídeo se acelera hacia delante o hacia atrás.

- Muchas películas de la iTunes Store contienen ahora marcadores de capítulos que demarcan las escenas de una película, como los DVD físicos. Algunos programas de conversión de vídeo también añaden marcadores de capítulos. Pulse los botones (I◄◄) o (►►I) para saltar al anterior o siguiente capítulo del vídeo.

- **Volumen:** Para aumentar o disminuir el volumen del vídeo, arrastre el control blanco del deslizador bajo los controles de reproducción. Si le gustan los controles físicos, utilice el botón de volumen del lado derecho de la tableta.

Si está viendo un vídeo con varias pistas de audio o subtítulos, pulse el icono que puede ver en la figura 15.2 para obtener los ajustes de esas funciones.

Figura 15.2. *Este icono gestiona idiomas y subtítulos.*

Ampliar o reducir un vídeo

La bonita pantalla del iPad siempre ha sido uno de sus mayores atractivos y esto es aún más patente en la nítida pantalla Retina del iPad 2012. La última resolución del iPad de 2048x1536 píxeles es el doble que la de los dos modelos originales (1024x768 píxeles) y se encuentra claramente en territorio de la alta resolución (cuyo mínimo son los 1280x720 píxeles o 720p en la jerga televisiva).

Y hay muchos vídeos entre los que elegir, incluyendo series antiguas con su rango cuadrado 4:3 y películas panorámicas y series HDTV que utilizan el rango 16:9. Para compensar estas diferencias, el iPad coloca unas barras negras encima y debajo de las películas panorámicas para hacerlas rectangulares. En las series con forma cuadrada, coloca barras en los laterales.

La apariencia de las barras negras vuelve locas a algunas personas. Pagan para ver la pantalla completa. El iPad es consciente de esto y tiene una solución. Pulse dos veces el vídeo mientras se está reproduciendo. El iPad agranda la imagen para que llene la pantalla. Si los controles de reproducción están visibles, también puede pulsar (⬛). Pulse (▬) para volver a las barras. Lo cierto es que habrá parte de la imagen fuera de la pantalla; perderá en la parte superior e inferior de las series y a derecha e izquierda en las películas. Si este efecto termina cortando algo importante (como los créditos) puede restaurar la vista original con las barras, pulsando dos veces.

⚫ ⚫ ⚫ VEA VÍDEOS DE YOUTUBE

YouTube, que debutó en 2005, se ha convertido en el lugar para compartir y ver vídeos alrededor del mundo. Aunque los vídeos de YouTube en la Web suelen venir en formato Flash, una tecnología extraña al iPad, Apple convenció al sitio para que recodificara sus millones de vídeos al formato H.264, de calidad muy superior al Flash y que puede reproducir con la aplicación YouTube de su iPad. Aquí tiene cómo:

Encuentre vídeos en YouTube

El iPad está lleno de opciones de entretenimiento y su aplicación YouTube (véase la figura 15.3) no es una excepción. Pulse el icono YouTube en la pantalla de inicio para ver:

- **Destacados:** Se trata de una lista de vídeos que el equipo de YouTube considera que merece la pena ver. Pulse una miniatura para verlos.

- **Destacados:** cuando alguien ve vídeos en YouTube, puede clasificarlos con un "Me gusta" o "No me gusta" para reflejar su opinión sobre el vídeo. Este sistema binario reemplaza las antiguas puntuaciones entre una y cinco estrellas. Pulse aquí para ver los vídeos mejor valorados.

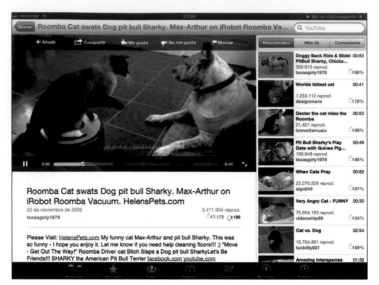

Figura 15.3. *La interfaz de la aplicación YouTube.*

- **Valorados:** Si le envían constantemente por correo electrónico los mismos vídeos, es probable que estén en esta lista. Pulse **Hoy**, **Semana** o **Siempre** para ver lo último. Cuando llegue al final de la lista pulse **Cargar más** para ver el siguiente grupo de vídeos.

- **Favoritos:** Si tiene una cuenta YouTube (es gratis e implica que puede subir sus propios vídeos), puede marcar vídeos como sus favoritos para encontrarlos fácilmente en su lista.

- **Suscripciones:** Muchas organizaciones y celebridades tienen sus propios canales de YouTube, a los que se puede suscribir. Una vez que se registre, pulse aquí para ver los últimos vídeos subidos por Lady Gaga o la reina de Inglaterra.

- **Mis vídeos:** Pulse aquí para ver una lista de los temas que ha subido a YouTube. Debe haber iniciado sesión con su cuenta para hacerlo.

- **Historial:** Como un navegador Web, la aplicación YouTube mantiene un registro de lo que ha visto. También como en el caso de un navegador: pulse el botón **Borrar** para borrar toda evidencia de que ha estado viendo otra vez esos vídeos de perros patinando.

Hay un cuadro de búsqueda en la esquina superior derecha para encontrar vídeos por palabras clave. Pulse cualquier miniatura para abrir una pantalla de detalles para ese vídeo, mostrando una descripción, la fecha de subida, palabras clave, la duración del vídeo, etc.

Esa misma pantalla ofrece un botón (✚) para añadir vídeos a su lista de favoritos. Pulse el botón (🖼) para enviar un vínculo al vídeo por correo electrónico o Twitter. También puede aprobar (👍) o desaprobar (👎) o marcar como inapropiado (🏳) los vídeos seleccionados.

Controle la reproducción de los vídeos de YouTube

Para reproducir un vídeo, pulse su miniatura. Puede verlo en modo apaisado o vertical. Aquí tiene las funciones de todos esos iconos de la aplicación YouTube:

- Los controles estándar de reproducción ((⏮), (⏭), (⏸), el deslizador de volumen y la barra de progreso que le permite saltar por la línea temporal) aparecen cuando el vídeo comienza a reproducirse. Después de unos segundos, los controles desaparecen para no molestar. Pulse la pantalla para que reaparezcan (o desaparezcan de nuevo).

- Los vídeos de YouTube pueden tener barras negras en los lados de la pantalla de reproducción. Para ver un vídeo a pantalla completa, pulse el icono (▣) de la esquina superior derecha o pulse dos veces la propia pantalla.

- En el modo de pantalla completa del iPad, YouTube ofrece dos iconos más en la barra de control: en el lado izquierdo, el botón (📖) añade rápidamente el vídeo a su lista de favoritos. Pulse el icono de la derecha (▰) para encoger el vídeo desde el modo de pantalla completa para poder ver su página de detalles.

- Para reproducir el vídeo a su Apple TV con AirPlay, pulse el icono (◩). También puede ver YouTube en su televisión con una conexión por cable. Pulse el botón **Hecho** de la esquina superior izquierda cuando termine.

⬤ ⬤ ⬤ GRABE SUS PROPIOS VÍDEOS

Además de grabar vídeos, la actual generación de iPad puede grabar vídeos de alta definición utilizando su cámara integrada. La parte relacionada con la grabación del vídeo puede no ser demasiado fluida porque debe mantener la tableta erguida (y bastante estable) para conseguir imágenes decentes. Pero, así es como puede canalizar su Scorsese interior hacia el iPad:

1. Pulse el icono Cámara en la pantalla de inicio y, cuando se abra la aplicación, pasa el deslizador de la barra de la parte inferior a (▰), como puede ver en la figura 15.4.

2. Cuando esté listo para empezar a grabar, pulse el botón (⬤). Se volverá rojo para indicar que está grabando. El cronómetro de la esquina superior derecha indica la duración actual de su grabación. El pequeño micrófono de la parte de atrás del iPad graba el audio.

3. Cuando esté listo para gritar virtualmente "¡Corten!", pulse de nuevo (⬤) para dejar de grabar.

El vídeo grabado no se guarda en la aplicación Vídeos, sino en la aplicación Fotos; busque en el álbum Carrete y pulse la miniatura del vídeo para reproducirlo.

Como en el caso de la cámara estática, puede pulsar una zona de la pantalla para ajustar la exposición, pero no puede ampliar la imagen en el vídeo. Puede sostener el iPad vertical u horizontalmente para

Figura 15.4. *La pantalla de su iPad mientras graba el vídeo.*

grabar el vídeo, pero los vídeos grabados en vertical pueden aparecer con barras negras si lo sube a un sitio que muestra vídeos en horizontal.

COMPARTA SUS VÍDEOS

Después de todo el trabajo duro, ¿no quiere mostrar sus vídeos a sus familiares y amigos? Se hace de esta forma.

1. Desde la pantalla de inicio, pulse Fotos>Carrete para ver miniaturas de sus vídeos. Pulse una para ver el vídeo.

2. En la esquina superior derecha de la pantalla, pulse el icono (📤). Aparece un menú con opciones para enviar el vídeo por correo electrónico, enviarlo

Figura 15.5. *Pulse el botón para la opción que quiera llevar a cabo.*

por mensaje de texto, subirlo a YouTube y copiarlo, como puede ver en la figura 15.5.

- **Enviar por correo electrónico:** Pulse aquí para comprimir el vídeo en un archivo QuickTime `.mov` y adjuntarlo automáticamente a un nuevo mensaje en blanco. Todo lo que tiene que hacer es incluir la dirección, escribir una nota y pulsar **Enviar**.

- **Enviar a YouTube:** También puede publicar el vídeo directamente en YouTube. Necesita una cuenta en el servicio para hacerlo.

- **Copiar vídeo:** Pulse este botón para copiar el vídeo y después pegarlo en otra aplicación, como Keynote.

También puede transferir sus vídeos a su ordenador si prefiere publicarlos, editarlos o almacenarlos allí. Conecte su iPad a su PC o Mac y utilice el comando de importación de su programa gestor de fotografías (Como Adobe Photoshop o iPhoto) para copiar vídeos a su disco duro.

Nota

También puede pulsar (📤) en la pantalla principal de Carrete, pulsar un vídeo y pulsar el botón **Compartir** *de la esquina superior izquierda para obtener la opción de correo electrónico, aunque solo podrá enviar un vídeo cada vez.*

⚫ ⚫ ⚫ EDITAR VÍDEOS EN EL IPAD

Una vez que le coja el tranquillo a capturar vídeos con el iPad (lo cual, sinceramente, es como rodar una película con una teja, hasta que se sienta a gusto sosteniendo y apuntando con la tabla de 10 pulgadas), sus vídeos empezarán a acumularse en el Carrete. Algunos vídeos son lo suficientemente sencillos como para compartirlos sin editar; como la niña soplando las velas en su cumpleaños o el perro mostrando su repertorio de trucos. Otros sin embargo requieren algo de ayuda. Estúdielos; ¿tiene alguno en el que toda la acción se encuentra en el centro? Ya sabe, uno de esos en los que los primeros 5 minutos intenta convencer a un bebé para que demuestre su agilidad con las palomitas. O todos esos vídeos en los que los últimos 2 minutos muestra el interior de su bolso porque olvidó apagar la cámara. Eso es fácil de arreglar.

Así es cómo recorta las partes innecesarias de cualquiera de los extremos de un vídeo; tenga en cuenta que no puede recortar dentro de un vídeo a no ser que utilice una aplicación de edición de vídeo como iMovie para iPad:

1. Desde el álbum de Carrete, abra el vídeo que quiere editar.

2. Pulse la pantalla para solicitar los controles de edición. La barra con la vista de fotogramas en la parte superior de la pantalla muestra las escenas del vídeo (véase la figura 15.6).

3. Utilice la vista de los fotogramas para encontrar los que quiere cortar. Pulse el extremo exterior de la barra para que vuelva amarillo y después arrastre cualquier extremo para aislar el fotograma que desea.

4. Pulse el botón **Cortar** de la esquina superior derecha de la pantalla para eliminar los residuos y dejar la parte central del vídeo.

Figura 15.6. *Elija el fotograma que quiere eliminar.*

5. Como se muestra en la figura 15.7, el iPad le ofrece recortar el vídeo original, lo cual significaría que la edición sería permanente, o guardar el vídeo editado como uno nuevo, dejando el original intacto. Si no está totalmente cómodo borrando esa parte del vídeo, seleccione **Guardar como vídeo nuevo**.

Figura 15.7. *Elija si desea guardar como nuevo vídeo.*

Aunque en el caso de algunos vídeos no importa que estén algo defectuosos, otros no se pueden guardar; como ese vídeo borroso en el que casi se le cae el iPad

Figura 15.8. *Pulse para borrar el vídeo.*

mientras grababa. Después de ver el resultado y comprender que es insalvable, pulse el icono (🗑) de la esquina superior derecha y después pulse **Eliminar vídeo** (véase la figura 15.8) para liberar espacio en su tableta. También puede borrar en masa desde la pantalla Carrete. Pulse (📤) en la esquina superior derecha, pulse los vídeos no deseados y después pulse el botón rojo **Eliminar** en la esquina superior izquierda de la pantalla. Pulse **Eliminar vídeos**, para confirmar.

REALICE VÍDEO-LLAMADAS CON FACETIME

Desde los primeros tiempos de las películas y series de ciencia ficción, el vídeo-teléfono ha sido un icono de la comunicación de fantasía. Las webcams y los sistemas baratos de tele conferencias hicieron la fantasía realidad, pero son el pasado. En los tiempos modernos, el iPad realiza vídeo-llamadas gracias a FaceTime, su aplicación integrada de vídeo-chat. Es una imagen parlante en tiempo real. Para usar FaceTime, necesita un ID de Apple y una conexión WiFi. También necesita alguien con quien hablar, alguien con, al menos, un iPhone o iPod Touch de cuarta generación, un iPad de segunda generación o con el programa FaceTime de Apple para Mac OS X. Cuando tenga todo esto, comenzar con FaceTime es sencillo:

1. Pulse el icono de FaceTime en la pantalla de inicio e inicie sesión con su ID de Apple. También puede registrarse con una dirección de correo electrónico.

2. Cuando tenga su cuenta configurada, pulse Inicio>FaceTime y pulse el icono de contactos en la parte inferior de la pantalla. En la lista de contactos, pulse el nombre de la persona con la que quiere hablar y después pulse el número de iPhone o la dirección de correo electrónico que utilice para su cuenta FaceTime.

3. Cuando su amigo coja la llamada, levante su iPad para que pueda verle y comience a hablar. Usted también le verá, como se observa en la figura 15.9. Si la pequeña ventana con su propia imagen está en medio, arrástrela con el dedo. Cuando se despidan, pulse el botón para finalizar.

Figura 15.9. *Con FaceTime verá a su interlocutor mientras hablan.*

Si necesita apagar el sonido temporalmente durante la llamada, pulse el icono (🎤) de la esquina inferior izquierda de la pantalla. Si quiere mostrar a su interlocutor lo que está viendo sin mover el iPad, pulse el icono (📷) del lado derecho de la barra de herramientas.

VER, CAPTURAR, EDITAR Y GESTIONAR FOTOS

Con su pantalla brillante y su borde negro o blanco, podría confundir su iPad fácilmente con uno de esos marcos para fotos digitales diseñados para mostrar y pasar en una presentación las fotos de los niños y las mascotas. El iPad no es un impostor en este campo; puede servir como álbum de fotos digitales si lo desea.

Puede incluso tomar esas fotos con el iPad 2 o posterior. Y el iPad más moderno, presentado en marzo de 2012, incluye una cámara trasera de 5 megapíxeles que puede detectar y resaltar los rostros en sus fotos, como hacen muchas cámaras automáticas modernas.

Puede guardar montañas de álbumes de fotos en su estrecha tableta y puede situar sus fotos sobre un mapa que muestra dónde las realizó. Puede incluso enviar sus favoritas por correo electrónico. Y puede retocar sus fotos sobre la marcha con herramientas de edición integradas en iOS 5 o con muchas de las aplicaciones de terceros como iPhoto para iPad. Y con el cable audio-vídeo adecuado o una Apple TV de última generación, puede mostrar sus fotos en la gran pantalla para que las disfrute toda la familia.

Puede que una imagen valga más que mil palabras, pero, cuando sus amigos vean lo que puede hacer con las fotos en su iPad, puede que escuche mil palabras más.

 **INTRODUCIR FOTOS EN EL IPAD**

El iPad puede mostrar sus fotos en la mayoría de formatos digitales que utilizan las cámaras, incluyendo JPEG, PNG, TIFF, GIF e incluso esos grandes archivos RAW no comprimidos que prefieren los fotógrafos serios. Pero para mostrar las fotos en su iPad, primero debe introducirlas en su iPad. Puede hacerlo de varias maneras.

Transferir fotos con iTunes

Si mantiene sus fotos organizadas en programas como Adobe Photoshop Elements o incluso si las almacena de cualquier manera en una carpeta en su disco duro (como Mis imágenes en Windows, o Fotos en Mac) puede pasarlas a su iPad con iTunes, siempre que solo sincronice una biblioteca fotográfica a su iPad, Esto es lo que debe hacer:

1. Conecte su iPad al ordenador con la sincronización WiFi o el cable USB.

2. Una vez que la tableta muestre la lista fuente de iTunes, haga clic en su icono para seleccionarla.

3. En las pestañas de iTunes, haga clic en la de Fotos.

4. Active la casilla junto a **Sincronizar fotos de** y después seleccione su programa o carpeta de almacenamiento, como se observa en la figura 16.1; esto permite a iTunes

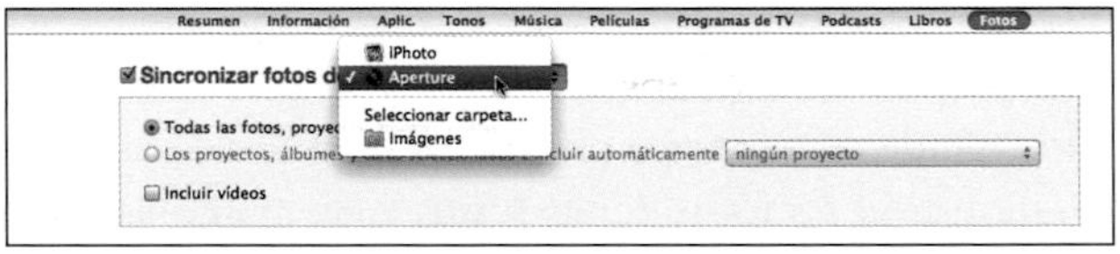

Figura 16.1. *Elija el programa o la carpeta desde la que extraer sus fotos.*

saber dónde encontrar sus fotos. Puede copiarlo todo o solo los álbumes que seleccione. Si no utiliza ninguno de los programas enumerados en el menú y solo quiere copiar una carpeta de fotos de su disco duro, seleccione **Seleccionar carpeta** y navegue a la carpeta deseada.

5. Haga clic en **Sincronizar** (o **Aplicar** si es la primera vez que sincroniza fotos) después de hacer su selección.

Una vez que inicie la sincronización, iTunes "optimiza" su fotos. Esto no tiene nada que ver con sus habilidades como fotógrafo sino con el almacenamiento. Si es necesario, iTunes reduce la calidad de sus imágenes para que ocupen menos espacio en su iPad pero las sigue mostrando en alta definición en su tableta o televisión.

Nota

Solo puede sincronizar fotos de un ordenador al iPad. Si intenta extraer fotos de otro dispositivo, iTunes borrará las fotos del primero.

Descargar fotos automáticamente con Photo Stream

Si utiliza el servicio iCloud de Apple, puede hacer que descargue automáticamente copias de las fotos que sincronice de su ordenador u otros dispositivos iOS a su iPad.

Transferir fotos desde mensajes de correo y páginas Web

¿Tiene algunas fotos que alguien le envió como archivo adjunto a un mensaje de correo electrónico? O, ¿ha visto una imagen libre de derechos de autor en la Web que desea para su colección?

Para añadir estas imágenes a su aplicación Fotos, pulse la imagen. Espere a que aparezca un cuadro con la opción Guardar imagen. Púlsela para almacenar la foto en su álbum Fotos>Carrete. Si su mensaje de correo tiene varias fotos adjuntas, pulse el icono (◄) y seleccione la opción de menú para guardarlas todas, como puede ver en la figura 16.2.

Figura 16.2. Seleccione la opción para guardar todas las fotos.

Transferir fotos desde cámaras digitales con el Kit Camera Connection del iPad

El iPad también puede recopilar las fotos de su cámara digital, pero hay un truco: primero debe gastarse 29 euros en el Kit Camera Connection en `store.apple.com/es` o algún otro establecimiento.

El kit contiene dos adaptadores blancos para el conector Dock del iPad. Uno incluye un jack para el cable USB de su cámara y el otro incluye una entrada para tarjetas de memoria de fotos, en caso de que no tenga su cable USB. Aunque oficialmente el adaptador USB solo funciona con cámaras, algunos teclados y auriculares USB también funcionan con él.

Una vez que enchufe un adaptador al iPad y conecte su cámara a través del cable USB o inserte una tarjeta de memoria, espere a que se abra la aplicación Fotos y después:

1. Pulse **Importar todo** para hacerse con todas las imágenes o pulse fotos individuales para marcarlas antes de pulsar el botón **Importar**.

2. Cuando el iPad le pregunte, decida su quiere conservar o borrar las fotos de la cámara o tarjeta de memoria después de importarlas.

3. Para ver las nuevas adquisiciones en su iPad, pulse Fotos>Últimas importaciones.

Desenchufe el conector de la cámara del iPad. Cuando regrese a su ordenador, podrá sincronizar esas fotos a su versión de escritorio de iPhoto o Adobe Photoshop Elements conectando el iPad y utilizando el comando de importación de su programa de gestión de imágenes.

Si tiene un iPad 2 o posterior, también puede tomar fotos con el propio iPad. Siga leyendo para saber más sobre la aplicación Cámara y Photo Booth. Son muy divertidas.

HAGA FOTOS CON LA CÁMARA DEL IPAD

El nuevo iPad no tiene una cámara, sino dos. Con su enorme pantalla, el iPad es probablemente una de las cámaras automáticas más difícil de manejar, pero la calidad de las fotos ha ido mejorando desde los tiempos de la cámara trasera de 1 megapíxel del iPad 2 y su cámara delantera de baja resolución. Aunque la cámara delantera no ha cambiado, el iPad 2012 incluye ahora una cámara trasera de 5 megapíxeles. Pero, dejemos la cámara trasera. Para hacer fotos con el iPad:

1. Abra la aplicación Cámara en la pantalla de inicio del iPad y sitúe el pequeño deslizador de la esquina inferior derecha en ((**[O]**); cámara estática).

2. Encuadre su foto y pulse el gran icono (**[◉]**) del borde derecho de la pantalla para disparar.

3. Su nueva foto acabará en Fotos>Carrete.

También aparecerá una vista previa de la foto en la esquina inferior izquierda de la pantalla; púlsela para ir directamente a la foto en el álbum Carrete. También puede barrer la pantalla de izquierda a derecha para verla. Las cámaras del iPad ofrecen otros controles:

- **Ajuste de la exposición:** El iPad no tiene flash, pero le permite ajustar la exposición (la luminosidad) de la imagen. Si tiene una imagen encuadrada pero una parte del encuadre está oscurecida, pulse una parte mejor iluminada de la imagen. Aparecerá brevemente un cuadro azul-blanco (véase la figura 16.3) y la cámara ajustará la exposición en base a ese área. Para bloquear la exposición, mantenga pulsada la pantalla hasta que el cuadro azul relampaguea y aparece Bloqueo de AE/AF en la parte inferior de la pantalla (hasta que vuelve a pulsar). Ahora puede tomar la foto.

- **Zoom:** Pellizque la pantalla para solicitar el deslizador del zoom (véase la figura 16.3). Para ampliar objetos, deslice hasta que obtenga el encuadre que desea. Deslice en dirección contraria para ampliar la imagen. También puede pellizcar la pantalla para ampliar.

- **Parrilla de alineación:** Pulse el botón de opciones en pantalla para activar o desactivar la parrilla de nueve cuadrados que le serán de utilidad para componer y alinear fotos.

Para cambiar de cámara y hacer un autorretrato con la cámara frontal, pulse el icono () de la esquina inferior derecha de la pantalla.

Figura 16.3. *Ajuste de Zoom.*

HACER RETRATOS CON PHOTO BOOTH

¿Recuerda esos fotomatones que todavía se pueden ver en algunas estaciones de metro? Ya sabe, esos en los que se metía con sus amigos a hacer muecas para la cámara y obtenía una tira con cuatro retratos. El iPad de segunda y tercera generación puede hacer lo mismo, pero mejor; las fotos son gratis. Le presento Photo Booth. Como su predecesor de escritorio, Photo Booth (parte de Mac OS X durante años) es una sencilla aplicación que le permite tomar su propia foto si, digamos, necesita un retrato rápido para su página de Facebook. Puede utilizar Photo Booth con la cámara trasera también; simplemente, pulse el icono ( ). Y para mayor diversión, puede añadir uno de los ocho efectos especiales a su foto, incluyendo varios efectos de espejos distorsionadores, una simulación de cámara termal e incluso un filtro falso de rayos x. Así es como se maneja Photo Booth:

1. Pulse el icono Photo Booth de su página de inicio.

2. Puede tomar una foto normal o elegir un efecto especial. Pulse el icono ( ) para una vista de todos los efectos, que puede ver en la figura 16.4. Pulse uno para utilizarlo

(véase la figura 16.5). Si elije una de las divertidas distorsiones, puede manipular más la foto arrastrando los dedos.

3. Haga la foto pulsando el botón ().

Figura 16.4. *Vista previa de efectos para su retrato.*

Figura 16.5. *Elija una de las divertidas distorsiones.*

Aparecerá una versión en miniatura de su foto en la bandeja bajo la pantalla principal. Pulse la foto para verla a tamaño completo. Pulse (📤) para enviarla por correo o copiar la imagen. Para borrar una imagen de Photo Booth, pulse su miniatura en la bandeja, pulse el aspa que aparece en la esquina de la miniatura y después pulse (✖). Photo Booth guarda copias de sus fotos en **Fotos>Carrete**, de forma que podrá compartir las imágenes desde allí también.

⬤ ⬤ ⬤ ENCUENTRE FOTOS EN SU IPAD

Ahora que tiene algunas fotos en su iPad, es el momento de localizarlas. Acuda a la pantalla de inicio y pulse el icono Fotos. El iPad organiza su colección de fotos hasta de seis formas. Una vez que abra la aplicación, pulse los botones de la parte superior de la ventana para ver las formas en que puede ordenar sus imágenes:

- **Fotos:** Esta vista, que puede ver en la figura 16.6, muestra miniaturas de todas sus imágenes juntas en un solo lugar. Si no agrupó las imágenes en álbumes antes de transferirlas, aparecerán todas aquí.

- **Álbumes:** Si importó álbumes individuales desactivando sus casillas en iTunes, pulse este botón para ver esas fotos agrupadas bajo el mismo nombre de álbum (véase la figura 16.7). También puede crear sus propios álbumes en el iPad, como explicamos enseguida.

- **Eventos:** Los usuarios de Mac que utilizan versiones recientes de iPhoto o Aperture también pueden ver las fotos por evento. Estos dos programas agrupan imágenes similares, como las que se tomaron el mismo día, en Eventos. Pulse el botón Eventos para ver estos grupos sincronizados desde su Mac.

Figura 16.6. Vista Fotos para sus imágenes.

Figura 16.7. Vista álbumes para sus imágenes.

- **Caras:** Apple introdujo una función de reconocimiento del rostro en iPhoto 09 y posterior que agrupa automáticamente las fotos en base a la gente que hay en ellas. Si utiliza esta función en el Mac, iTunes le ofrece la opción de sincronizar álbumes enteros de una sola persona. Entonces podrá encontrar las fotos de su hijo cuando pulse el botón **Caras** en el iPad.

- **Lugares:** Si localizó sus fotos geográficamente (tomándolas con una cámara con GPS o situándolas manualmente en un mapa con herramientas de iPhoto 09 o posterior) el iPad las agrupa en base a las coordenadas geográficas. Pulse **Lugares** para ver sus fotos sobre un mapamundi con marcadores digitales.

Trabajar con álbumes

En la forma de un álbum, sus grupos de imágenes parecen pilas de fotografías agrupadas con descuido. Pulse una de las pilas y las fotos se ordenarán en una parrilla, en la que verá las miniaturas. Si está buscando una imagen concreta y no está seguro de en qué álbum se encuentra, pellizque y abra sus dedos sobre una pila para ver una vista previa animada de sus contenidos sin abrir el álbum (véase la figura 16.8).

En iOS 5 y posterior, puede crear sus propios álbumes en su iPad. Si ya se encuentra en la vista álbumes, pulse el botón **Editar** de la parte superior de la pantalla. Pulse el botón **Nuevo álbum** en la izquierda e introduzca un nombre para el álbum en el cuadro. En la pantalla de fotos que aparece, pulse para seleccionar las imágenes que quiere en el nuevo álbum.

Figura 16.8. *Pellizque y abra para ver una vista previa animada de las fotos del álbum.*

Para copiar fotos en un álbum existente desde la pantalla Fotos (o para crear ahí un nuevo álbum), pulse el icono (📤). Seleccione las fotos que desea reorganizar, después pulse **Añadir a** y elija un álbum existente o uno nuevo (y nombre este último), como puede ver en la figura 16.9. Puede borrar imágenes de álbumes (pero no del iPad) seleccionándolos y pulsando el aspa (⊗).

Figura 16.9. *Seleccione si desea añadir a un álbum existente o a uno nuevo.*

⬤ ⬤ ⬤ VER IMÁGENES EN EL IPAD

Para ver las fotos que ha sincronizado de su ordenador, pulse el icono Fotos de la pantalla de inicio del iPad. Después, pulse el botón **Fotos** en la parte superior de la pantalla; El iPad muestra sus fotos en una parrilla de miniaturas. Si elige copiar álbumes de fotos, pulse el nombre de un álbum. Los usuarios de Mac también pueden pulsar los botones de **Eventos**, **Caras**, o **Lugares** para ver las fotos agrupadas en esas categorías.

En la pantalla de miniaturas, puede realizar varias acciones:

- Pulsar una miniatura para ver la foto a tamaño completo.

- Pulsar dos veces sobre una foto abierta para ampliarla.

- Abrir y pellizcar con los dedos sobre la pantalla para acercar o alejar la foto (véanse las figuras 16.10 y 16.11). Arrastre el dedo por la pantalla para moverse por una foto ampliada.

- Pasar los dedos horizontalmente por la pantalla en cualquier dirección para desplazarse por las imágenes a alta velocidad (véase la figura 16.12). Puede mostrar las fotos de sus vacaciones muy rápido de esta forma (sus amigos se lo agradecerán).

- Rotar el iPad para que las fotos horizontales ocupen todo el ancho de la pantalla o para que las imágenes verticales ocupen toda la longitud.

- Con una foto abierta, pulse el cristal para mostrar una tira de miniaturas de todas las fotos del álbum actual en la parte inferior de la pantalla. Pulse o arrastre a una miniatura para saltar a esa foto.

Pulse (📷) en la barra de menú para enviar una foto por correo electrónico, publicarla en un mensaje en Twitter, asignarla a uno de sus contactos, establecerla como fondo de pantalla, imprimirla o copiarla.

Para volver a su biblioteca, pulse el botón **Fotos** o el nombre del álbum en la parte superior de la pantalla.

Borrar fotos

Puede borrar fotos del iPad de dos maneras. Si sincronizó álbumes de fotos desde iTunes, conecte el iPad a su ordenador, abra iTunes, pulse la pestaña Fotos y desactive las casillas de esos álbumes. Haga clic en **Aplicar** y después en **Sincronizar** para eliminar esas fotos de su galería del iPad.

Figura 16.10. Imagen en tamaño original.

Figura 16.11. Imagen ampliada tras abrir los dedos sobre la pantalla.

Figura 16.12. Desplácese horizontalmente por sus imágenes.

Si tiene imágenes en el álbum Carrete o en Fotos guardadas que quiere eliminar, puede borrar una foto abierta pulsando el icono (🗑) y pulsando

Figura 16.13. Marque las miniaturas que desea eliminar.

Eliminar foto. Para borrar varias fotos en vista en miniatura, pulse el icono (📤) y después pulse las fotos no deseadas para que aparezcan las marcas azules de selección que puede ver en la figura 16.13. Tiene un botón **Cancelar** en el otro lado de la barra de menú por si cambia de opinión.

⬤ ⬤ ⬤ EDITAR FOTOS EN EL IPAD

En los oscuros tiempos anteriores a las aplicaciones, no podía hacer mucho, aparte de hacer, ver, descargar o recibir las imágenes digitales en su dispositivo móvil. Era un procedimiento de "mírame y no me toques". Por suerte, las cosas han cambiado. ¿Quiere eliminar ese chico travieso que aparece en un lado de su foto de grupo? ¿Quiere aumentar la exposición de esa foto de una fiesta? Con el editor integrado del iPad o la creciente colección de programas de edición de fotos de la App Store, puede mejorar las fotos en su iPad.

Y, lo mejor de todo, una vez que termine, podrá compartirlas en línea, enviarlas por correo a otras personas o (si tiene una Apple TV de segunda generación o posterior) podrá mostrar los frutos de su trabajo en su televisión con AirPlay.

En iOS 5 o posterior, puede llevar a cabo operaciones de edición básica en su iPad. Abra una foto que necesita retoque y pulse el botón Editar en la parte superior de la pantalla (véase la figura 16.14). Esto es lo que puede hacer:

Figura 16.14. La imagen está lista para que la edite.

1. **Rotar (5):** Pulse el botón para girar una foto vertical y mostrarla en horizontal o viceversa.

2. **Mejorar (※):** Pulse para que el iPad analice la foto y mejore automáticamente su contraste, exposición y saturación.

3. **Ojos rojos (∅):** Si su sujeto tiene unos demoníacos ojos rojos por el flash de la cámara, pulse el botón para darles a esos ojos un color neutro.

4. **Recortar (⌗):** Pulse aquí para recortar las partes aburridas o que distraen. En el modo Recortar, pulse el botón **Proporción** para darla a la foto un tamaño estándar, después pulse el botón de recorte.

¿No le gusta el último cambio que ha realizado sobre una foto? Pulse el botón **Deshacer** para volver atrás. ¿No le gusta nada de lo que ha hecho hasta ahora? Pulse **Volver al original** para ir atrás en el tiempo y deshacer todos los cambios que hizo. Una vez que esté conforme con una foto editada, pulse el botón **Guardar** para situar una copia en su álbum Carrete.

⬤ ⬤ ⬤ REALICE PRESENTACIONES DE FOTO EN SU IPAD

Una presentación de fotos elimina todo el trabajo de pulsar y arrastrar, liberándolo para que se siente y admire sus fotos sin distracciones. Para realizar una presentación en su iPad, deberá configurar algunos puntos, como el tiempo que cada foto aparece en pantalla o la música que las acompaña.

El iPad guarda los ajustes de las presentaciones en dos sitios. Todas las opciones de sincronización y orden de las fotos se encuentran en los Ajustes del iPad. Para acceder, pulse Ajustes>Fotos (véase la figura 16.15). Aquí puede elegir:

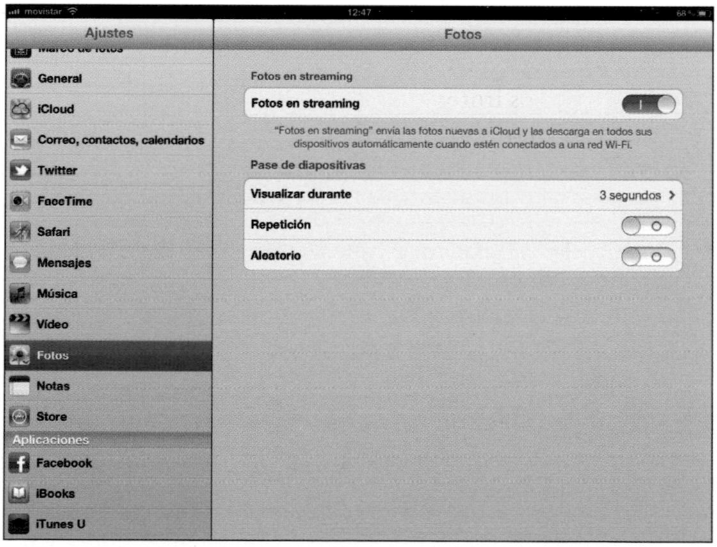

Figura 16.15. *Aquí puede realizar sus ajustes para las presentaciones de fotos.*

- **Visualizar durante:** Elija el tiempo que quiere que la foto permanezca en pantalla. Puede elegir entre 2, 3, 5, 10 ó 20 segundos.

- **Repetición:** Active este ajuste si quiere que la presentación continúe ejecutándose en bucle.

- **Aleatorio:** Para mezclar aleatoriamente el orden de las fotos del álbum, active esta opción.

Una vez que ha ajustado estas opciones, regrese a la aplicación Fotos y abra el álbum que quiere mostrar en una presentación. En el lado derecho de la barra de menú, pulse el botón **Pase de diapositivas** para abrir el cuadro de opciones que puede ver en la figura 16.16. Aquí podrá elegir:

Figura 16.16. Desde el cuadro de opciones podrá configurar aún más sus presentaciones.

- **El efecto de transición entre fotos:** Las fotos se disuelven, se barren o cualquiera del resto de efectos habituales.

- **Música:** Si quiere añadir música a su espectáculo, active el botón junto a Reproducir música. Después pulse **Música** en el cuadro que aparece y seleccione una canción de las que tiene en su iPad.

Una vez que haya hecho todas sus elecciones, esta listo para la presentación. Pulse el botón **Iniciar pase**. Para detenerla, pulse la pantalla del iPad.

Muchos fabricantes de accesorios venden fundas que se pueden convertir en un soporte o caballete para colocar la tableta. Si tiene una de estas, no tiene que sostener el iPad durante la presentación.

Truco

*¿Quiere hacer una captura de pantalla con el iPad? Pulse los botones **Inicio** y reposo a la vez. La imagen aterriza en su Carrete.*

CAMBIE EL FONDO DE PANTALLA DEL IPAD

El iPad viene con varias fotos de alta resolución de paisajes y texturas entre las que elegir como imágenes de fondo de bloqueo y de inicio. Si quiere cambiar estas imágenes, puede añadir nuevas fotos de dos maneras.

La primera es acudir a la pantalla de inicio y pulsar Ajustes>Brillo y fondo de pantalla (véase la figura 16.17). Pulse el panel Fondo de pantalla. En la siguiente pantalla, seleccione una foto de cualquiera de sus álbumes o pulse Fondo de pantalla para elegir una foto de stock de Apple. Pulse la foto que quiera utilizar. Puede arrastrar la imagen y manipularla para agrandarla o disminuirla.

Cuando termine, pulse el botón adecuado de la parte superior de la pantalla. Puede elegir entre **Pantalla bloqueada**, **Pantalla de inicio** o **Ambas**. También puede cancelar con el botón de la derecha.

El segundo método es elegir una foto de unos de los álbumes y pulsar el icono (📮) en la parte superior de la pantalla y después pulsar la opción Fondo de pantalla. Aquí podrá manipular y guardar

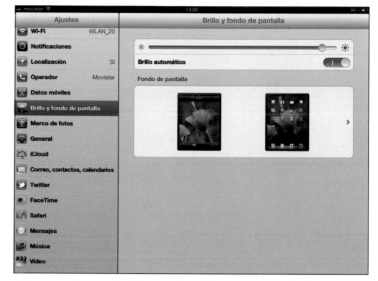

Figura 16.17. *Desde esta pantalla podrá gestionar sus fondos de pantalla.*

la foto como acabamos de explicar. No hay nada como un nuevo fondo de pantalla para personalizar su iPad; y mostrar sus propias creaciones.

Haga copias de seguridad y sincronice sus dispositivos con iCloud

Es probable que tenga más de un ordenador. Un iPad, por supuesto y quizá un ordenador de mesa o un portátil, un iPhone, un iPod Touch o una combinación de todos estos dispositivos. Todos ellos pueden hacer fotos, almacenar información de contacto, mantener organizadas sus citas y transportar música, aplicaciones y libros descargados. ¿No sería genial que pudieran compartir los mismos archivos y datos de forma que estuvieran siempre sincronizados y actualizados?

Pueden. Cuando configura todos sus dispositivos iOS y sus ordenadores para que trabajen con iCloud, éste sincroniza sus fotos, música, aplicaciones, libros, correo electrónico, citas de calendario, contactos y documentos iWork entre los PC, Mac, iPad, iPhone e iPod Touch. Y lo mejor de todo, el servicio es gratuito e incluye 5 gigabytes de almacenamiento en línea, sin contar sus compras de la iTunes Store o su colección de fotos.

Ya que iCloud está incluido con iOS 5, puede que se registrara cuando activó su iPad. Si no lo hizo, aprenderá a hacerlo en este capítulo. En cualquier caso, este capítulo le indica cómo utilizar las funciones de iCloud para mantenerse sincronizado (para los usuarios de MobileMe preguntándose qué sucede ahora: MobileMe solo seguirá activo hasta junio de 2012, así que es el momento de cambiar a iCloud; u otro servicio como Dropbox). Apple ofrece una guía (en inglés) para realizar la transición en `www.apple.com/mobileme/transition.html`.

CONFIGURAR ICLOUD EN SU IPAD

Antes de que apareciera iCloud, si su iPad se rompía o se perdía y no había hecho copias de sus archivos en su ordenador, estaba perdido. iCloud remedia este problema. Hace copias de seguridad de todo su contenido, incluyendo documentos, favoritos, información personal, etc., en ese gran servidor en el cielo. Siempre y cuando, eso sí, que su iPad tenga iCloud activado y esté configurado para copiar sus datos. Necesita que iOS 5 esté instalado en su iPad y en otros dispositivos iOS que quiera mantener sincronizados. Si no creó una cuenta iCloud cuando configuró su iPad, esto es lo que debe hacer:

1. Acuda a la pantalla de inicio y pulse Ajustes>iCloud.

2. Cree una cuenta iCloud. Pulse el botón **Cuenta** e introduzca su nombre de usuario y contraseña de Apple y el resto de información requerida. Además de una cuenta iCloud, obtendrá una cuenta gratuita de correo electrónico en los servidores me.com de Apple, para añadir a su colección de direcciones.

3. Ahora es el momento de indicarla a iCloud lo que quiere copiar y sincronizar. El primer lote de aplicaciones de la lista está compuesto por programas iOS organizadores y de información personal: Mail, Contactos, Calendarios, Recordatorios, Favoritos y Notas (véase la figura 17.1). Active el botón de los que quiera que iCloud sincronice. También obtendrá versiones en línea de las aplicaciones Mail, Contactos y Calendarios a las que podrá acceder para leer y editar utilizando cualquier navegador Web.

Figura 17.1. *Cuadro de ajustes iCloud.*

4. Una vez que haya asegurado estos archivos, es el momento de que fluya su colección de fotos. Si quiere que iCloud transfiera automáticamente las fotos que hace con su iPad a su ordenador, Apple TV y otros dispositivos iOS (como iPhone o iPod Touch), active Fotos en streaming.

Nota

Si prefiere mantener estas labores de sincronización de su información personal, archivos de contenido y ajustes del iPad, con los pies en la tierra, puede hacer todas estas tareas con iTunes, como se explica al principio del libro.

---

5. Si hace mucho trabajo de procesamiento de textos, números y otras labores por el estilo con su iPad, es probable que quiera hacer copias de todos sus archivos para que su duro trabajo no se eche a perder si su perro tira la tableta al suelo. En la pantalla de ajustes de iCloud, pulse Documentos y datos y actívelo.

6. Otra ventaja de iCloud es su función Buscar mi iPad. Puede utilizarla para seguir la pista a una tableta perdida, ya sea porque se ha extraviado por casa o la oficina o porque la ha robado un malhechor. Active esta función para rastrear (e incluso apagar remotamente) su iPad.

7. Aunque sus compras en iTunes Store y sus fotos en **Fotos en streaming** no cuentan en los 5 gigabytes de almacenamiento, puede necesitar más espacio si tiene muchos documentos y datos que copiar. Si sospecha que se está quedando sin espacio, pulse el botón **Almacenamiento y copias** en la pantalla de ajustes de iCloud para comprobar cuánto espacio está ocupando su información. Si no quiere borrar nada, pulse el botón **Comprar más**. En la siguiente pantalla, puede registrarse para obtener 10 GB adicionales al año (por 16 euros), 20 GB (por 32 euros) o 50 GB (por 80 euros) de almacenamiento. Todo esto sumado a sus 5 GB gratuitos. Los gigas adicionales se facturan a su cuenta iTuens Store.

8. Por último, si quiere hacer copias de los ajustes de sistema de su iPad, los ajustes de sus aplicaciones y fotos del Carrete, acuda a **Ajustes>iCloud>Almacenamiento y copias** y active **Copia en iCloud**. Ahora iCloud copiará sus ajustes internos del iPad y sus fotos a través de su conexión WiFi a diario. Puede iniciar una sesión de copia, pulsando **Hacer copia ahora**. Recuerde, el resto de información, como compras de iTunes, información personal y documentos, se gestionan desde otras secciones del servicio iCloud.

Más adelante, si necesitara restaurar todos sus datos copiados en un iPad nuevo o reajustado, seleccione, **Restaurar desde copia de iCloud** cuando realice el proceso de configuración.

iCloud realiza su trabajo de copias de seguridad cuando tiene el iPad conectado a una red WiFi, enchufado a una fuente de energía y bloqueado. Es automático y tiene la ventaja adicional de ofrecerle una segunda copia de sus archivos iPad, además de la que obtiene con la versión para ordenador de iTunes, que puede ser muy útil si perdiera su ordenador.

Si alguna vez tuviera que modificar sus ajustes de copias de seguridad, añadir más almacenamiento en línea o borrar su cuenta, vuelva a **Ajustes>iCloud**.

⬤ ⬤ ⬤ CONFIGURAR ICLOUD EN SU ORDENADOR

Cuando incluye su ordenador en la sincronización, iCloud envía copias del contenido de su cuenta (fotos, favoritos, documentos e información de contacto) al ordenador. También envía copias permanentes de **Fotos en streaming**. Y los cambios que realiza en su ordenador (como incluir una cita en su calendario) pasan a iCloud para sincronizarse con otros dispositivos. iCloud también mantiene copias de sus aplicaciones Mail, Contactos y Calendarios en línea, de forma que pueda acceder a ellas desde su navegador del ordenador. Distribuye cualquier cambio que haga en los archivos de sus aplicaciones a través de sus dispositivos. Y también puede mantener sincronizados los favoritos de su navegador (incluyendo la lista de lectura de Safari) entre sus aparatos. Si no se ha registrado para una cuenta iCloud, acceda a `www.apple.com/es/icloud/` y regístrese. Si ya tiene un ID de Apple, introdúzcalo junto a su contraseña para iniciar sesión.

Los usuarios de Windows deben descargar un panel de control de iCloud desde el sitio. Una vez que instale el software, diríjase a Inicio>Panel de control>Redes e Internet>iCloud y acceda.

En la ventana que aparece, active las casillas para lo que quiere sincronizar en su ordenador, como el correo, los contactos, los calendarios y los favoritos. Los usuarios de Windows necesitan Microsoft Outlook 2007 o posterior para sincronizar su correo, contactos y calendarios. También puede activar aquí Fotos en streaming.

Los usuarios de Mac OS X 10.7 y posterior, deben visitar Menú Apple>Preferencias del sistema>iCloud para acceder a las opciones para sincronizar el correo, los contactos, los calendarios y los favoritos de Safari (véase la figura 17.2).

Figura 17.2. *Gestione su sincronización iCloud desde el Mac.*

Una vez que tenga configurado iCloud tanto en su iPad como en su ordenador, estará sincronizando. Acceda a `www.apple.com/es/icloud/` y haga clic en Mail, Contactos o Calendarios para ver su información en la Web.

COMPARTA Y MUESTRE FOTOS CON ICLOUD

Piense en todas las maneras posibles de hacer fotos digitales, sobretodo si tiene un iPad, iPhone o iPod Touch. Puede que también tenga una cámara digital. Por suerte, la función Fotos en streaming de iCloud asegura que siempre tenga una copia de sus fotos en todos sus dispositivos iOS y en su ordenador. Ya no tendrá que avergonzarse cuando saque el iPad para mostrar una foto de su sobrina y se dé cuenta de que hizo la foto con el iPod Touch, que se ha dejado en casa.

Con Fotos en streaming en acción, iCloud almacena las últimas 1.000 fotos que haya hecho en 30 días, lo cual le dará suficiente tiempo para sincronizar sus imágenes entre sus dispositivos y, lo que es más importante, a su ordenador, que sirve como archivo de sus imágenes; mientras iCloud contiene solo sus últimas mil fotos, todas sus imágenes se almacenan permanentemente en su PC o Mac, que probablemente tendrá más capacidad que su iPad.

Para utilizar Fotos en streaming, debe activarlo en su iPad, sus otros dispositivos iOS y su ordenador. Si no lo activó cuando configuró su iPad, acuda a la pantalla de inicio del iPad y pulse Ajustes>iCloud>Fotos en streaming>On. Repita este paso en todos los dispositivos iOS 5 que quiera incluir en Fotos en streaming. También puede activarlo pulsando Ajustes>Fotos>Fotos en streaming>On.

Una vez que sus dispositivos iOS estén listos, debe incluir su ordenador para que sirva como archivo maestro de toda su fotografía.

Fotos en streaming para usuarios de Windows

Si utiliza un PC de Windows, primero debe instalar el software de iCloud para Windows. Después, seleccione Inicio>Panel de control>Redes e Internet>iCloud. Cuando se abra el cuadro, introduzca su nombre de usuario y contraseña iCloud. Active la casilla junto a Fotos en streaming y haga clic en **Opciones**.

En el cuadro de opciones deberá designar dos carpetas en su ordenador para el uso personal de Fotos en streaming. La primera es una carpeta para descargas, en la que iCloud almacena las fotos del Carrete de su iPad. Después, debe elegir una carpeta de subida. Las fotos que sitúa aquí suben a iCloud y se copian en el álbum de Fotos en streaming en su iPad y otros dispositivos iOS 5 (que obtienen copias JPG más pequeñas de las fotos).

Por defecto, iCloud establece sus dos carpetas en su biblioteca de imágenes de Windows, en una subcarpeta para descargas y otra para subirlas. Puede hacer clic en el botón **Cambiar** junto a las carpetas para elegir una diferente. Haga clic en **Aceptar** cuando acabe.

Fotos en streaming para usuarios de Mac OS X

Apple pone las cosas un poco más fáciles a sus propios sistemas operativos y ordenadores. Solo tiene que utilizar su versión más reciente (y actualizar) sus programas iPhoto y Aperture para organizar y editar fotos. Para activar Fotos en streaming en cualquiera de estos programas de Mac, haga clic en el icono de **Fotos en streaming** en el panel izquierdo y después haga clic en Activar Fotos en streaming, que aparece en la ventana.

ÍNDICE ALFABÉTICO

ÍNDICE ALFABÉTICO

ÍNDICE ALFABÉTICO